Ah

BIBLIOTHÈQUE DU VOYAGEUR

LE
GRAND GUIDE
DES ROCHEUSES

Traduit de l'anglais et adapté par
Stan Barets

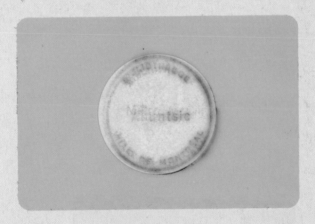

GALLIMARD

Aucun guide de voyage n'est parfait. Des
erreurs, des coquilles se sont certainement
glissées dans celui-ci, malgré toutes nos
vérifications. Les informations pratiques,
adresses, numéros de téléphone, heures
d'ouverture, peuvent avoir été modifiés ;
certains établissements cités peuvent avoir
disparu. Nous serions très reconnaissants à
nos lecteurs de nous faire part de leurs
commentaires, de nous suggérer des
corrections ou des compléments qui
pourront être intégrés dans la prochaine
édition.

Insight Guides, The Rockies
© Apa Productions (HK) Ltd, 1989,
© Editions Gallimard, 1992, pour la traduction française.

Dépôt légal : mars 1992
N° d'édition : 53934
ISBN 2-07-056670-6

Imprimé à Singapour

CEUX QUI ONT FAIT CE GUIDE

Le Grand Guide des Rocheuses est le septième volume de la Bibliothèque du Voyageur consacré aux États-Unis (après les Grands Guides de la Floride, du Sud-Ouest américain, de la Californie, de New York, de San Francisco et du Tour des États-Unis).

La coordination des équipes rédactionnelle et photographique a été assurée par **Diana Ackland** et **Janie Freeburg**. La première est une jeune journaliste new-yorkaise qui, après avoir longtemps collaboré au *Los Angeles Times*, a fondé une maison d'édition, Sequoia Productions, non loin de ces montagnes dont elle est tombée amoureuse il y a une dizaine d'années, en visitant le parc de Yellowstone. La seconde a suivi une formation en ethnologie et en graphisme avant de rejoindre Sequoia Productions.

Une troisième jeune femme, **Sriyani Tidball**, s'est associée à ce travail de coordination. Originaire du Sri Lanka, Sriyani Tidball est diplômée de l'université de Sri Lanka, du Royal Institute of Architecture de Londres et de l'université du Nebraska. Cette jeune mère de famille qui a collaboré à la rédaction du *Grand Guide de Ceylan*, paru dans la même collection, a rédigé la section « Informations pratiques » du *Grand Guide des Rocheuses*.

Son époux, **Tom Tidball**, a pour sa part écrit les divers chapitres de ce guide consacrés aux parcs nationaux des Rocheuses. C'est également à cet enseignant reconverti dans la photographie que l'on doit la plupart des illustrations de cet ouvrage.

Les Tidball tiennent à exprimer toute leur reconnaissance à Richard Grant, au docteur Maryanne Parthum, aux Offices du tourisme de Denver, du Colorado et de Salt Lake City, à la Chambre de commerce d'Aspen, à la Wyoming Travel Commission, à la Montana Travel Promotion, à l'Idaho Travel Committee, ainsi qu'au Conseil tribal des Shoshones-Bannocks, qui les ont tous grandement aidés dans leur travail.

Les clichés de neige et de sports d'hiver présentés dans cet ouvrage sont dus au photographe new-yorkais **Joe Viesti**. Collaborateur de *Géo*, de *Stern* et de *Pacific*, ce grand artiste, récemment remarqué par l'UNICEF, a déjà contribué à l'illustration des Grands Guides de la Floride, de la Californie, de la Nouvelle-Angleterre et de plusieurs ouvrages de la Bibliothèque du Voyageur consacrés à l'Europe.

Ackland   *Freeburg*   *S. Tidball*   *T. Tidball*   *Viesti*

Barbara Fifer, journaliste au *Montana Magazine* et collaboratrice de la Montana Historical Society and Brodart Inc., a signé les chapitres « Splendeurs de la nature » et «Bozeman et le Montana».

Linda Zuick, qui connaît les Rocheuses comme sa poche, a rédigé plusieurs chapitres historiques et présenté « La vallée de Jackson Hole ».

C'est à **Virginia Hopkins**, diplômée de Yale et résidante à Aspen, que l'on doit « Un même idéal de liberté », « Denver et les Rocheuses du Colorado », « Les villes de montagne du Colorado » et « La magie d'Aspen ». Cette journaliste qui collabore à *Life* fut également rédactrice en chef du *Grand Guide du Sud-Ouest américain*.

Patty Jones a deux amours, le journalisme et le rodéo, qu'elle conjugue en écrivant dans des magazines spécialisés comme *Texas Longhorn Journal*, en participant à des rodéos et en présidant la Women's Professional Rodeo Association. C'est donc elle qui, en toute logique, a rédigé le chapitre « Les cowboys, une légende vivante ».

Betty Stevens, collaboratrice du *Lincoln Nebraska Journal* et du *Durango Herald*, pour lesquels elle couvrit les événements tragiques de Wounded Knee en 1973, a brossé le portrait des « Indiens d'hier et d'aujourd'hui » et présenté « Les canyons du Colorado ».

Pamela Stenmark, ancienne monitrice de ski et auteur d'ouvrages de références sur le sujet, était la personne idoine pour parler de « L'appel des grands espaces » et du ski dans les Rocheuses.

Le chapitre consacré à Cody a été rédigé par **Sheila Andren**, dont le grand-père, Jim Corder, arriva du Kentucky dans le Wyoming, en chariot. Native de Cody, Sheila Andren est actuellement chargée des relations publiques auprès du prestigieux Buffalo Bill Historical Center.

Anthony Godfrey, auteur du chapitre consacré à Salt Lake City, est diplômé d'histoire américaine de l'University of Utah. Spécialiste de l'histoire des Indiens et de la conquête de l'Ouest, il collabore au magazine *Arizona and the West*.

Diplômé de la même université, **John R. Alley Jr.**, auteur de «La Cache Valley et le nord de l'Utah » et du chapitre consacré aux mormons a, malgré son jeune âge, déjà collaboré à quantité d'ouvrages, notamment sur les Paiutes.

Hara, photographe texane dont les clichés ont paru dans de prestigieuses revues — *Glamour, Esquire, National Geographic*, etc.— livre ici ses conseils aux chasseurs d'images.

Ont également collaboré à la réalisation de ce guide : **Bruce Bernstein**, qui a photographié la plupart des documents historiques aimablement fournis par la **Princeton University Library**, **Adam Liptak** et **John Beckman**, dont les critiques et conseils se sont révélés précieux, **Vivien Loo**, **Nancy Yap** et **Rafie Sain**, qui en ont assuré la réalisation technique.

La traduction et l'adaptation du présent ouvrage pour l'édition française ont été réalisées par Stan Barets.

Fifer   *Zuick*   *Hopkins*   *Jones*   *Stevens*

TABLE

TABLE

TABLE

TABLE

BIENVENUE
DANS LES ROCHEUSES

Les Rocheuses sont longtemps restées le domaine des tribus arapahoes, bannocks, shoshones, crows, nez percés, paiutes et utes, avant qu'une même fascination pour ces mystérieux « Pics Étincellants » et un même goût de l'aventure n'y conduisent les premiers explorateurs occidentaux, tels les frères La Vérendrye dans les années 1740, ou Lewis et Clark, en 1804, puis les trappeurs et les coureurs de bois, comme Jedediah Smith ou Jim Bridger. Le commerce des fourrures mais aussi l'or, l'argent, le cuivre, le bois, le pétrole ou le charbon ont attiré dans ces montagnes bien des chercheurs de fortune. Mirage ou réalité : certains y ont trouvé la richesse, d'autres la mort. Mais, des premiers conquistadores aux prospecteurs de la ruée vers l'or, tous y ont été poussés par un formidable besoin de liberté, tels ces colons qui endurèrent mille souffrances sur la piste de l'Oregon, au milieu du siècle dernier.

Le Colorado, l'Idaho, le Montana, l'Utah et le Wyoming n'ont guère changé depuis que s'y établirent les premiers colons : pics majestueux auréolés de neiges éternelles, pittoresques villages nichés dans de paisibles vallées, ranches dont les terres s'étendent à perte de vue... Les cinq États des Rocheuses recèlent d'inestimables richesses naturelles — lacs et sources cristallines, immenses forêts de conifères et de trembles — et une faune extraordinaire : wapitis, élans, grizzlis, lynx, castors, gypaètes... Aussi peut-on s'étonner de trouver, dans ce cadre somptueux, quelques métropoles modernes, comme Denver ou Salt Lake City.

On rencontre encore dans les Rocheuses quelques prospecteurs. Mais aujourd'hui, l'appel de la nature a remplacé l'appât de l'or. Les gardes-forestiers ou *rangers* ont remplacé les trappeurs, et les aventuriers modernes se font randonneurs, campeurs, alpinistes, pêcheurs, skieurs, chasseurs ou s'adonnent aux joies des derniers sports à la mode, delta-plane, raft, aérostation. Aux plaisirs de la découverte s'ajoutent, pour les plus aventureux, le frisson que procure la descente en pneumatique d'un torrent furieux, la griserie d'une compétition de ski, d'une promenade en montgolfière au-dessus de cimes enneigées ou d'une randonnée équestre en compagnie de cow-boys...

Toutefois, les Rocheuses ne se résument pas à des paysages grandioses, de grands parcs nationaux, de nombreuses bases de loisirs et quelques musées célèbres. Dans les villes au nom parfois étrangement exotique — Cheyenne City, Las Animas, Thermopolis, Copper Mountain ou Moscow —, se côtoient des *vaqueros* mexicains qui, depuis des générations, travaillent dans les ranches, des familles indiennes qui se mêlent à la foule des touristes et des mineurs et des agriculteurs dont les ancêtres fuirent autrefois l'Europe et sa misère. Dans ces montagnes se retrouve tout entière l'âme de la nation américaine.

SPLENDEURS DE LA NATURE

Les Indiens des plaines qui vivaient autrefois sur les hauts plateaux du centre des États-Unis, considéraient les Rocheuses comme un domaine réservé aux esprits, une terre sacrée dont l'Homme devait se tenir à l'écart. Ils désignaient ces montagnes redoutables, éternellement encapuchonnées de neige, sous le nom de « Pics Étincelants ».

Cette appellation poétique fut recueillie par deux Français, les frères La Vérendrye, qui furent les premiers Blancs à apercevoir cette chaîne, alors qu'ils exploraient l'actuel territoire du Montana et du Wyoming au cours de l'hiver 1742-1743. Mais les pionniers qui s'aventurèrent ensuite dans la région se montrèrent plus pragmatiques et baptisèrent du nom de *Rocky Mountains*, ou « montagnes Rocheuses », cette cordillère hérissée de crêtes dénudées. Pour eux, loin d'être un lieu sacré, cette chaîne représentait un défi, un obstacle à leur progression vers l'ouest.

D'abord peuplées de rares trappeurs, les Rocheuses furent bientôt sillonnées par des convois de chariots. Les premiers colons attirés par les riches forêts du Nord-Ouest et les mineurs en route vers la Californie lors de la ruée vers l'or surent rapidement trouver les cols et les passages permettant de franchir cette barrière naturelle.

Une nature préservée

Malgré cette percée, les Rocheuses restèrent longtemps inexploitées. Aujourd'hui encore, la densité démographique y demeure parmi les plus faibles des États-

Pages précédentes : forêt de trembles ; futur vainqueur de rodéo sur la roue de sa caravane ; fleurs printanières à Medicine Bow ; trembles jaunissant à la fin de l'été ; envol des concurrents de l'Avon Balloon Race ; prairie parsemée de fleurs au pied du Grand Teton ; charmante villa du Colorado dans le style de la reine Anne. A gauche, élan dans le Grand Teton National Park ; à droite, la grande cascade de Yellowstone.

Unis. Dans onze des trente-quatre comtés montagneux du Colorado on recense moins d'un habitant au km^2 et seuls onze comtés atteignent une densité de 2 à 8 habitants au km^2.

Dans cette région, les autorités nationales ou fédérales possèdent, selon les États, de 30 à 66 % des terrains. L'administration contrôle donc très attentivement l'exploitation des richesses minières ou forestières locales ainsi que la gestion des parcs de loisirs. Sur ces terres appartenant à l'État ont été aménagées de nombreuses zones protégées, les *wilderness areas*, d'où toute installation humaine est bannie.

Cette notion de « zones protégées » continue de faire l'objet de vifs débats aux États-Unis. Certains libéraux s'insurgent contre le fait que les ressources minières et forestières des *wilderness areas* soient ainsi « gelées » tandis que les écologistes souhaitent au contraire voir élargir ces zones. La plupart des citoyens américains, conscients de la nécessité de préserver la faune et la flore encore intactes de ces forêts alpines, sont surtout sensibles au fait que les Rocheuses constituent un immense réservoir fluvial dont les grands barrages fournissent d'importantes quantités d'hydroélectricité. L'eau est l'un des biens les plus précieux de l'Ouest américain.

Aujourd'hui, les Rocheuses ont cessé d'être un territoire interdit, une immense barrière scindant le pays. A la périphérie de ces vastes étendues vierges, des terres commencent à être mises en valeur. De plus, nombreux sont ceux qui viennent séjourner dans le cadre sublime des Pics Étincelants pour y retrouver une nouvelle jeunesse, tant physique que spirituelle.

Montagnes et fleuves

Large de plusieurs centaines de kilomètres, la cordillère des Rocheuses s'étend, du Canada au Mexique, sur plus

Les *Middle Rockies* ont une physionomie tourmentée. Dans le Wyoming, le pic de Grand Teton (4 100 m) s'élève brusquement de plus de 2 000 m au-dessus de la fertile cuvette de Jackson Hole. De même, dans l'Utah, les grands horsts des monts Wasatch, qui encerclent la vallée de Salt Lake City et le Grand Lac Salé, dominent la plaine de plus de 1 800 m.

Le Yellowstone National Park montre, quant à lui, que cette région a connu, à l'ère tertiaire, une intense activité volcanique. Il s'agit d'un plateau d'andésite et de rhyolite de 600 à 700 m d'épaisseur, sous lequel des forces éruptives sont per-

de 4 800 km et culmine à 4 405 m au Blanca Peak, dans le Colorado. Aux États-Unis, la chaîne a été divisée, du nord au sud, en trois zones distinctes, tant pour des raisons géologiques que climatiques. Dans leur partie nord, les Rocheuses culminent à 3 000 m tandis que la plupart des sommets méridionaux dépassent 4 000 m.

Les cinq États présentés dans ce guide se situent tous dans la partie moyenne du massif. Au centre s'ouvre le bassin du Wyoming, région semi-désertique qualifiée au siècle dernier de « troue dans les montagnes » car elle permettait alors le passage des caravanes de pionniers entre les Grandes Plaines et le plateau du Colorado.

pétuellement à l'œuvre. Des centaines de geysers y crachent de l'eau bouillonnante venue des profondeurs. Des volcans de boue, des fumerolles, des sources chaudes et des bassins de concrétions libèrent d'épais nuages de vapeur sulfureuse qui offrent un spectacle d'une rare beauté.

Les puissantes rivières qui naissent dans ces montagnes ont laissé de profondes empreintes en se frayant un chemin vers la plaine. Dans l'Idaho, Hells Canyon — la plus grande gorge d'Amérique du Nord — constitue une tranchée de 1 600 m de profondeur, découpée à flanc de roche basaltique par les méandres de la Snake River, qui porte à merveille son nom de fleuve

Serpentin. Dans le Colorado, l'Arkansas, qui a entaillé près de 350 m de granit pour sculpter la Royal Gorge, s'abaisse de plus de 2 000 m entre sa source et la plaine, distantes de 240 km.

Une lente et inexorable érosion

Montagnes jeunes à l'échelle géologique, les Rocheuses sont nées du choc de deux plaques tectoniques. En se déplaçant vers l'ouest, le flanc occidental du Bouclier canadien a heurté l'extrémité de la plaque Pacifique qui progressait en sens contraire. Cette collision a entraîné la surrection pro-

les amoncellements rocheux des monts San Juan dans le Colorado.

Dans cette zone, les tremblements de terre — heureusement de faible amplitude — sont fréquents et plusieurs événements tragiques ont démontré que les montagnes Rocheuses n'avaient pas encore achevé leur croissance. En 1935, on enregistra plusieurs séismes dans le Wyoming et dans le Montana. Et en août 1959, le lac d'Hebgen, dans le Yellowstone National Park, s'effondra d'une dizaine de mètres, occasionnant un gigantesque glissement de terrain qui ensevelit une cinquantaine de campeurs.

gressive des terres situées au niveau de la mer. Ces dernières se sont haussées à plus de 1 500 m d'altitude pour constituer la base des Rocheuses.

Au quaternaire, glaciers et moraines ont ensuite sculpté ces montagnes. Puis, avec le réchauffement de la planète et la fonte des neiges, les hautes vallées se sont trouvées englouties sous des mers intérieures. Enfin l'activité volcanique a achevé d'en modeler le relief, comme en témoignent

A gauche, vue aérienne des Rocheuses dans le Wyoming ; ci-dessus, à Capitol Reef, dans l'Utah, les roches témoignent de la force de l'érosion glaciaire.

Une végétation et un climat originaux

Les Rocheuses n'ont que soixante millions d'années et la flore y est moins diversifiée que dans les Appalaches, chaîne parallèle de la côte est vieille de deux cent vingt-cinq millions d'années. On observe des disparités climatiques entre les deux versants du massif. La façade occidentale, exposée aux vents marins, arrête les nuages qui se condensent et retombent sous forme d'abondantes pluies ou chutes de neige. Elle est donc caractérisée par d'épaisses forêts de conifères, tandis que sur le versant oriental, plus aride, seules les hauteurs sont boisées.

Marqué par de grandes amplitudes thermiques entre le jour et la nuit, le climat des Rocheuses est généralement sec, ce qui confère au ciel une extraordinaire luminosité. Cependant les précipitations hivernales, plus fréquentes sous forme de neige que de pluies, donnent naissance à d'importantes congères qui, au moment de la fonte des glaces, irriguent cette région relativement pauvre en sources. Chaque année, d'avril à juin, les ruisseaux en crue alimentent de nombreux fleuves : l'Arkansas, la Platte nord et sud, le Rio Grande, le Missouri et le réseau du Colorado. Les Rocheuses constituent ainsi

se tournèrent d'abord vers les industries extractives : travail des fourrures, exploitation des métaux précieux (ou, plus récemment, de minerais radioactifs) et défrichage des forêts.

L'agriculture fit une timide apparition lorsque se développèrent les camps de mineurs. Mais sur ces terres arides, l'élevage ovin et bovin prédomina jusqu'à l'introduction de méthodes modernes d'irrigation. Il fallut attendre le XXe siècle pour que le tourisme s'affirme comme la principale « industrie » de la région.

Pourtant, en raison des difficultés de communication et de la parcimonie des

le principal bassin hydrographique d'Amérique du Nord. Les crêtes de ce massif déterminent la ligne de partage des eaux ou *Continental Divide*, qui prennent ensuite le chemin de l'Atlantique ou du Pacifique. Notons d'ailleurs que, de tous les fleuves sus-mentionnés, seul le Colorado se jette dans le Pacifique.

Un mode de vie rude mais chaleureux

Dans les Rocheuses, l'activité a toujours été déterminée par la rudesse du climat et par l'aridité du sol. A l'image des indigènes qui vivaient essentiellement de chasse et de cueillette, les pionniers européens

terres arables, les grandes villes n'ont pu se développer au cœur des montagnes. Denver et Salt Lake City, les deux principaux centres urbains des *Middle Rockies*, sont dénués du cachet qui caractérise les petits bourgs de ces cinq États, même s'il y règne la même atmosphère décontractée et accueillante. Ici, nul formalisme : on s'habille plus par souci de confort que pour sacrifier aux exigences de la mode. Cette simplicité est sans doute un héritage de l'esprit des pionniers, à moins que, devant la grandeur majestueuse de ces monts, chacun se fasse humble et adopte inconsciemment un comportement plus simple.

Les habitants des Rocheuses vouent tous un égal amour à ce pays merveilleux, amour qu'ils ne manqueront pas de vous faire partager. Sans vous laisser rebuter par ce qui peut sembler une familiarité excessive, sachez l'accepter comme l'expression d'un authentique sentiment de fraternité.

Une faune unique au monde

Que ce soit dans les *wilderness areas*, où nul humain n'a le droit de s'installer, ou dans l'enceinte des parcs nationaux qui accueillent chaque année des milliers de

Aujourd'hui, il ne subsiste plus aux États-Unis que deux grands troupeaux de bisons sauvages, l'un dans le Yellowstone National Park et l'autre dans le National Wildlife Refuge de Moiese, dans le Montana.

Un bison mâle adulte mesure environ 2 m au garrot et pèse jusqu'à 1 tonne. Ceux que l'on voit paître à Yellowstone paraissent particulièrement flegmatiques ; mais lorsqu'ils s'emballent — le fameux *stampede* des histoires de cow-boys — ils surpassent l'homme à la course. S'ils se sentent acculés, ils attaquent et déchiquettent leur adversaire à coups de cornes. En

visiteurs, les Rocheuses sont un paradis pour les animaux. Les cerfs (*deer*), les antilopes (*pronghorns*), les élans (*moose*) ou les chevreuils (*mule deer*), y vivent en totale liberté. Mais les deux espèces fétiches de ces montagnes restent bien sûr le grizzli et le bison, dont on se souviendra cependant qu'il s'agit d'animaux imprévisibles et dangereux.

A gauche, comme à l'époque des premiers Indiens, les troupeaux de bisons paissent à nouveau sur les vastes plaines du Wyoming ; ci-dessus, au coucher du soleil, les étranges formations gréseuses du parc national d'Arches constituent un spectacle féerique.

aucun cas on ne doit s'en approcher à pied ou, en groupe, faire mine de les encercler.

Le grizzli, quant à lui, est une espèce en voie de disparition. En dehors de l'Alaska, il en subsisterait moins de huit cents spécimens, dont la moitié vivrait sur les parcs de Yellowstone ou de Glacier, près de la frontière canadienne.

Cet animal farouche fuit généralement l'homme. Il arrive cependant qu'un randonneur se retrouve nez à nez avec un grizzli, rencontre d'autant plus délicate que la mauvaise vue de ce plantigrade l'oblige à s'approcher de tout intrus pour l'identifier. Son naturel le pousse ensuite à prendre la fuite, sauf s'il se sent pris au piège ou si l'on s'interpose entre une mère et sa portée. Pour éviter de le surprendre, les gardes forestiers conseillent aux visiteurs de faire du bruit en marchant ou d'accrocher un grelot à leur poignet.

La femelle adulte pèse de 150 à 200 kilos, tandis que le poids du mâle atteint 360 à 450 kilos. La fourrure du grizzli va de l'ambre clair au brun foncé avec des reflets « grisonnants » qui lui ont valu son nom en anglais. L'impressionnante bosse qu'il porte sur les épaules et sa gueule plate et ronde permettent aisément de le distinguer des autres plantigrades et surtout des ours bruns (black bears).

Ces derniers sont bien plus dangereux car ils sont nombreux et n'ont plus peur des humains. Dans les parcs nationaux, ils ont pris l'habitude de se nourrir en quémandant aux abords des terrains de camping et aux portières des voitures, ou en fourrageant dans les poubelles. Les rangers qui surveillent les parcs tentent de les déplacer vers des zones plus sauvages, mais un accident reste à craindre.

Cet ours que nous appelons « brun » et les Américains « noir » est de l'une ou l'autre couleur, parfois même roux. On le reconnaît au toupet blanc qu'il porte sur la poitrine. Adulte, il atteint presque 2 m et pèse entre 90 et 230 kilos.

Les Rocheuses abritent aussi plusieurs centaines d'espèces d'oiseaux rares (balbuzards, pélicans, aigles pêcheurs ou cygnes à trompette) ainsi que de très nombreux mammifères : écureuils, belettes, blaireaux, loutres, marmottes, porcs-épics, coyotes, lynx ou renards, sans oublier les ratons laveurs, rats musqués et castors.

Terre d'élection des cerfs et des élans

On rencontre dans les Rocheuses quatre espèces de cervidés dont le célèbre élan, géant de la famille, qui mesure près de 2 m au garrot pour un poids de 450 à 630 kilos. Ses bois, les plus grands du règne animal, sont constitués de massives empaumures ornées d'une dizaine de dentelures acérées qui, de pointe à pointe, peuvent dépasser 1,50 m. Cet excellent nageur, qui n'hésite pas à s'aventurer en eau profonde, fréquente habituellement les terrains marécageux et les berges des rivières.

D'une taille plus modeste, le wapiti, ou cerf canadien, porte une ramure haute et effilée. Cette parure, presque aussi large que celle de l'élan, peut peser plus de 20 kilos. Le wapiti se rencontre surtout en plaine ou dans les forêts de piedmont. Il peut atteindre un poids de 225 à 300 kilos pour une hauteur au garrot de 1,50 m.

Le chevreuil et le cerf à queue blanche peuplent les zones isolées des Rocheuses. Le premier se reconnaît à ses longues oreilles et à sa course sautillante, tandis que le second est caractérisé par sa queue qu'il dresse comme un petit drapeau blanc dès qu'il prend peur.

On trouve également un cervidé plus gracile, le pronghorn, que les habitants de la région nomment improprement antilope, et qui, sous une apparence frêle, cache une robuste constitution. Extrêmement rapide et endurante, l'antilope a l'habitude de paître en terrain découvert. En effet sa vue, sept fois plus perçante que celle de l'homme, et ses poumons d'une capacité exceptionnelle lui permettent d'apercevoir et de fuir aisément le danger. On la rencontre souvent en troupeau et elle n'hésite pas à venir brouter jusque dans les zones les plus fréquentées.

A gauche, couple de chamois ; à droite, mouflon des Rocheuses, espèce actuellement menacée.

CIMETIÈRES DE DINOSAURES ET SITES PUEBLOS

La géologie montre que le bouclier tectonique sur lequel reposent les Rocheuses était autrefois situé au niveau de la mer. Puis, sous la poussée de la plaque Pacifique, cet énorme bloc flottant fut pendant des millions d'années soumis à une irrésistible pression souterraine. Par la suite, les roches se fracturèrent en engendrant un chaos de gouffres, d'à-pic et de plateaux que l'érosion fluviale, éolienne et glaciaire, les éruptions volcaniques et les tremblements de terre achevèrent de sculpter au cours du tertiaire et du quaternaire.

Dans le seul État du Colorado, la cordillère couvre ainsi une superficie comparable à six fois celle des Alpes. Elle compte 1 143 monts d'une altitude supérieure à 3 000 m, dont cinquante-trois culminent à plus de 4 250 m.

Dans l'Idaho, des vallées entières ont été ensevelies sous des coulées de lave avant d'être ravinées par l'impétueuse Snake River. Ces champs de lave — seuls sont plus vastes ceux du plateau de la Columbia, dans l'Oregon — offrent un paysage impressionnant, comme on le constate en visitant le Craters of the Moon National Monument où, sur des kilomètres, on erre dans un paysage lunaire, parmi les cratères, les dépôts de cendres et les champs de lave.

Toutes ces forces qui ont soulevé, comprimé, écrasé ou plissé les roches sont à l'origine des paysages grandioses qu'offrent les Rocheuses. Mais la région ne se contente pas d'être un fabuleux catalogue de phénomènes géologiques. Elle témoigne aussi de la vie telle qu'elle apparut il y a plusieurs millions d'années. Des petits fossiles marins de Florissant Fossil

Pages précédentes : certaines peintures rupestres dessinées par les premières civilisations indiennes sont encore visibles dans le parc national d'Arches. A gauche, dans le parc national de Bryce Canyon (Utah), l'érosion a sculpté un impressionnant dédale de cheminées de fée ; à droite, gravure ancienne représentant de manière romantique la civilisation des Anasazis.

Beds National Monument, près de Colorado Springs, au cimetière de dinosaures et de sauriens géants de Dinosaur Quarry, dans le nord de l'Utah — le plus vaste au monde connu à ce jour —, les Rocheuses offrent une merveilleuse leçon de choses.

Anasazis et Pueblos

C'est dans ce cadre sublime que naquit au paléolithique la «civilisation Cochise», une culture indienne vivant essentiellement de la cueillette des glands et des noix. Au début de notre ère se développa

CLIFF-DWELLINGS SOUTHERN COLORADO.

la civilisation des Vanniers (*Basketmakers*), ou Anasazis, chasseurs semi-nomades qui introduisirent la culture du maïs sur les hauts plateaux fertiles, ou mesas, dominant les vallées environnantes. Vers le Ve siècle, ces Indiens s'installèrent dans des demeures bâties à flanc de canyon *(cliff dwellings)* ou creusées dans le roc *(pit houses)*. A partir du VIIIe siècle, ces habitations furent regroupées en villages, d'où le nom de Pueblos que les Espagnols donnèrent aux Anasazis lorsqu'ils les découvrirent. On assista au développement de la poterie et à l'introduction de la culture du coton. La culture pueblo devait connaître son apogée au XIe siècle.

A partir du XIVᵉ siècle, la pression de tribus nomades amena les Pueblos à déserter progressivement ces villages. Mais les tribus des environs, les Utes et les Navajos, croyant ces grottes hantées, se gardèrent de s'y installer et les lieux demeurèrent à l'abandon pendant plus d'un demi-millénaire.

Sur les mesas, les fouilles de certains sites ont permis d'exhumer des villages pueblos, construits en adobe et en pierre. Ceux-ci regroupaient des immeubles rectangulaires (totalisant jusqu'à cinq cents logements) autour d'une cour ainsi que des *kivas*, chambres souterraines circu-

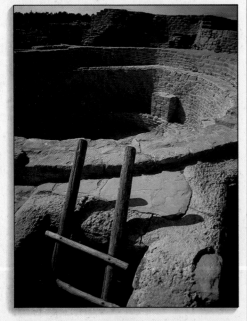

laires réservées aux cérémonies et aux rites religieux. De nombreux vestiges, âtres, meules, poteries, jarres ou ustensiles divers ont permis de reconstituer la vie des premiers Pueblos.

Le site de Cliff Palace

En revanche, il fallut attendre 1888 pour découvrir le premier *cliff dwelling* des Anasazis, lorsque deux cow-boys, lancés à la poursuite d'un troupeau égaré, aperçurent une immense grotte dissimulée à une quinzaine de mètres sous le rebord d'un plateau. Ce site, baptisé Cliff Palace, regroupe deux cent dix-sept pièces d'habi-

tation et une vingtaine de *kivas* dans une grotte de 100 m de long, 30 m de profondeur et 20 m de haut, et constitue le plus grand ensemble troglodytique indien que l'on connaisse. Les immeubles à quatre niveaux, aux murs décorés de fresques primitives rouge et blanc, sont dominés par une tour de pierre de 9 m de haut. On suppose que ce village, autrefois alimenté par une source, abritait quelque trois cents personnes.

Ce site, qui fut classé dès 1906, constitue aujourd'hui l'une des principales curiosités du Mesa Verde National Park, dans le sud du Colorado.

Les premiers Occidentaux

Le premier Blanc qui s'aventura dans ces contrées fut le conquistador Francisco Vasquez de Coronado, parti de Mexico en 1540 à la recherche du mythique trésor des « Sept Cités de Cibola ». Pendant plus de deux ans, Coronado erra sans trouver ni or ni argent. De dépit, il massacra les Indiens, viola leurs femmes et mit à sac les villages pueblos et troglodytes. Ce premier contact laissait ainsi présager aux populations indigènes le sort que leur réserverait l'homme blanc quelques siècles plus tard...

On ignore jusqu'où alla Coronado à la recherche de son Eldorado. On sait seulement qu'il atteignit le Kansas et qu'un de ses lieutenants, Garcia de Cardenas, découvrit le Grand Canyon du Colorado mais fut incapable de le franchir. Quand Coronado rentra bredouille à Mexico, il avait réussi à semer dans le cœur des Indiens une haine farouche des « visages pâles ».

D'autres aventuriers, trappeurs, chercheurs d'or ou missionnaires zélés, s'aventurèrent ensuite sporadiquement vers le nord. Mais le territoire des Rocheuses resta pratiquement inexploré jusqu'à ce que, suite à l'acquisition de la Louisiane par le gouvernement américain, en 1803, Lewis et Clark réussissent pour la première fois à traverser ces montagnes.

A gauche, dans les habitats troglodytes des Anasazis, un système d'échelles permettait de passer d'une pièce à l'autre ; à droite, la célèbre habitation quasi inaccessible de Cliff House, dans le parc national du Canyon de Chelly (Arizona).

EXPLORATEURS ET TRAPPEURS

Venu du Canada par le Saint-Laurent, les Grands Lacs et le bassin du Mississippi, un hardi Normand, Cavelier de la Salle, explora et offrit en 1682 à Louis XIV un vaste territoire situé au centre des États-Unis. Cadeau somptueux, cette « Louisiane » (à ne pas confondre avec l'État qui porte actuellement ce nom) couvrait un quart du continent et constituait une large bande allant du Canada au golfe du Mexique. Hélas, la France s'en désintéressa.

Cédé une première fois par Louis XV à l'Espagne, ce territoire revint en 1802 à Napoléon Ier après la défaite de Charles IV. Mais dès l'année suivante, l'Empereur devait changer la face du monde en le vendant pour quinze millions de dollars à la jeune république des États-Unis.

Cet achat inespéré — le *Louisiana Purchase* — ouvrait un domaine fabuleux. Dès 1844, le président Jefferson dépêcha une expédition conduite par son secrétaire particulier, le capitaine Meriwether Lewis, et son ami William Clark. Son objectif : inventorier la faune et la flore, reconnaître les possibilités de commerce avec les Indiens et ouvrir une voie à travers les Rocheuses jusqu'au Pacifique.

L'expédition de Lewis et de Clark

En compagnie de quarante-cinq baroudeurs aguerris, Lewis et Clark quittèrent au printemps 1804 les environs de Saint-Louis, au confluent du Mississippi et du Missouri, pour un voyage qui devait durer près de deux ans. Les rejoignirent bientôt un trappeur canadien-français, Toussaint Charbonneau, et son épouse indienne Sacagawea, alors enceinte, qui devaient servir d'interprètes et de négociateurs lors de la traversée des territoires shoshones.

A pied, à cheval ou en canot, l'expédition, bientôt complétée d'un nouveau-né, pénétra en milieu inconnu, sur le territoire de tribus souvent hostiles, pour un voyage de 13 000 km. Vivant de cueillette et de chasse et se guidant d'après les indications des Indiens, Lewis et Clark remontèrent d'abord le Missouri. Puis, après avoir

atteint la ligne de partage des eaux, ils redescendirent le versant occidental des Rocheuses en suivant le cours de la Columbia. Enfin, le 17 novembre 1805, « Joie immense dans le camp : nous arrivons en vue de cet océan Pacifique tant espéré. D'où nous sommes, nous entendons distinctement le grondement des vagues qui se brisent sur la grève », écrit Meriwether Lewis dans son journal.

Après avoir hiverné sur la côte, l'expédition se divisa pour rentrer. Lewis prit le chemin du nord, tandis que Clark se dirigeait vers l'est pour reconnaître le cours de la Yellowstone. Revenue à son point de

départ en août 1806, l'expédition était un réel succès. Cette première traversée transcontinentale apportait de précieuses informations sur les confins encore inconnus des États de l'Union.

Freeman, Frémont, Pike et les autres

Sans même attendre le retour de Lewis et de Clark, Jefferson envoya une seconde expédition explorer le sud des Rocheuses, sous la conduite de Thomas Freeman. Cette mission fournit d'intéressants renseignements sur les territoires alors détenus par l'Espagne ainsi que sur le fleuve à remonter pour atteindre les Rocheuses.

C'est le capitaine Zebulon Pike qui eut pour tâche, en 1806, d'explorer ce cours d'eau, l'Arkansas. Il en dressa la carte jusqu'au Colorado et découvrit le plus haut sommet de la région, auquel il donna son nom, le Pike's Peak. Comme cet officier avait surtout fourni des renseignements d'ordre militaire, le Congrès chargea le major Stephen H. Long, en 1818, d'étudier la faune et la flore locales ainsi que les possibilités de commercer avec les Indiens. Long laissa son nom au point culminant du Rocky Mountain National Park.

A la même époque, John C. Frémont (qui, le premier, se fit accompagner d'un

Gunnison fut le dernier explorateur civil. La découverte des richesses minières de l'Ouest donna une nouvelle impulsion aux expéditions de reconnaissance mais, devant l'animosité des Utes, celles-ci furent désormais confiées à des militaires.

Trappeurs et commerce des peaux

Pourtant, jusque vers 1840, l'ouverture des premières pistes à travers les Rocheuses devait rester liée à l'histoire des trappeurs et à l'essor du commerce des peaux.

Négociants en fourrures et trappeurs indépendants furent les véritables décou-

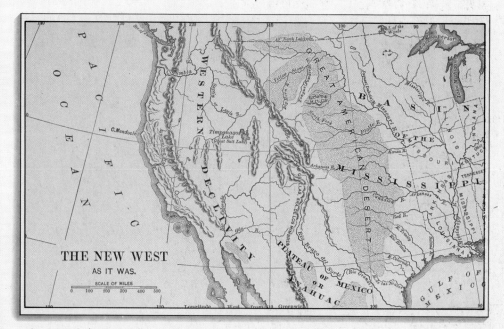

photographe) monta cinq expéditions à travers les Rocheuses en quête d'un passage central vers la Californie, ce dans le cadre d'un projet de chemin de fer transcontinental. Hélas, à chaque fois, il fut arrêté par les rigueurs de l'hiver. Cette voie fut découverte par John Gunnison, qui devait tomber peu après sous les flèches indiennes.

Pages précédentes : « le Vapeur », une toile de Charles Russell, artiste qui se consacra à la description du Far West. A gauche, les armes et la bannière étoilée, vademe-cum *des premiers pionniers ; ci-dessus, sur cette carte du siècle dernier, l'Ouest figure comme comme une terre vierge.*

vreurs de l'Ouest. S'ils ne savaient ni lire ni écrire, ces baroudeurs qui connaissaient parfaitement les pistes savaient en interpréter tous les signes et, en se fiant à leur sens de l'orientation, ils eurent vite en tête une carte de la région bien plus précise que celles relevées par les expéditions officielles.

Ces hommes étaient attirés vers l'Ouest par la recherche des peaux de castors. Ces fourrures, utilisées dans la confection de chapeaux, de moufles ou de manteaux, étaient alors très prisées. Ainsi, chaque année, la cour impériale de Chine commandait à elle seule plus de deux cent mille de ces peaux. Une telle hécatombe faillit entraîner l'extinction des castors mais la mode changea fort heureusement à temps.

Vêtus de peaux de daim, coiffés d'une toque à la David Crockett, les trappeurs vivaient en pleine nature et n'hésitaient pas à épouser des Indiennes. Blancs et Indiens se retrouvaient lors d'un grand rassemblement annuel. Les négociants en fourrure venaient y récolter les peaux et distribuer à leurs employés les denrées nécessaires à leur campagne suivante, tandis qu'Indiens et trappeurs indépendants se perdaient en palabres pour troquer leurs prises. Les transactions duraient une

Ainsi, William H. Ashley, propriétaire de la Rocky Mountain Fur Company, employa de nombreux pionniers dont les noms sont restés célèbres : Jedediah Smith, méthodiste pur et dur, toujours un revolver dans une main et une bible dans l'autre ; David Jackson qui donna son nom à une ville du Wyoming ; William Sublette qui, plus tard, guida les premières caravanes de pionniers ; Thomas Fitzpatrick, surnommé « Main cassée » par les Indiens après que l'explosion inopinée d'un fusil lui eut arraché plusieurs doigts ; sans oublier Old Jim Bridger, célèbre pour son adresse au tir comme pour sa faconde.

JAMES BRIDGER—See following page.

semaine mais se prolongeaient souvent en fêtes, en beuveries et en jeux, au cours desquels poudre et whisky servaient de monnaie d'échange. Les trappeurs étaient heureux de se retrouver autour d'un feu pour conter des histoires, échanger des informations sur les pistes et les itinéraires ou montrer leur force et leur adresse à toutes sortes d'exercices. Après quinze jours de bombance, plus d'un repartait dans les bois sans le sou, et seuls les pelletiers ou les tanneurs en retiraient quelque profit...

Certains de ces hommes aujourd'hui entrés dans la légende jouèrent un rôle important dans l'histoire des Rocheuses.

Les caravanes à l'assaut des cols

A la suite de ces hardis pionniers et grâce aux efforts de William Sublette qui, dès 1830, ouvrit un passage à travers les montagnes, on vit s'engager les premiers convois de chariots transportant des colons.

Ceux-ci furent rapidement suivis par quelques touristes et journalistes qui se mirent à colporter des récits enthousiastes : les Rocheuses étaient un paradis où, entre autres merveilles, on trouvait en abondance des peaux de bison. La mode s'en mêla et les pelletiers croulèrent bientôt sous les demandes.

Les lieux de rassemblement annuel se transformèrent en comptoirs permanents, les célèbres *trading posts*, qui furent bientôt fortifiés. C'est ainsi que s'ouvrit en 1834 le camp de Fort Laramie, situé à mi-distance du Missouri et du Grand Lac Salé, sur la piste de l'Overland Trail.

Ces établissements, d'abord privés, furent ensuite réquisitionnés par l'armée arguant de la nécessité de surveiller les Indiens et les chasseurs de bisons et de protéger les caravanes d'immigrants lors de la ruée vers l'or. En 1849, le gouvernement fit ainsi de Fort Laramie la première capitale des Rocheuses.

Jedediah Smith n'avait que 25 ans quand il quitta son New York natal pour l'Ouest, avec une bible pour seule arme. Ce jeune homme apprit plus tard à se servir d'un fusil et d'un couteau, mais il ne se sépara jamais des Saintes Écritures, l'arme la plus efficace selon lui. En association avec Sublette et Jackson, il racheta la Rocky Mountain Fur Company et mena pendant des années la rude vie des trappeurs. Attaqué une fois par un grizzly et grièvement blessé, il resta plusieurs jours entre la vie et la mort jusqu'au moment où il eut la force de recoudre lui-même ses blessures et de reprendre la route...

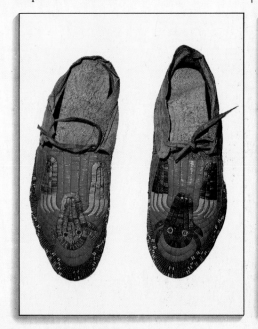

La légende de l'Ouest

Cette époque est associée au souvenir de nombreux *Anglos* — ou « Indiens blancs », comme on les nommait alors —, personnages hauts en couleur qui connurent des destins souvent tragiques.

Page ci-contre, à gauche, Jim Bridger, l'un des premiers trapppeurs qui s'établirent dans les Rocheuses ; à droite, descente des rapides du Colorado à l'époque héroïque. Ci-dessus, à gauche, paire de mocassins sioux du début du siècle ornée de motifs en piquants de porc-épic ; à droite, convoi de chariots gravissant péniblement la Ute Pass.

Ce n'est pas la peur du danger qui lui fit abandonner ce métier, mais la crise des fourrures de castor. En 1830, il revendit ses actions et prit la route de Santa Fe. Affaibli par les rigueurs du climat, maintes fois attaqué par les Indiens, il tomba dans une embuscade avant d'avoir atteint son but. La légende rapporte qu'il mourut le fusil dans une main et la bible dans l'autre...

Autre grand chasseur devant l'Éternel, Kit Carson fit bénéficier de nombreuses expéditions militaires de sa connaissance du terrain. Célèbre dans toute la région, craint des Indiens et respecté de tous, il chassa longtemps les troupeaux de bisons.

Il assista, sur la fin de sa vie, aux premiers incidents violents entre colons et Indiens et à la ruée vers l'or, qui devait sonner le glas de l'ère des trappeurs. Kit Carson fut néanmoins l'un des rares pionniers qui survécurent à cette épopée tragique. Il devint un riche fermier et mourut en 1868 à Taos, où l'on peut encore voir sa tombe.

« Main cassée » — de son vrai nom Thomas Fitzpatrick — fut d'abord trappeur et chasseur avant de devenir le premier agent fédéral aux affaires indiennes dans les Rocheuses. L'expérience pratique que cet *Anglo* avait acquise en vivant pendant vingt ans auprès des Indiens s'avéra

explora, le premier, l'actuel territoire du Yellowstone National Park et s'aventura sans doute jusqu'aux rives du Grand Lac Salé. En 1843, au moment du déclin des fourrures, il fit ériger Fort Bridger, dans le Wyoming, pour ravitailler les caravanes d'émigrants qui empruntaient la Piste de l'Oregon. Mais sept ans plus tard, le fort passa aux mains des mormons et Bridger dut regagner Fort Laramie. Là, au milieu d'autres *old timers*, tous intarissables conteurs, il contribua à propager la légende naissante de l'Ouest. Ainsi, disait-il, à l'époque où il était arrivé dans la région, le Pike's Peak n'était encore qu'une colline !

précieuse lorsque le gouvernement voulut instaurer une politique nouvelle à l'égard de ces populations. Main cassée tenta de convaincre les Indiens, confrontés à la disparition des troupeaux de bisons et de leurs terrains de chasse traditionnels, de se tourner vers l'agriculture, et chercha à se procurer l'équipement nécessaire auprès du gouvernement. C'est sur son initiative que fut signé à Fort Laramie, en 1851, le premier traité de paix entre Blancs et Indiens en présence de dix mille indigènes.

Chasseur, trappeur, négociant en fourrures et éclaireur, James Bridger entra dans la Rocky Mountain Fur Company en 1830. Pour le compte de cette société, il

Le conflit mexicain et la guerre de Sécession

Depuis plus de vingt ans, des troubles sporadiques opposaient le Mexique aux États-Unis. Des *Anglos* ne cessaient de harceler les caravanes mexicaines tandis que les Mexicains tentaient de soulever les Utes et les Apaches contre les autorités américaines. La tension monta jusqu'à un certain jour de 1847 où un groupe de Mexicains et d'Indiens Pueblos fit irruption à Taos au domicile de Charles Bent, gouverneur militaire du Nouveau-Mexique. L'homme fut massacré et scalpé en présence de toute sa famille.

Il n'en fallut pas plus pour que les États-Unis se lancent dans une offensive prétendument destinée à ramener la paix, mais qui n'avait, en fait, d'autre but que d'annexer un immense territoire. La Californie, le Nevada, l'Utah, le Nouveau-Mexique, ainsi que de vastes portions de l'Arizona, du Colorado et du Wyoming furent ainsi « achetés » par les États-Unis lors de la signature du traité de Guadalupe Hidalgo, le 2 février 1848.

Pourtant il était écrit que ces États nouvellement acquis ne devaient pas connaître la paix immédiatement. Peu de temps après, ils furent en effet entraînés dans la défaite sudiste et la fin de la guerre civile devaient marquer le début d'un autre conflit, avec les Indiens cette fois.

Les guerres indiennes

Lorsque la guerre de Sécession obligea l'armée à déplacer ses troupes stationnées dans les Rocheuses vers l'est pour combattre les Sudistes, les tribus indiennes réagirent promptement. Après avoir été repoussés et confinés pendant des décennies dans des réserves inhospitalières, le célèbre « chemin des Larmes », les Indiens voulurent tirer avantage du nouveau rap-

guerre de Sécession. Les mines d'or du Colorado et du Nouveau-Mexique, États penchant pour le maintien de l'esclavage, devinrent un enjeu majeur entre les deux partis. Non sans malignité, le président Lincoln désigna alors William Gilpin, un Sudiste rallié à sa cause, pour diriger une répression qui fut d'autant plus sanglante. En 1862, les troupes de l'Union réussirent finalement à repousser les Confédérés qui avaient franchi le Rio Grande pour s'emparer des mines du Colorado. La

port de forces pour se venger et reconquérir leurs terrains de chasse traditionnels. Les voies de communication furent coupées et les fermes isolées mises à sac. En 1862 et 1863, en dépit des ripostes militaires, les Indiens semèrent la terreur dans les Rocheuses.

Aux dires d'Evans, successeur de Gilpin au poste de gouverneur, on s'acheminait peut-être vers une trêve lorsque le colonel Chivington, un héros de la guerre de Sécession, prit le contrôle des opérations. A la tête de six cents hommes, il marcha sur le camp de Sandy Creek où, méthodiquement, il massacra une tribu entière, n'épargnant ni les femmes ni les enfants.

A gauche, Buffalo Bill triomphant des Indiens ; ci-dessus, mormons fraternisant avec des Indiens.

Apprenant ce forfait, tous les Indiens de la région de Fort Laramie se lancèrent derrière Sitting Bull dans une guerre sans merci. Les communications entre Denver et le reste du pays furent coupées. D'innombrables installations furent pillées et brûlées. Les Rocheuses se retrouvèrent bientôt à feu et à sang.

Peu après, le colonel Chivington fut dégradé et son action qualifiée de « crime injustifiable ». En 1876, les Indiens infligèrent une cuisante défaite aux troupes de Custer à Little Big Horn, mais ils durent finalement s'incliner après la reddition de Sitting Bull et de Crazy Horse, qui furent ensuite déportés dans le Dakota. Les guerres indiennes ne devaient toutefois s'achever qu'en 1890 avec le massacre des Sioux Teton à Wounded Knee.

L'appel divin

L'appât de l'or ne fut pas seul à pousser les pionniers sur les pistes de l'Ouest ; la religion joua, elle aussi, un rôle capital. Dès que William Sublette eut prouvé que les chariots pouvaient franchir les Rocheuses, les missionnaires voulurent porter dans l'Ouest la bonne parole. Marcus Whitman fut un de ceux-là. Chargé en 1835 par son église de reconnaître la voie et d'étudier les possibilités d'implantation, il en revint enthousiaste. Non seulement les caravanes pouvaient franchir les montagnes, mais il était aussi possible de faire passer du bétail et donc de fonder des colonies agricoles. Dès 1836, il conduisit six personnes jusqu'au Pacifique, dont deux femmes, les premières à accomplir la traversée.

Tandis que les missionnaires réunis autour de Whitman s'installaient dans l'Oregon (ils furent ultérieurement massacrés par les Indiens), les mormons commençaient aussi à considérer l'Ouest comme une Terre promise. L'Église des saints des derniers jours fut fondée vers 1830 par Joseph Smith qui, après avoir eu la révélation du *Livre de Mormon*, quitta l'État de New York en quête de la Nouvelle Jérusalem. Il installa sa communauté à Independence, dans le Missouri, puis à Nauvoo, dans l'Illinois, où celle-ci prospéra. Mais Smith voulut bientôt instituer la polygamie et afficha ses ambitions politiques. Il fut emprisonné en 1844 et lynché au cours d'une émeute.

Young prit alors la tête de la communauté et décida en 1846 de conduire ses ouailles vers des lieux plus sûrs. Rien ne fut laissé au hasard. Les fidèles, le bétail et les chariots prirent la route de l'Ouest en formation militaire et furent rarement inquiétés par les Indiens. Certes les détracteurs ne manquaient pas pour se gausser de ces gens partis planter des céréales près du Grand Lac Salé, région aride entre toutes. Ils ignoraient toutefois que Young avait étudié l'irrigation.

En juillet 1847, un premier convoi de cent cinquante colons atteignit la vallée du Grand Lac Salé et chacun se mit à l'ouvrage. On bâtit, on laboura et l'on planta. D'autres suivirent en passant par Fort Laramie et la vallée de la Platte et, en octobre, la communauté comptait déjà près de deux mille membres persuadés d'avoir trouvé la Nouvelle Jérusalem.

La piste de l'Oregon

Malgré l'exploit des mormons et l'expédition d'un certain capitaine B.E. Bonneville qui conduisit dans l'Ouest une caravane de vingt chariots dès 1832, il fallut attendre 1848 et la découverte des premiers filons d'or en Californie pour assister à une migration massive. On estime que plus de douze mille chariots traversèrent les Rocheuses au printemps 1849, et l'été suivant, quelque cinquante-cinq mille émigrants firent halte à Fort Laramie.

La piste la plus célèbre fut l'Oregon Trail. Un siècle plus tard, on peut encore y voir les ornières laissées par les chariots. Depuis Fort Laramie, dans le Wyoming, cette piste suivait le cours de la Platte, coupait les Rocheuses par le sud pour gagner Fort Bridger et longeait la Snake River jusque dans l'Idaho. Après s'être arrêtés à la mission Whitman, les colons descendaient ensuite la Columbia pour arriver à Fort Vancouver dans l'Oregon.

Au cours de ce voyage de près de six mois, les pionniers devaient affronter les attaques des Indiens, les épidémies, la soif et la faim. La traversée des Rocheuses était alors une formidable épreuve de courage et d'endurance.

A droite, toile de John Clymer représentant les courageux pionniers qui colonisèrent l'Ouest américain.

SACAGAWEA, HÉROINE INDIENNE

La saga de l'Ouest est fertile en personnages hors du commun. Pourtant nul n'a été idéalisé comme Sacagawea, la jeune Shoshone qui servit de guide-interprète à la célèbre expédition de Lewis et de Clark en 1804-1806.

La Femme-Oiseau

Alors qu'elle était enfant, Sacagawea — dont le nom signifie « la Femme-Oiseau » en shoshone — fut enlevée par la tribu des Hidatsas Minaratees et conduite dans le Dakota. Là, elle fut vendue comme esclave à un trappeur canadien, Toussaint Charbonneau, qui l'épousa peu après.

A la même époque, Lewis et Clark hivernaient non loin de là, en pays mandan, et attendaient le retour de la belle saison pour lancer l'expédition qui devait les conduire jusqu'aux rivages du Pacifique. Désirant s'assurer les services d'un interprète capable de négocier avec les Indiens et de marchander l'achat des chevaux indispensables à leur progression, ils engagèrent Charbonneau. Ce dernier les rejoignit en compagnie de Sacagawea, alors âgée de seize ans et enceinte. En février, elle accoucha d'un garçon que le père appela Jean-Baptiste, mais que toute la troupe nomma *Little Pomp* par déformation du terme « premier né » en langue shoshone.

Deux mois plus tard, l'expédition se mit en route. Et Sacagawea, portant son nourrisson sur son dos, se lança dans un voyage de près de 5 000 km.

L'enfant devint immédiatement le chouchou de l'expédition, tandis que sa mère se révélait particulièrement précieuse en montrant la voie à suivre, en indiquant aux hommes les racines et les baies comestibles ou en aidant avec un paisible sang-froid lorsque les barques chaviraient au passage des rapides. Meriwether Lewis saluait son courage et sa perpétuelle bonne humeur, en écrivant dans son journal :

« ... qu'on lui donne un peu de nourriture et quelques colifichets, cela suffit pour qu'elle vive heureuse et s'adapte avec bonheur à toutes les situations. »

Mère-Courage

L'aide de Sacagawea devint plus précieuse encore lorsque l'expédition atteignit le Montana et la Beaver Head Valley où habitaient ses frères de race, les Shoshones. A sa grande surprise, la jeune femme découvrit que Cameahwait, le chef de la tribu, n'était autre que son frère qu'elle n'avait plus vu depuis son enlèvement. « Sacagawea se couvrit la tête d'une couverture et pleura à chaudes larmes tandis que le chef, lui, s'efforçait de cacher son émotion. Ils conversèrent un long moment, puis elle regagna son siège et entreprit de nous traduire leurs propos. Cependant, bouleversée par la situation, elle ne cessait d'éclater en sanglots. »

Par l'entremise de Sacagawea, l'expédition put acheter à bon prix les services de deux éclaireurs shoshones et une vingtaine de chevaux. La troupe reprit son chemin, mais la traversée des Bitterroot Mountains prit plus d'un mois. L'hiver s'installait et il fallut lutter contre la pluie, les frimas et la neige. Quelques hommes eurent les pieds gelés et une effroyable pénurie alimentaire contraignit les membres de l'expédition à se nourrir de racines et de graisse d'ours. Certains tentèrent même de manger des bougies qui leur causèrent d'horribles douleurs intestinales.

Durant toute cette odyssée le capitaine Clark montra une profonde affection pour *Little Pomp*. Il tenta même de persuader Charbonneau et Sacagawea de lui confier l'enfant, leur promettant de l'élever comme son propre fils. Sur le chemin du retour, il donna son nom — *Pompy's Pillar* — à une colonne rocheuse dressée sur la berge de la Yellowstone à une quarantaine de kilomètres de la ville actuelle de Billings.

A son retour à Fort Mandan en août 1806, l'expédition se sépara et Charbonneau repartit vivre dans les bois avec son fils et son épouse. Six ans plus tard, le « vieux trappeur poly-game » se maria à nouveau, portant ainsi à trois le nombre de ses épouses. Peu après, Sacagawea le quitta et partit s'installer à Saint-Louis où le capitaine Clark prit en charge l'éducation de *Little Pomp*.

A partir de là, les témoignages divergent. Certains prétendent que Sacagawea mourut dans le Dakota avant d'atteindre la trentaine mais la tradition indienne affirme qu'elle partit rejoindre les Comanches et qu'elle eut une longue vie.

La squaw perdue

Sacagawea, sculptée par Harry Jackson en 1980.

Selon les Indiens, Sacagawea épousa un Comanche nommé Jerk Meat auquel elle donna deux enfants. Mais

Jerk Meat fut tué peu après au combat et la jeune veuve reprit son errance sous le nom de Wadze-Wipe, « femme perdue » en langue comanche.

On dit qu'elle séjourna quelque temps à Fort Bridger en compagnie d'une autre Shoshone, troisième épouse du célèbre trappeur Jim Bridger. Enfin, en 1871, elle partit rejoindre sa tribu dans la réserve de Wind River, au sein de laquelle elle joua un rôle important.

Première femme admise à siéger au conseil des anciens, elle introduisit la coutume de la danse du Soleil parmi les siens. Pendant quatre jours et quatre nuits, les Indiens jeûnaient et dansaient afin d'avoir des visions mystiques. Mais elle usa surtout de ses bonnes relations avec les Blancs pour tenir sa communauté à l'écart des guerres indiennes. Au cours de ces conflits, les Shoshones, conduits par leur chef Washakie, servirent même d'éclaireurs à l'armée américaine.

La femme immortelle

Sacagawea mourut, dit-on, presque centenaire et fut ensevelie près de Fort Washakie, sur le territoire de la réserve, *« où elle dort, le visage tourné vers les pics ensoleillés des Rocheuses »*. A ses côtés repose son neveu Brazil qu'elle avait adopté, selon la coutume indienne, à la mort de sa sœur.

Après avoir été confié au capitaine Clark, Jean-Baptiste vécut un temps dans une cour princière d'Europe. Toutefois, gagné par la nostalgie des Rocheuses, il voulut retrouver les siens et revint mourir parmi les Shoshones du Nord, dans les montagnes de la Wind River.

A l'heure actuelle, Sacagawea reste une figure emblématique de l'histoire américaine. C'est elle qui assura le succès de l'expédition de Lewis et de Clark en favorisant les contacts avec les Indiens et en guidant ces hommes à travers une nature hostile, aussi la petite fille des Shoshones est-elle devenue un symbole de courage. On prétend d'ailleurs qu'il existe aux États-Unis plus de statues à son effigie qu'en l'honneur de toute autre femme.

PONY EXPRESS

CHANGE OF **TIME!** REDUCED **RATES!**

EFFECTIVE JULY 1st, 1861

10 Days to San Francisco!

LETTERS

WILL BE RECEIVED AT THE

OFFICE, 84 BROADWAY,

NEW YORK,

Up to **4 P. M.** every TUESDAY,

AND

Up to **2½ P. M.** every SATURDAY,

Which will be forwarded to connect with the PONY EXPRESS leaving ST. JOSEPH, Missouri, the following SATURDAY and WEDNESDAY, respectively, at 11:00 P.M.

TELEGRAMS

Sent to Fort Kearney on the mornings of MONDAY and FRIDAY, will connect with PONY leaving St. Joseph, WEDNESDAYS and SATURDAYS.

EXPRESS CHARGES.

LETTERS weighing half ounce or under *(reduced from $5.00)* $1.00
For every additional half ounce or fraction of an ounce $1.00
In all cases Express CHARGES are to be Pre-paid.

RIDERS WANTED

 Young, skinny, wiry fellows. Anxious for adventure and chance to see our great WEST. Must be expert riders, willing to risk death daily. Orphans preferred. $60 PER MONTH and keep. Apply at above address.

DES DILIGENCES AUX CHEMINS DE FER

Les diligences, qui connurent leur heure de gloire vers 1845, font partie intégrante de la légende de l'Ouest. Le transport rapide du courrier, des passagers ou des marchandises reposa, dans la première moitié du XIXᵉ siècle, sur quelques audacieux cochers. Ben Holladay, qui, après avoir été conducteur de diligence, devint propriétaire d'une compagnie, contribua à immortaliser ce mode de transport. Pour avoir vécu toutes sortes d'aventures — dont de nombreuses attaques d'Indiens — il savait d'expérience que le sort des compagnies reposait entre les mains des cochers ou des courageux coursiers du Pony Express.

Cette dernière compagnie ne fonctionna que dix-huit mois mais elle battit en son temps tous les records de vitesse. Galopant sans relâche, ses coursiers franchissaient les Rocheuses en luttant contre la montre — et contre les Indiens — et traversaient le continent en dix jours. Le courage et l'endurance des hommes du Pony Express ont largement contribué à bâtir la légende de l'Ouest. Mais avec le développement des chemins de fer, vers 1865, les diligences furent bientôt reléguées à la desserte des zones les plus enclavées du territoire, comme les Rocheuses.

La bataille du rail

Alors que la guerre de Sécession faisait rage, le président Lincoln confia à un certain Grenville Dodge le soin d'étudier un moyen de faire passer le chemin de fer à travers les Rocheuses. Seuls les quelques centaines de kilomètres séparant Julesburg de la ligne de partage des eaux posaient problème, mais quel défi ! Les trappeurs et les cochers conseillaient de percer une voie à travers les cols au sud de la South Pass (suivant l'ancienne route empruntée par les diligences). Pourtant, sous la conduite de quelques Indiens, Dodge découvrit par hasard un couloir de dégorgement des eaux, plus à l'ouest, qui donna naissance au célèbre itinéraire de Granite Canyon.

Dodge recruta alors des milliers de conscrits récemment démobilisés qu'il mit au travail avec une discipline toute militaire. Dès 1867, un premier tronçon de 310 km était achevé et la ligne de partage des eaux franchie. Finalement, le 10 mai 1869, les ouvriers de l'Union Pacific firent la jonction avec ceux de la Central Pacific à Promontory Point, dans l'Utah. On fit une fête et les deux derniers rails furent

assemblés avec un rivet en or. L'épopée du rail venait de s'achever : les Rocheuses entraient véritablement dans l'Union.

Vachers contre bergers, une lutte implacable

Le rail ouvrit de nouveaux domaines aux fermiers. Les *ranchmen* craignirent d'abord que l'altitude ou le climat ne nuisent à leurs troupeaux. Mais, après quelques années d'hésitation, ils vinrent s'installer dans ces vallées alpines. L'eau y était abondante, l'herbe grasse, et ils furent bientôt convaincus que la région se prêtait à l'élevage des meilleures races.

A gauche, cette affiche du Pony Express montre bien les risques encourus par les cochers : « Embauche orphelins de préférence » ; à droite, carte de la région de Pike's Peak (Colorado) à l'époque de la ruée vers l'or.

Éleveurs de bœufs et éleveurs de moutons se disputèrent rapidement les meilleurs pâturages. Chacun tuait allégrement le bétail de l'autre s'il le surprenait à vagabonder sur son propre domaine. Bouviers et bergers se vouaient une haine farouche et plus d'un différend tournait à la fusillade. Le gouvernement finit par y mettre bon ordre en procédant à une répartition des terres.

Les éleveurs se retrouvaient deux fois l'an lors de *roundups*. A l'automne, les cow-boys rassemblaient le bétail, séparaient les bêtes selon leurs marques et choisissaient celles qui devaient prendre le

et commencèrent à mettre en valeur les vallées des basses Rocheuses.

Parmi ces premiers agriculteurs, Nathan Meeker joua un rôle de pionnier. Encouragé par le succès des éleveurs, il conçut, dès 1860, l'idée d'une ferme modèle. De nombreux immigrants se rangèrent à son idée et, au printemps 1870, quatre cents familles arrivèrent de l'Est pour fonder une nouvelle Utopia. Cependant, confronté aux dures lois du capitalisme, Meeker dut bientôt dissoudre la communauté. Nullement découragé, il partit alors dans une réserve indienne du nord du Colorado pour convertir les Utes à ses

chemin de l'abattoir. Lors du *round-up* de printemps, on marquait les bêtes nées au cours de l'hiver. Ces rassemblements étaient l'occasion de grandes réjouissances et donnaient lieu à des courses de chevaux ou à des compétitions de dressage comme dans les rodéos modernes.

Les premières communautés agricoles

Voté en 1862, le *Homestead Act* octroyait gratuitement 65 ha à tout immigrant qui acceptait de se faire naturaliser. Profitant de cette disposition, de nombreux fermiers s'installèrent dans les zones les plus fertiles

projets agraires empreints d'idéal puritain. Hélas, loin de gagner la confiance des Indiens, il fut massacré par eux avec une dizaine d'autres pionniers. A la suite de ce sanglant forfait, les Utes furent chassés à jamais de la région.

Avec la ruée vers l'or, à la fin des années 1840, arrivèrent dans la région de nouveaux émigrants. Nombreux furent en effet ceux qui, séduits par les Rocheuses, décidèrent de s'y installer sans même chercher à atteindre la Californie. Et quantité d'autres (sans doute plus nombreux encore) revinrent tenter leur chance dans ce havre fertile après que les mines leur eurent refusé la fortune.

La ruée vers l'or

Quoi qu'il en soit, la région fut gagnée par la fièvre de l'or et, dans les années 1860, des milliers de prospecteurs se mirent à passer au tamis le sable du moindre ruisseau en quête d'hypothétiques pépites.

On colporte mille anecdotes sur cette époque, dont la plus célèbre est incontestablement celle de la mine de la Cabane perdue. Un prospecteur mexicain aurait un jour trouvé de l'or dans le flanc des Rocheuses. Après avoir commencé à exploiter le filon, il construisit une cabane pour dissimuler l'entrée de la mine, dressa

neuf Indiens cherokees découvrirent un petit filon dans un ruisseau près de Pike's Peak, les imaginations s'enflammèrent et des milliers de pauvres diables s'entassèrent dans des chariots en rêvant... de rouler carrosse. Hélas, quelques mois plus tard, la plupart durent s'en retourner pauvres comme Job !

Les Rocheuses étaient pourtant fort riches en minerais. A Cripple Creek, dans les années 1890, un certain W. S. Stratton mit en évidence par des moyens artisanaux la présence de tellure, métal souvent associé à l'or et à l'argent. Cette découverte contribua grandement au développement

MAMMOTH HOT SPRINGS — MAIN TERRACE.

une carte des lieux et partit faire valoir son droit de propriété. Mais il mourut avant d'avoir pu faire enregistrer la mine. L'un de ses héritiers rechercha en vain la fameuse cabane et finit par vendre la carte à un prospecteur américain... L'histoire connut force enjolivures et la (ou les) carte fut vendue maintes fois à des chercheurs d'or trop crédules.

Car les rumeurs se propageaient comme une traînée de poudre. Lorsque, en 1858,

de la région. De nombreuses usines s'ouvrirent pour exploiter ces gisements à grande échelle et traiter les minerais avant de les expédier vers les fonderies de Denver ou de Pueblo. Sur l'extraction et la fonderie des métaux se bâtirent alors des fortunes colossales, comme celle de Meyer Guggenheim et de ses sept fils, à l'origine de la célèbre fondation Guggenheim de New York.

A ce titre, l'histoire de Leadville, dans le Colorado, vaut la peine d'être contée. Alors qu'en 1877 la région comptait à peine deux cents habitants, trois ans plus tard, la ville abritait à elle seule plus de vingt-cinq mille âmes. En 1878, en effet,

A gauche, La Poste au pays des cow-boys, *un tableau de Remington ; ci-dessus, premiers touristes auprès des sources chaudes de Mammoth, dans le Yellowstone National Park.*

deux compères prospectant au hasard trouvèrent un filon. Le sous-sol se révéla vite aussi fertile en or qu'en argent et livra, dès la première année, pour plus de neuf millions de dollars de métal précieux. La fièvre monta et les saloons et les salles de jeux se mirent à pousser comme des champignons. L'argent passait de main en main. Les fortunes se faisaient et se défaisaient.

L'un des événements les plus spectaculaires qui se produisirent à Leadville fut certainement l'ouverture du Crystal Palace, un complexe réunissant salle de bal, piste de patinage et restaurant, entièrement taillé dans des blocs de glace. Le

ROCK CUT, NEAR ASPEN.

palais comportait plusieurs pièces chauffées, éclairées à l'électricité et, bien sûr, soutenues par des piliers massifs.

L'histoire d'Horace Tabor est encore plus extraordinaire. Pour avoir soutenu dès le début les deux prospecteurs, il put acquérir de nombreuses mines et amassa une immense fortune dont il usa avec prodigalité. Il fonda une banque, fit édifier un opéra et entretint luxueusement sa maîtresse, Elizabeth McCourt Doe. Il conçut bientôt le dessein de devenir sénateur et d'épouser en grande pompe la belle Baby Doe à Washington. Il divorça donc et « acheta » le siège de sénateur du Colorado. Mais ni Tabor, ni sa nouvelle

épouse ne furent jamais véritablement admis dans la bonne société de la capitale. Comble de malheur, le cours de l'argent s'effondra et les dettes du couple atteignirent rapidement des sommets vertigineux. Tabor mourut dans l'indigence la plus extrême, emportant dans la tombe une partie de la légende du Colorado.

Grandeur et décadence étaient la règle. Dès qu'un filon était épuisé, les mineurs s'en allaient tenter chance ailleurs et seuls restaient les vieillards ou les rêveurs impénitents. Aujourd'hui, dans la région des mines, les villes fantômes sont légion.

Le tourisme moderne

Sous la présidence de Theodore Roosevelt (1901-1908), le gouvernement américain s'attacha à la création de parcs naturels et à la conservation des monuments historiques et des sites à caractère touristique. Une telle politique supposait d'abord de chasser les ranchers qui laissaient paître leur bétail sur les terres publiques. La lutte fut âpre et longue. Mais, hormis quelques joutes oratoires au Sénat, elle n'engendra pas d'échauffourées comme aux temps héroïques.

Le krach de 1929 et la dépression qui s'ensuivit mirent à mal les mines et les compagnies de transport, même si les premières connurent un regain d'activité lorsque le président Franklin Roosevelt décida de dévaluer le dollar. Parti de vingt dollars l'once, le cours de l'or atteignit un niveau record de trente-six dollars. Mais le miracle fut éphémère et l'industrie minière dut se reconvertir dans l'exploitation de cuivre, de plomb ou de zinc. Depuis, l'amélioration de la productivité, conséquence indirecte de la guerre, a permis la constitution de quelques géants.

Avec l'essor de la civilisation des loisirs, les Rocheuses sont devenues un important pôle d'attraction touristique. Le visiteur peut, au choix, y vivre « à la dure » dans un camping d'altitude, se prélasser dans un confortable manoir ou revivre la vie d'antan dans des ranches « à l'ancienne ». Il est clair qu'à ce jour le tourisme a rapporté à la région plus que toutes ses mines.

A gauche, l'une des premières locomotives à traverser les Rocheuses ; à droite, trains de luxe de la Pacific Railroad au XIXe siècle.

PALACE-CAR LIFE ON THE PACIFIC RAILROAD.

UN MÊME IDÉAL
DE LIBERTÉ

Tous les habitants des Rocheuses ont le sentiment de faire partie d'une « race » à part. Que leur famille soit établie dans ces montagnes depuis plusieurs générations ou qu'ils s'y soient simplement fixés au terme de vacances prolongées, tous ont conservé l'esprit des premiers pionniers.

Il y a moins de deux siècles, cette contrée sauvage et quasi impénétrable, était encore totalement inconnue. Et ce n'est pas l'appât du gain mais bien plutôt l'esprit d'aventure qui attira les premiers trappeurs, des hommes comme Jim Bridger ou Jedediah Smith, toujours prompts à dilapider le revenu de leurs chasses. Quand le marché des peaux de castors s'amenuisa, les trappeurs se firent pisteurs pour les convois de chariots qui traversaient les Rocheuses à destination de l'Ouest.

Puis vinrent les prospecteurs. Certes, tous espéraient faire fortune, mais la plupart, après avoir longtemps erré vainement dans les montagnes, s'éprirent du site et choisirent d'y rester quand la fièvre de l'or retomba.

Les premiers Blancs à s'installer dans le nord du Colorado, dès 1859, furent probablement Joel Estes et son fils Milton. Dans le cadre grandiose de l'actuel Estes National Park, les deux hommes vécurent en ermites dans une cabane perdue au fond de la vallée. Plus tard, ils revendirent leur terrain au duc de Dunraven, un aristocrate anglais, qui en fit une réserve de chasse.

Autre pionnier, Joe Shipler vint s'établir dans les Never Summer Mountains, près des sources du Colorado, en 1879. Bien qu'il ne découvrît jamais autant d'argent qu'il espérait, il habitait encore la vallée

Pages précédentes : paysage de western peint sur un mur de Silverston (Colorado) ; charmante « Miss Bière » posant fièrement à côté de son pur-sang ; jovial fermier sur le seuil de son ranch ; Chef indien dessiné par A. Neuville vers 1860. A gauche, promenade en forêt ; à droite, l'une des rangers *qui font découvrir aux visiteurs les merveilles des parcs nationaux.*

de Kawuneeche en 1914, et aujourd'hui un sommet porte son nom.

Il y eut aussi Wooton, surnommé l'« Oncle Dick », qui ouvrit le premier saloon de Denver. Il arriva une veille de Noël avec un chariot bourré de provisions et dix tonnelets de whisky. Pour s'associer à la fête, il mit en perce l'un des tonneaux et servit à boire à la cantonade, organisant ainsi, paraît-il, la première beuverie qu'ait connue cette ville. Natif de Virginie, Wooton était venu dans le Colorado en transitant par Fort Bent, où il se lia d'amitié avec Kit Carson et chassa en sa compagnie. Il fit plus tard fortune en ouvrant une

route de plus de 40 km qui franchissait la Raton Pass, près du Nouveau-Mexique. Pendant des années, l'« Oncle Dick » exigea un péage exorbitant de tous ceux qui voulaient emprunter cette voie, laissant toutefois passer librement les Indiens — probablement pour sauver son scalp mais peut-être aussi par sens de la justice. Lorsque le chemin de fer de Santa Fe voulut emprunter ce passage, Wooton revendit ses droits pour une somme considérable.

L'ambiance débridée qui régnait dans les camps de mineurs et les villes-champignons semble avoir favorisé l'éclosion de personnalités hors du commun. Ce fut le cas de Poker Alice, une veuve de vingt ans qui échoua à Denver à la fin de la guerre de Sécession. Ne pouvant trouver un travail « respectable », la jeune femme dut accepter un emploi de croupier dans un saloon et se découvrit bientôt un véritable talent de joueuse. Miss Poker était née. Comme tous les professionnels, elle commença à tourner de camp en camp. Mais Poker Alice était une « dure à cuire ». Colt au côté, cigare à la bouche, elle n'hésitait pas, dit-on, à abattre ceux qui se mettaient en travers de son chemin. Au bout de quelques années, fatiguée de cette vie itinérante, elle choisit de se fixer en ouvrant... une maison close.

Après des années d'exactions, les citoyens constituèrent une milice de *Vigilantes* et prirent l'affaire en main. Trahi par l'un des siens, Plummer termina sa sinistre carrière au bout d'une corde.

L'Ouest acquit très vite une dimension mythique, tant en Amérique qu'en Europe. Venu dans les Rocheuses faire la tournée des camps de mineurs, Oscar Wilde raconta longtemps qu'il y avait trouvé son meilleur public. De nombreux lords anglais et quelques têtes couronnées d'Europe firent alors le voyage pour investir dans les mines ou chasser le grizzli. C'est ainsi que, dès la fin du XIXᵉ siècle, les

Certaines villes minières eurent elles aussi des débuts mouvementés. Alors que la plupart se dotaient rapidement d'une police municipale, quelques communautés restèrent longtemps le terrain d'action privilégié de tous les *outlaws* désireux de jouer du colt.

Véritable terreur du Montana, Henry Plummer fut le pire de ces hors-la-loi aux dires de ses contemporains. A la tête des *Innocents*, une troupe de plus de cent brigands, il mit le pays en coupe réglée, attaquant sans relâche les diligences et les mines. Dans le même temps, ce personnage charismatique et élégant se faisait élire shérif de Bannack et de Virginia City...

stations thermales et les sources chaudes de la région commencèrent à attirer des célébrités du monde entier.

Les premières bourgades

Le peuplement se fit de la même façon à travers toutes les Rocheuses. Un peu partout, des camps de chercheurs d'or se constituaient en quelques jours et disparaissaient aussi soudainement lorsque les filons étaient épuisés. Seuls survécurent les bourgs situés sur les grands axes de communication, comme Helena, dans le Montana, ou Boise, dans l'Idaho. Presque toutes les villes des Rocheuses furent ainsi fondées par des mineurs, bientôt rejoints par des fermiers et des commerçants. Certaines villes connurent un second souffle grâce à l'exploitation des gisements de cuivre, de charbon ou d'uranium.

A l'heure actuelle, l'exploitation minière reste la principale activité industrielle des Rocheuses. Elle prend maintes formes, depuis les gigantesques mines de cuivre à ciel ouvert du Montana jusqu'aux maigres gisements d'or ou d'argent encore exploités par des particuliers. Ces petits prospecteurs, qui continuent à creuser des galeries dans les montagnes selon des méthodes souvent archaïques, perpétuent le mode de vie de leurs ancêtres. La tâche est rude, la paie ingrate et le travail exténuant, mais pour beaucoup c'est la seule vie qu'ils connaissent et ils ne sauraient en imaginer d'autre.

Les grands espaces, le sentiment de liberté et l'espoir d'une vie meilleure attirèrent dans les Rocheuses quantité de communautés religieuses ou utopistes. Les mormons sont, bien sûr, les plus célèbres, mais il y eut des puritains pour fonder des collectivités d'où ils bannirent l'alcool et le jeu tout en favorisant le développement de l'enseignement et des œuvres de charité. Ainsi, Greeley, dans le Colorado, était à l'origine une communauté organisée en coopérative agricole vendant ses produits aux villes minières environnantes. Certaines, comme Longmont, Fort Collins ou Colorado Springs, devinrent rapidement des villes prospères. Si les formes de propriété collective disparurent, ces villes sont restées attachées à leurs traditions et à leur morale conservatrice.

Enfin, quelques années après les prospecteurs, arrivèrent les premiers touristes venus chasser l'élan ou l'ours, pêcher la truite dans les torrents, jouer aux cow-boys dans les ranches, ou soulager leurs rhumatismes dans les sources chaudes. C'est ainsi que d'anciennes cités minières, comme Colorado Springs, Glenwood Springs ou Idaho Springs, durent leur longévité à la proximité de sources sulfureuses. Elles devinrent ainsi des stations thermales réputées et l'on y vit fleurir des palaces rococo, dont certains accueillent encore aujourd'hui les touristes.

Le miracle du ski

Dans l'entre-deux-guerres, le destin des Rocheuses demeura incertain. Denver, Helena ou Cheyenne n'étaient guère que de gros bourgs survivant vaille que vaille aux crises économiques grâce à l'industrie minière et à l'agriculture. En été les touristes commençaient à affluer, mais à la mauvaise saison les villes retombaient dans leur torpeur.

C'est finalement le ski qui fit la prospérité des Rocheuses. Apparu au lendemain de la Seconde Guerre mondiale et alors réservé à une élite, il ne tarda pas à se démocratiser et la vogue croissante des sports d'hiver devait permettre à quelques bourgs comme Vail, Beaver Creek, Aspen, Steamboat Springs ou Breckenridge d'échapper au triste sort des villes fantômes. Désormais les Rocheuses attirent des sportifs en toute saison et le développement des infrastructures touristiques a engendré un nouvel afflux d'immigrants, prêts à abandonner le confort d'une vie citadine pour retrouver la sérénité dans ce magnifique cadre naturel.

A gauche, Micky McGuire, célèbre « peintre western » posant devant son chevalet ; à droite, jeune cow-boy participant à un rodéo qui se recueille en priant au son de l'hymne national avant d'entrer dans l'arène.

Le développement du tourisme hivernal dans les années 1960 coïncida avec la vague hippie. Des milliers de marginaux se réclamant du *flower power*, mouvement qui tentait de rejeter la société de consommation au profit d'un retour aux valeurs traditionnelles, furent attirés vers ces montagnes. Nombre d'entre eux ont fini par s'installer dans les centres touristiques, agricoles ou miniers de la région, mais les Rocheuses abritent encore quantité d'irréductibles, qui habitent dans des cabanes en rondins sans eau ni électricité et vivent en autarcie. Dans les petites bourgades de montagne, on croise encore parfois ces

La plupart se sont installés à la frontière du Colorado, région qui allie les plaisirs sophistiqués des grandes métropoles à la proximité d'une nature encore vierge. Depuis quelques années, on enregistre d'ailleurs la création de nombreuses entreprises spécialisées dans les technologies de pointe qui font du Colorado une mini-Silicon Valley.

On rencontre également dans les stations des fous de la glisse qui n'ont jamais pu se décider à repartir et se sont fait plongeurs ou serveurs dans les restaurants, moniteurs de ski ou préposés aux remonte-pentes.

barbus aux cheveux longs qui, comme les premiers pionniers, voient dans les Rocheuses un idéal d'espace et de liberté.

Les années 1970 ont vu une vague d'immigrants encore plus importante, le plus souvent d'anciens hippies proches de la quarantaine ayant réussi : avocats, médecins, dirigeants ou cadres d'entreprise. Le profil type serait un New-Yorkais qui, au sommet d'une brillante carrière dans le marketing ou la publicité, décide un jour de mettre les pouces, réalise toutes ses économies et part s'installer dans un centre de villégiature où il ouvre un petit commerce, une agence immobilière ou un hôtel.

L'amour de la vie au grand air

S'il existe un point unissant tous les habitants des Rocheuses, c'est bien l'amour de la vie au grand air. Toute personne de moins de quarante ans semble adepte de jogging, d'aérobic, de vélo, de gymnastique. Chacun, non content de se maintenir en parfaite condition, cherche aussi à exceller dans les nombreux sports de montagne : vélo tout-terrain, escalade, trekking, kayak ou randonnée en haute montagne. Et pour tous ceux qui ont passé l'âge de ces activités, il reste la pêche à la truite, l'observation des oiseaux, le jardinage, l'équitation, le 4x4, le scooter des neiges ou le golf. Chaque fois le but est le même : profiter du paysage, du ciel bleu et de l'air si vivifiant.

Des marathons aux rodéos, tous ces sports font l'objet de fréquentes compétitions ou démonstrations qui attirent des foules passionnées. Dans les Rocheuses, on sait que l'été est éphémère, et on cherche à en profiter à tout prix. L'automne attire ensuite des hordes de chasseurs, mais là encore, on a l'impression que la poursuite d'un daim ou d'un élan n'est qu'un prétexte pour vagabonder une dernière fois dans la nature avant que l'hiver ne s'installe. Enfin, à la froide saison, il y a

ture rivalisent pour organiser concerts et festivals. Chacune est également fière d'abriter la résidence secondaire de quelque célébrité. Gerald Ford a jeté son dévolu sur Vail, Jack Nicholson fréquente Aspen, tandis que d'autres ne jurent que par Jackson Hole ou Park City. Amateurs de solitude et de grands espaces, les écrivains sont fidèles au Montana et au Wyoming ; les peintres préfèrent les petites villes victoriennes ou les bourgs de cow-boys nichés au pied des neiges éternelles. Il n'y a nulle logique dans ces choix. Mais une fois fixé, chacun vante les charmes incomparables de sa ville favorite.

toujours une piste à descendre, une vallée où l'on souhaite inscrire la trace de ses skis dans la poudreuse.

Un refuge pour les artistes

L'été donne lieu à quantité de manifestations artistiques. Comédiens, musiciens, peintres ou sculpteurs semblent trouver dans la région une merveilleuse source d'inspiration, et toutes les villes de villégia-

A gauche, majorettes de Boulder (Colorado) s'entraînant avec ardeur ; ci-dessus, le dressage d'un bronco reste l'un des exercices les plus périlleux des rodéos.

Un melting pot

La population des régions montagneuses des Rocheuses est majoritairement d'ascendance germanique ou slave ; les autres groupes ethniques — Noirs, Chinois ou Hispaniques — ayant plutôt tendance à se concentrer en milieu urbain à la frontière de la région.

Les Noirs ont joué un rôle important dans la colonisation de l'Ouest et, à Denver, le Black Cowboy Museum leur rend hommage. Venus autrefois pour participer à l'édification du chemin de fer, les Chinois se sont, pour la plupart, établis à Denver.

Le sud du Colorado fait partie des régions colonisées de longue date par les Espagnols, et, dans de nombreuses petites communautés isolées des San Juan Mountains, l'anglais n'est parlé qu'en seconde langue et les coutumes sont restées inchangées depuis le XVIᵉ siècle : des maisons en adobe, des chapelets de piments séchant au soleil et une certaine indolence méditerranéenne caractérisent ces villages.

A Denver, la population est en grande majorité d'origine espagnole et les membres de la communauté *hispano* jouent un rôle sans cesse accru dans

l'administration de la ville. Dans les écoles de la région, plus de la moitié des écoliers sont d'origine espagnole.

A la différence des États du Sud-Ouest où les descendants des pacifiques Pueblos sont nombreux, les Rocheuses n'abritent que quelques communautés éparses d'Utes, de Cheyennes, de Crows, de Shoshones, de Bannocks et d'Arapahoes. Ces tribus, beaucoup plus vindicatives, et qui habitaient de surcroît des terres convoitées par les Blancs, furent en effet pratiquement exterminées à la fin du siècle dernier. Aujourd'hui, elles tentent de revivre tout en conservant leurs coutumes et leurs fêtes. Elles mènent la plupart du

temps une vie discrète dans des réserves situées à l'écart des grands axes de communication.

Dernier élément de ce melting pot — sans doute le plus inattendu — il faut signaler la présence de nombreux Basques, tant français qu'espagnols, qui immigrèrent au début du siècle en qualité de bergers. Leurs troupeaux paissaient il y encore vingt ans sur les pentes des Rocheuses mais l'essor de l'élevage industriel a entraîné, depuis, un déclin de leur activité et la plupart se sont reconvertis dans des ranches de la région d'Ely. Là, l'été, à l'occasion de grands festivals, on peut assister au curieux spectacle d'Américains nommés Etcheverry jouant à la chistera...

Les rangers

Dans les parcs nationaux ou les forêts des Rocheuses, le promeneur est presque assuré de rencontrer un ranger. Ces gardes forestiers qui travaillent pour le compte de divers organismes sont chargés de veiller sur la nature. De nos jours, cette tâche excède largement l'ouverture de nouvelles pistes ou la détection des feux de forêts. La plupart des rangers sont des spécialistes du traitement et de la protection de la faune et de la flore. Donner des conférences, servir de guide, assurer la gestion des campings, rechercher des randonneurs égarés... ou ramasser les ordures laissées par les touristes indélicats sont autant de tâches qui leur incombent. Cela implique parfois de passer des semaines, seul dans la nature, à pied ou à cheval, pour entretenir des sentes ou cataloguer la faune et la flore, parfois dans les pires conditions météorologiques.

Les habitants des Rocheuses ne sont pas fondamentalement différents du reste de la population américaine. Mais ils partagent une telle joie de vivre, un tel amour des sommets qui percent l'azur, que cette fierté s'est inscrite dans leur cœur et dans leurs yeux. Attention ! Cela peut devenir contagieux...

A gauche, trois jeunes femmes illustrant le brassage ethnique qui caractérise Denver ; à droite, le 4 juillet, jour de la fête nationale américaine, on croise parfois de curieux oncles Sam !

LES COW-BOYS, UNE LÉGENDE VIVANTE

Le cow-boy est-il une « espèce » en voie de disparition ? D'une certaine manière, oui... Et pourtant il n'est pas rare de croiser dans les Rocheuses des personnages — avec ou sans leur cheval — que l'on croirait sortis d'un western : chapeaux à larges bords (le célèbre Stetson), bottes pointues, jeans délavés, ceintures en cuir, chemises à carreaux et à boutons-pression. Ajoutez-y quelques détails « chics » : cravates en lacet, cols de chemise rehaussés de plaques d'argent, bijoux en argent et turquoise, sans oublier les indispensables éperons, et vous obtiendrez de parfaits cow-boys.

Parodie ? Oui et non, il vous arrivera peut-être d'en croiser... en pleine ville. Car l'Ouest a su garder ses traditions vivaces et de nombreux Américains n'hésitent pas à revêtir la tenue de leurs pères le temps d'une fête, sans pour cela se sentir le moins du monde « costumés ».

Pourtant, vous rencontrerez également des cow-boys en pleine nature ou à l'occasion d'un rodéo, mais leurs vêtements usés jusqu'à la corde et leur peau tannée par les intempéries vous feront comprendre que vous avez affaire à de vrais vachers, surtout s'ils portent par dessus leurs jeans l'indispensable pantalon de cuir destiné à les protéger des buissons d'épineux lors des randonnées à cheval.

Car, comme on se plaît encore à le répéter dans le Wyoming, « tant que les gens mangeront du bœuf, il y aura des cowboys ». Pourtant ce type de vachers se fait rare de nos jours et le mythe de l'infatigable rassembleur de troupeaux n'a plus guère de sens à l'heure des clôtures électriques et des 4x4 reliés par C. B. Même s'il n'a renoncé ni à sa tenue ni à son amour pour son cheval, souvent son seul compagnon dans ces grands espaces, le cow-boy

Pages précédentes : exotique danseuse du ventre lors d'un festival dans le Colorado ; Crow en costume de clown ; cow-boy apaisant un jeune taureau, dans un ranch du Wyoming. A gauche, cow-boy à cheval dans les prairies de l'Ouest ; à droite, taureau long-horn sur le ranch Dickinson.

moderne n'est plus le garçon vacher d'autrefois. Le terme est aujourd'hui communément utilisé pour désigner aussi bien un simple agriculteur qu'un éleveur de bovins ou un berger.

Fantômes du passé

On est loin de la mythologie des westerns ! Certes, à la frontière de l'Utah et du Wyoming, vous pourrez revivre l'épopée de la *Wild Bunch (la Horde sauvage)*, illustrée par Butch Cassidy et Sundance Kid. Voleurs de chevaux, convoyeurs de bétail, pilleurs de banques, ces deux hommes écu-

mèrent la région dans les années 1890. De même, dans le Wyoming, on visite encore le site du *Hole-in-the-Wall*, le « Trou dans le mur », un ensemble de cavernes où se cachaient autrefois les desperados. L'expression a fait recette et tous les gamins américains jouent au *Hole-in-the-Wall* quand ils se prennent pour des cowboys et des Indiens dans la cour de récréation. Mais ce ne sont plus là que des souvenirs.

Autres reliques d'un passé révolu, les innombrables villes fantômes du Montana ou de l'Idaho, qui offrent une vision poignante de l'épopée de l'Ouest. Pour se rendre dans ces lieux souvent à l'écart des grands axes, il faut disposer d'un 4x4 et d'une bonne carte, mais ces *ghost towns* aux bâtiments ouverts à tous les vents constituent un détour obligé pour qui visite l'Ouest sur les traces des cow-boys. Dans leur cimetière, vous verrez peut-être encore quelques croix portant la mention *Killed by Indians* (« Tué par les Indiens »).

Certaines villes fantômes, après avoir fait l'objet d'une méticuleuse reconstitution, sont devenues des parcs d'attractions pour touristes. L'orchestre country qui joue au saloon ou le combat qui oppose ponctuellement, chaque soir, « le bon, la brute et le truand » doivent sans doute

Ici, c'est une promenade à cheval dans les montagnes avec, à la clef, un « authentique » *cow-boy cookout*, ou *chuckwagon show*, au cours duquel, assis dans l'herbe, on déguste un *T-bone steak* de bison cuit au feu de bois. Ailleurs, c'est un rodéo auquel participent tous les fermiers de la région. Si vous êtes tenté par ces spectacles qui ne doivent rien à la légende, ne boudez pas votre plaisir. Vous y trouverez une ambiance chaleureuse et, avec un peu d'imagination, vous vous trouverez transporté à l'époque où les troupeaux de longhorns (bovins à « grandes cornes ») paissaient par centaines dans les plaines.

" CUTTING OUT."

beaucoup plus à la mythologie du cinéma qu'à la réalité. Mais qu'importe ! Virginia City, Ouray, Silverton et tant d'autres villes n'en valent pas moins le détour.

Des cinq États des Rocheuses, le Wyoming reste le plus attaché à la mythologie du Western. Il n'hésite pas à se définir officiellement comme *The Cow-Boy State* (« l'État des Cow-Boys »), et dans les villes relativement anciennes comme Cheyenne, Jackson City ou Cody (patrie de Buffalo Bill), ou dans les grands centres touristiques, comme les parcs nationaux du Yellowstone et de Grand Teton, de nombreuses attractions s'efforcent de faire revivre le passé.

Les « grandes cornes » du Colorado

C'est Christophe Colomb qui importa, en 1493, les premiers bovins espagnols dans le Nouveau Monde. En 1690, deux cents têtes de bétail qui paissaient dans les alpages mexicains furent conduites plus au nord, vers une mission établie sur le cours de la Sabine, au cœur de l'actuel Texas. Elles proliférèrent tant et si bien que dix millions de bovins furent amenés dans le Colorado, le Wyoming et le Montana à la fin du siècle dernier.

En 1860, Charles Goodnight et Oliver Loving conduisirent plusieurs centaines de longhorns, race la plus recherchée, jusqu'à

Denver City, afin de satisfaire les besoins en viande des chercheurs d'or du Colorado. Vers la même époque, des Texans importèrent d'autres troupeaux dans les Rocheuses et mirent sur pied les premiers élevages intensifs de la région.

Dotées d'un berceau de plus de 1 m de large, les longhorns pouvaient couvrir plus de 150 km sans boire et se contentaient d'une nourriture frugale. A peine nés, les veaux étaient aptes à prendre la route au côté de leur mère. Ces animaux d'une robustesse extraordinaire savaient de surcroît protéger leurs petits de tous les prédateurs naturels (comme le coyote)... sauf re longtemps ses cornes extraordinaires qui font désormais partie de la légende de l'Ouest.

Les troupeaux de moutons du Wyoming

Dans le nord du Colorado, à mesure que l'on se rapproche de la frontière du Wyoming, les bovins font progressivement place aux ovins. En effet, l'ancien *Cow Country* est aujourd'hui un grand producteur de laine. La guerre entre vachers et bergers devint l'un des thèmes majeurs de l'histoire du Wyoming dans le courant du

de l'homme. En moins de quarante années, la race fut décimée par la demande européenne en viande de bœuf, et, en 1964, lorsque fut créée la Texas Longhorns Breeders' Association, il n'en subsistait plus que mille cinq cents spécimens. L'espèce était alors plus gravement menacée que ne le fut jamais le bison.

Cependant, grâce aux techniques modernes d'insémination artificielle, la race est à présent sauvée, et on verra enco-

A gauche, gravure ancienne représentant la capture au lasso d'un veau récalcitrant ; à droite, horde de chevaux dans un ranch du Wyoming.

XIXe siècle. « Premier arrivé, premier servi », disaient les cow-boys. Mais les bergers ne l'entendaient pas de cette oreille et le sang ne tarda pas à couler dans la prairie. Ainsi, une nuit, cent cinquante hommes masqués firent irruption dans une bergerie et égorgèrent deux mille bêtes, ainsi que quelques bergers qui tentaient vainement de protéger leur troupeau.

Mais, en fait, l'élevage du mouton se révéla bien plus rentable que celui du bœuf et les cow-boys se faisant progressivement bergers, le combat cessa faute de combattants. C'est ainsi que l'industrie lainière s'imposa comme la principale ressource du Wyoming au début de ce siècle.

L'ère des cultivateurs

« *Go West Young Man* », disait-on à la fin du siècle dernier. Et, sur les talons des premiers pionniers, cow-boys et mineurs, on vit bientôt arriver dans les Rocheuses quantité de paysans attirés par les terres que le gouvernement fédéral mettait gracieusement à leur disposition. Ils s'installèrent d'abord à proximité des camps de prospecteurs, dont ils assuraient le ravitaillement, mais lorsque les chercheurs d'or désertèrent la région, ces agriculteurs choisirent de rester et de mettre en culture les vastes étendues sauvages du Colorado,

de l'Idaho et du Wyoming. Leurs descendants, animés du même amour pour cette terre rude, exploitent les trois principales richesses agricoles de la région : la pomme de terre, les céréales et les fruits.

Quand on traverse l'Idaho, on est frappé de constater que toutes les voitures portent sur leurs plaques minéralogiques le slogan de l'État : *Idaho, Famous Potato*. L'Idaho est, en effet, le premier producteur de pomme de terre américain et, même si ce tubercule est aujourd'hui cultivé un peu partout aux États-Unis, la plupart des Américains restent convaincus qu'il est indissociable des vastes plaines irriguées par la Snake River.

En fait, c'est presque par hasard que la culture de la pomme de terre fut introduite dans l'Idaho. En 1872, Luther Burbank découvrit dans son jardin de la Nouvelle-Angleterre un pied d'une variété de pomme de terre qui porte aujourd'hui son nom, la russet-burbank, et l'acclimata ensuite dans l'Idaho. La pomme de terre connut par la suite son heure de gloire grâce à Joe Marshall, personnage légendaire surnommé le *Potato King*. Le roi de la Patate vouait un tel amour à ces tubercules qu'il n'hésitait pas à congédier sur-le-champ tout employé surpris à les manipuler avec indélicatesse !

Les Rocheuses produisent de nombreuses céréales comme l'orge ou le houblon, mais c'est le blé qui fait la richesse du Colorado. Introduits en 1876, au moment de la constitution de l'État, ces épis ambrés, gorgés de soleil, couvrent de vastes plaines et, grâce à des rendements élevés, permettent de dégager une importante production excédentaire. Les deux tiers des récoltes céréalières du Colorado sont ainsi destinés à l'exportation.

Enfin, il y a les fruits. Les pêches, les pêches et encore les pêches ! C'est la spécialité du Colorado et principalement de la région de Grand Valley, près du comté de Mesa, où la ville de Fruita porte un nom hautement évocateur. Dès le mois d'avril, les contreforts occidentaux des Rocheuses, se couvrent de pêchers en fleur : près d'un demi-million d'arbres, sur quelque 1 100 ha, s'apprêtent à assurer les abondantes récoltes de l'été.

Mais la pêche n'est pas le seul fruit cultivé dans la région. A l'ouest du Continental Divide, les terres fertiles qui reçoivent la majorité des eaux lors de la fonte des neiges sont couvertes de vergers. Leur climat sec et chaud en fait un terrain idéal pour la culture des cerises, des poires et des abricots.

L'été, de nombreux marchés paysans ou stands installés au bord des routes proposent d'excellents fruits à des prix intéressants. Si vous visitez le Colorado à cette saison, n'hésitez pas à vous y arrêter. Vous ne le regretterez pas.

A gauche, rayon de soleil faisant étinceler la crosse d'un pistolet, symbole de l'épopée de l'Ouest américain ; à droite, rancher du Wyoming.

INDIENS D'HIER ET D'AUJOURD'HUI

De nombreuses tribus indiennes ont élu domicile dans les Rocheuses : les Utes, les Crows, les Flatheads (« Têtes plates »), les Blackfeet (« Pieds noirs »), les Bannocks, les Shoshones, les Crees, les Nez-Percés, les Arapahoes et les Cheyennes. Les Utes et les Shoshones y étaient installés dès l'ère précolombienne, tandis que d'autres s'y sont réfugiés après l'arrivée des Blancs, tels les Arapahoes, chassés des Grandes Plaines par l'avancée des colons, ou les Cheyennes, qui se réfugièrent dans les Big Horn Mountains après avoir infligé une sanglante défaite aux troupes du général Custer à Little Big Horn, en 1876.

Ces tribus possédaient un certain nombre de traits communs, mais chacune avait sa particularité. Les Utes étaient d'excellents cavaliers, les Comanches de redoutables guerriers et les Blackfeet de fins négociateurs avec les Blancs.

Les relations intertribales se traduisirent notamment par des échanges culturels. Ainsi, ce sont les Shoshones (qui la tenaient eux-mêmes des Arapahoes et des Cheyennes) qui initièrent les Utes à la danse du Soleil. Cette *sundance*, qui correspond à la célébration du solstice d'été, est en effet le culte suprême des Indiens des Plaines. Réunis dans un enclos circulaire, les participants dansent et jeûnent pendant quatre jours, face au soleil — ou à un mât central coiffé d'un objet sacré. Cette cérémonie a pour but de susciter des visions mystiques propres à assurer l'élévation spirituelle des danseurs et l'accomplissement de vœux qu'ils ont pu formuler au préalable. Dans certaines tribus, les participants allaient jusqu'à se transpercer les chairs pour prouver leur volonté et leur endurance. Aussi cette danse rituelle fut-elle interdite en 1904 par le gouvernement américain. Elle fut de nouveau autorisée en 1934, et connaît un grand succès depuis les années 1960, période à laquelle les Indiens se mirent à revendiquer haut et fort leur identité culturelle.

Pages précédentes : chef shoshone en costume traditionnel. A gauche, Indien crow.

Contes et légendes

Les Shoshones se nommaient eux-mêmes « le Peuple » et lorsqu'on leur demandait d'où ils venaient, ils répondaient qu'ils étaient installés dans les Rocheuses de toute éternité. L'art rupestre confirme d'ailleurs l'histoire très ancienne de ce peuple, qui avait su adapter son mode de vie à son environnement. Les Shoshones suivaient en effet les déplacements du gibier, sur les hauts plateaux en été, et dans les vallées à la saison froide. Avant qu'ils ne connaissent le cheval, c'est du bison qu'ils tiraient tout ce dont ils avaient besoin — nourriture, abri, vêtements, outils et objets de cérémonie.

Habiles artisans, ces Indiens réalisaient ainsi de magnifiques objets d'art — parures de perles, cuirs tannés, ornements d'os, de plumes ou de fourrure.

Les Indiens connaissaient intimement la faune et la flore et les respectaient jusque dans l'utilisation qu'ils en faisaient. Ils pensaient que, tout comme les humains, les animaux étaient dotés d'une âme, qui, après leur mort, pouvait faire savoir aux créatures vivantes la façon dont ils avaient été tués, dépecés et consommés. Le gibier ainsi renseigné ne se laissait plus approcher par un chasseur scélérat, et ce dernier se trouvait progressivement privé de moyens de subsistance.

La plupart des légendes indiennes prêtaient par ailleurs un comportement humain à de nombreux animaux comme le coyote, le lézard, l'aigle ou le cougouar. Les Indiens pensaient que les éclipses étaient dues au fait qu'un fauve tentait de dévorer la lune ou le soleil.

Outre ces croyances, ces peuples partageaient un certain nombre de tabous. Dans la plupart des tribus, les femmes étaient tenues à l'écart de la communauté et bannies des cérémonies rituelles pendant leurs menstrues; de même, les femmes en couches étaient isolées peu avant la naissance de l'enfant et ce jusqu'à leurs relevailles. La préparation de la guerre était elle aussi régie par des règles strictes : elle comprenait des danses, la pratique du jeûne et l'abstinence sexuelle. Le mariage, conçu comme un contrat entre deux clans plutôt qu'entre deux individus, donnait lieu à de grandes festivités et avait pour objet de régulariser la vie sexuelle.

L'arrivée de l'homme blanc

Au moment de l'arrivée des Blancs, certaines tribus vivaient de cueillette et de chasse, d'autres pratiquaient l'agriculture, mais toutes les sociétés indiennes, fortement structurées, étaient loin de ces « hordes de sauvages » décrites par les envahisseurs européens.

Ces tribus se virent bientôt spoliées de leurs terres et parquées dans des contrées inhospitalières. Elles furent vaincues par les maladies « importées » comme la variole, par la famine, par la supériorité militaire des envahisseurs et leur non-respect des

atteindre les Rocheuses après avoir traversé les Grandes Plaines. Puis, en 1804, chargés par le gouvernement de trouver une route commerciale transcontinentale, Lewis et Clark explorèrent la région, et les premiers Indiens qu'ils rencontrèrent étaient des Shoshones.

A cette date, les tribus du Nord montaient déjà des petits chevaux espagnols qu'elles avaient acquis par troc avec les Utes ou les Comanches établis dans le Sud. L'organisation des sociétés indiennes fut profondément bouleversée par l'introduction du cheval. Grâce à lui, les Indiens pouvaient en effet traquer le gibier — et

lois de la guerre, enfin, par un gouvernement qui n'honorait pas ses traités.

Les premiers contacts entre Blancs et Indiens des Rocheuses s'établirent probablement dans le Sud, vers 1600, lorsque les conquistadores soumirent les Pueblos. On retrouve dans la langue des Utes certains termes empruntés aux premiers explorateurs espagnols et mexicains. Quelques missionnaires espagnols comme Dominguez et Escalante, cherchant une voie reliant le Nouveau-Mexique à la Californie (à l'époque colonies hispaniques), s'aventurèrent dans ces montagnes. Mais c'est Peter et Paul Mallet qui, en 1739, furent sans doute les premiers Européens à

l'ennemi — sur de plus longues distances. Cet animal permit également des échanges accrus entre tribus et, partant, l'adoption de nouvelles techniques guerrières et de nouveaux rites.

Jusqu'en 1822, les échanges entre Blancs et Indiens devaient demeurer amicaux. Sous l'égide des *trading posts* (comptoirs) gérés par le gouvernement, les trappeurs échangeaient des outils, des tissus, des colifichets, des armes et de l'alcool contre les peaux de bison et les fourrures de castor que pouvaient leur fournir les indigènes.

En 1778, le gouvernement américain signa un premier traité avec les Delawares, une tribu de la côte est. Mais le Bureau des

Affaires indiennes resta rattaché au ministère de la Guerre jusqu'en 1849, et ses agents furent tous des officiers chargés de protéger les seuls intérêts des missionnaires, des trappeurs et des colons. Personne ne se souciait alors des droits des Indiens.

Des traités bafoués

C'est au milieu du XIXe siècle, au moment de la ruée vers l'or, que les Indiens prirent conscience de la menace qui pesait sur leurs ressources et sur leurs terres. Non contents de faire fuir le gibier, les prospec-

cinq cents traverses en bois, entraînant la destruction des forêts, et de nombreux chasseurs furent engagés pour tuer les bisons destinés à nourrir les ouvriers.

De plus, ces Blancs prônaient, pour la plupart, l'extermination des Indiens. Lorsqu'ils prirent conscience de l'importance vitale du bison dans l'économie tribale, le massacre de ces animaux devint un moyen pratique de parvenir à leurs fins.

Les Indiens se mirent alors à piller et à tuer pour protéger leurs biens, ce qui ne fit que conforter le gouvernement américain dans sa résolution de les soumettre par la force.

teurs qui arrivèrent en masse dans la région de Pike's Peak se livraient à la chasse pour le seul plaisir de tuer, insultant les croyances des Indiens et rendant l'approvisionnement des tribus de plus en plus problématique.

Peu après, la construction du chemin de fer transcontinental aggrava encore la situation. Les compagnies réquisitionnèrent de vastes étendues de terre ; chaque mile de voie ferrée nécessitait deux mille

A gauche, bijou zuni (coquillage incrusté de turquoise) exposé au musée du parc national de Mesa Verde ; ci-dessus, tableau de Frederick Remington, représentant la chasse au bison.

En 1854, les Utes furent invités à une conférence de paix à Taos, au Nouveau-Mexique, et se virent offrir des couvertures. Tous ceux qui acceptèrent ce cadeau contractèrent la variole. Persuadés d'avoir été volontairement contaminés par les Blancs et déterminés à lutter contre les colons sans cesse plus nombreux à s'installer sur leurs terres, les Utes firent alliance avec les Apaches pour chasser les envahisseurs. Le soir de Noël, les deux tribus s'emparèrent de Fort Carson, n'épargnant qu'un homme et prenant en otages la seule femme du fort et ses deux enfants. La riposte fut immédiate : la cavalerie conduite par Kit Carson massacra les Indiens.

Affaiblis par une épidémie de variole, les Shoshones et les Bannocks se rassemblèrent sur les berges de la Bear River en 1863, où quatre cents d'entre eux furent massacrés par l'armée américaine. Dès l'année suivante, vingt mille colons s'installaient en Idaho et commençaient à exploiter les riches filons miniers de la région.

Dans le Colorado, alors que le gouverneur John Evans avait convaincu les Arapahoes et les Cheyennes de déposer les armes et de se rendre à Fort Lyons, le colonel John Chivington, agent des Affaires indiennes, résolut de leur donner

En 1870, les Blackfeet furent eux aussi touchés par la variole. Lorsqu'il vit la cavalerie approcher de leur camp de Marias River, Heavy Runner, leur chef, s'avança seul en brandissant le signal de paix. Il fut abattu d'un coup de fusil, comme nombre de ses frères ce jour-là.

Malades, vaincues, affamées, réduites à néant par l'effondrement de leur société, les tribus indiennes n'eurent d'autre choix que de signer, l'une après l'autre, des traités avec le gouvernement américain. Ces documents n'avaient, de toute façon, guère de sens pour elles. Comme l'exprima un juge de la cour suprême en 1945, lors d'un

une leçon définitive. Profitant de la réunion des deux tribus à Sand Creek, il les attaqua à la tête de neuf cents hommes, dont la plupart n'étaient que des prospecteurs enrôlés pour «casser de l'Indien». La moitié des victimes de ce massacre étaient des femmes et des enfants et les prétendus soldats n'hésitèrent pas à éventrer des Indiennes enceintes. Un grand nombre de Blancs s'insurgèrent contre ce forfait, le qualifiant de «crime le plus infâme et le plus injustifiable de l'histoire américaine». Une grave crise politique s'ensuivit et la loi martiale fut proclamée dans le Colorado. Mais ce massacre ne devait pas être le dernier.

procès opposant le gouvernement aux Shoshones : «Pour eux, la notion de propriété ne signifiait rien de plus que le droit de parcourir des terres détenues en commun et d'en jouir, tout comme ils jouissaient du soleil, du vent ou des senteurs du printemps.» De toute manière, avant même que l'encre n'ait eu le temps de sécher, ces traités furent, pour la plupart, bafoués par les autorités américaines.

L'accord signé en 1868 par Ouray, chef de la tribu des Utes, en est un exemple frappant ; il concédait à ces Indiens un territoire en principe inviolable, mais peu après, on découvrit de l'or dans les San Juan Mountains, sur les terres de la réserve. Aussitôt, les prospecteurs affluèrent. Ouray joua alors un rôle délicat. Fin négociateur selon les Blancs, traître aux yeux des siens, il décida de tenter la carte de l'assimilation et, par un nouveau traité ratifié en 1873, céda un quart de la réserve (soit 15 000 km²) aux chercheurs d'or. Plus tard, afin de démontrer aux siens qu'ils pouvaient se reconvertir dans l'agriculture, il s'installa avec sa femme dans une ferme près de Montrose, dans le Colorado. Pourtant il mourut en sachant qu'il avait échoué. Sa veuve se remaria et vécut, jusqu'à sa mort en 1924, sous un tipi traditionnel.

dispositif en allouant 64 ha à chaque chef de famille, et en distribuant le reste des terres tribales aux colons blancs.

Ce fut le début d'une lente désagrégation. Les campagnes de christianisation heurtèrent les croyances traditionnelles des Indiens. Les tentatives de scolarisation ne furent guère plus brillantes : on tenta d'apprendre l'anglais aux enfants en leur interdisant de s'exprimer dans leur dialecte sous peine de punition. Coupés de leur famille et de leur tribu, ne comprenant pas toujours les matières qu'on voulait leur enseigner, certains furent gravement traumatisés. Vine Delorai Jr., juriste et écrivain

L'assimilation forcée

A partir de 1871, le gouvernement mit un terme à sa politique de traités et chercha plutôt, par une série de programmes, à imposer aux Indiens le mode de vie des Blancs. Les réserves furent placées sous la tutelle d'agences chargées de leur distribuer nourriture et produits de première nécessité. Parallèlement, les Indiens furent inscrits de force dans des écoles agricoles. En 1887, le Dawes Act vint compléter ce

A gauche, Indien assistant à un rodéo ; ci-dessus, danse traditionnelle exécutée lors du Crow Indian Festival and Rodeo, dans le Montana.

indien, n'hésite pas à affirmer : « Il faut avoir connu la société tribale de l'intérieur pour la comprendre. Véritable cocon protecteur, la tribu est un univers si rassurant qu'elle agit comme une drogue. Coupé de ce contexte, le sujet se sent aliéné et devient irascible. Il se sent désespérément seul et n'aspire qu'à retrouver son clan pour préserver son équilibre mental. »

Toutes ces tentatives d'assimilation se caractérisaient par un paternalisme qui ne fit qu'accroître le sentiment de dépendance des Indiens. C'est ainsi que les *Native Americans* durent attendre 1924 pour se voir octroyer la citoyenneté américaine et 1948 pour obtenir le droit de vote !

De désastreuses tentatives d'intégration

En 1934, l'Indian Reorganization Act interdit le démembrement des terres tribales. Un crédit annuel de deux millions de dollars fut alloué au rachat des terres ; des crédits furent débloqués pour favoriser la formation professionnelle et universitaire des Indiens ; et les conseils tribaux se virent reconnaître un certain pouvoir d'autogestion. Même si ces mesures ne furent pas toujours suivies d'effets, elles étaient plus appropriées que la politique mise en place en 1953 par les autorités.

Le renouveau indien

L'Indian Claims Commission Act promulgué en 1946, qui permettait aux Indiens de réclamer l'application de tout traité non respecté, ou son indemnisation, ne fit que compliquer l'imbroglio juridique dans lequel se débattaient les Indiens.

Finalement, en 1961, la plupart des tribus participèrent à une conférence organisée à l'initiative du gouvernement et élaborèrent une déclaration d'intentions : « les Indiens réclament une aide technique et financière, aussi longtemps que nécessaire, pour leur permettre de retrouver

A cette époque, en effet, le gouvernement instaura une politique de *termination*. Les tribus cessèrent d'être reconnues comme des entités économiques ; certaines réserves furent supprimées et les terres comme le capital redistribués à des individus qui n'étaient pas préparés à les gérer. Simultanément, en raison de l'accroissement de la population indienne, on mit en place une politique de *relocation* incitant les Indiens à quitter les réserves pour s'installer en ville. La plupart devinrent rapidement chômeurs ou vagabonds. Seuls parvinrent à s'adapter à la vie citadine ceux qui reconstituèrent de petites unités tribales.

dans l'Amérique de l'ère spatiale des conditions de vie comparables à celles dont ils jouissaient en tant que premiers occupants de ce pays. »

Les Indiens étaient mûrs pour participer au mouvement des droits civiques né dans les années 1960 aux États-Unis. En 1968, ils fondèrent l'American Indian Movement (AIM), afin de pouvoir enfin prendre en main leur destin. Ils organisèrent un *fish-in* dans l'État de Washington, où le droit de pêche leur était refusé. Ils occupèrent l'île-prison désaffectée d'Alcatraz, dans la baie de San Francisco, afin de marquer le droit à la propriété indienne, et le site de Wounded Knee.

En 1972, des membres de l'AIM occupèrent les locaux du Bureau des Affaires indiennes, à Washington, emportèrent de nombreux objets d'art volés à leurs ancêtres par les missionnaires et laissèrent une note ainsi rédigée : « Messieurs, nous ne nous excusons ni des dégâts ni de la prétendue destruction de ce mausolée.[...] Ceci marque le début d'une ère nouvelle pour tous les autochtones d'Amérique du Nord. [...] Nos descendants seront fiers en apprenant que leur peuple a su s'élever contre la tyrannie, l'injustice et la flagrante inefficacité de ce service à la solde d'un gouvernement corrompu et décadent. »

De riches ressources naturelles

Par l'effet d'une justice immanente, les terres arides où furent autrefois relégués les Indiens se révèlent aujourd'hui riches en ressources minières. La plupart des tribus ont su faire appel à des hommes de loi bien avant que le problème de l'énergie ne devienne crucial pour les États-Unis. Ces juristes ont négocié des contrats pour l'exploitation des forêts, des mines et des terres arables situées dans les réserves et

A gauche, l'Indien Ben Nighthorse, dans sa boutique ; ci-dessus, jeune Indienne de la réserve de Fort Hall.

fait pression sur les autorités pour que les droits des Indiens soient respectés.

Les tribus des Rocheuses se sont ainsi associées, en 1975, à la fondation du Council of Energy Resources Tribes (C.E.R.T.), organisme de protection des ressources énergétiques indiennes. Un rapport annuel du C.E.R.T. résumait ainsi la situation : « Aujourd'hui, on compte en territoire indien treize mille concessions de pétrole et de gaz, représentant plus de vingt-trois mille unités d'exploitation. La plus grande mine à ciel ouvert d'uranium du monde et le plus important gisement de charbon du pays se trouvent également sur des terres tribales. »

Pourtant, en dépit de ces importantes réserves, de nombreux Indiens continuent à vivre dans le dénuement, persuadés à tort que le gouvernement, agissant pour leur compte, négocie au mieux l'exploitation de ces nouvelles richesses. Le C.E.R.T. souhaite pallier cette incurie des pouvoirs publics. En contrôlant la gestion de ces ressources naturelles, et en veillant à une redistribution équitable des revenus, il entend amener les tribus à l'indépendance économique et financière.

Selon Peter MacDonald, ancien chef navajo et ex-président du C.E.R.T., « le soutien accordé par les autorités fédérales au C.E.R.T. et aux programmes énergétiques proposés par les tribus s'est révélé être un des investissements les plus rentables à long terme. Mais, on n'enregistrera de réel progrès pour mon peuple qu'en transcendant la notion de profit. Comme l'exprimait le chef Joseph des Nez-Percés au siècle dernier : « Accordez-nous la liberté. Liberté de voyager, de nous installer, de travailler ou de faire le commerce où bon nous semble. Liberté de choisir nos maîtres, de suivre la religion de nos ancêtres, de penser, d'agir et de nous exprimer en notre nom propre. »

De nombreuses tribus œuvrent pour la réhabilitation de leur langue et de leur patrimoine culturel. Pourtant, la nation indienne connaît encore des taux de chômage, de suicide, d'analphabétisme, d'alcoolisme et de mortalité infantile scandaleusement élevés. Pour recouvrer sa liberté et sa dignité, il lui faut encore se doter de leaders capables de s'opposer à toute nouvelle violation des droits des tribus et des individus.

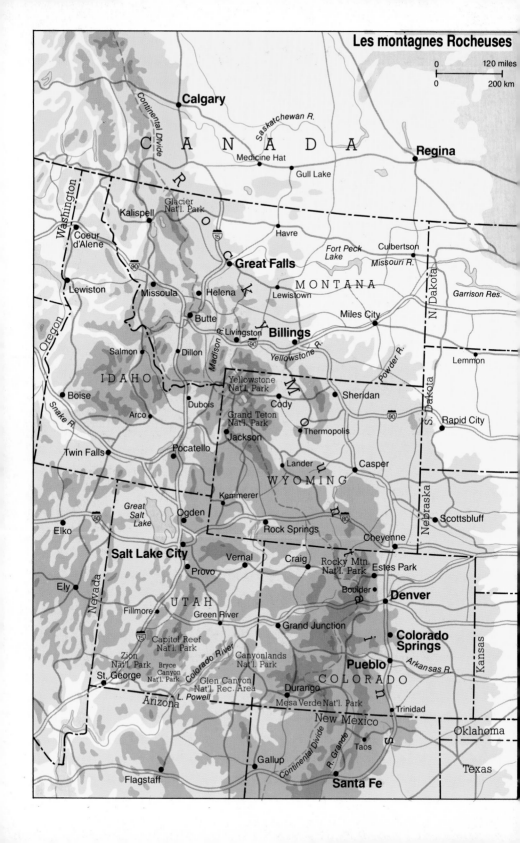

Les montagnes Rocheuses

0 ——— 120 miles
0 ——— 200 km

Calgary

Medicine Hat

Regina

Gull Lake

C A N A D A

Saskatchewan R.

Continental Divide

Washington

Glacier Nat'l. Park

Kalispell

Havre

Fort Peck Lake

Culbertson

Missouri R.

N. Dakota

Garrison Res.

Coeur d'Alene

Great Falls

M O N T A N A

Lewiston

Missoula

Helena

Lewistown

Oregon

Butte

Miles City

Salmon

Livingston

Billings

Lemmon

R.

Madison R.

Yellowstone R.

Powder R.

Dillon

I D A H O

Yellowstone Nat'l. Park

S. Dakota

Snake R.

Boise

Dubois

Cody

Sheridan

Rapid City

Arco

Grand Teton Nat'l. Park

Thermopolis

Jackson

Twin Falls

Pocatello

Lander

Casper

W Y O M I N G

Kemmerer

Great Salt Lake

Ogden

Nebraska

Scottsbluff

Elko

Rock Springs

Cheyenne

Salt Lake City

Vernal

Craig

Rocky Mtn. Nat'l. Park

Estes Park

Provo

Ely

Nevada

Boulder

Denver

U T A H

Fillmore

Green River

Grand Junction

Colorado Springs

Capitol Reef Nat'l. Park

Colorado River

Canyonlands Nat'l. Park

Arkansas R.

Kansas

Zion Nat'l. Park

Bryce Canyon Nat'l. Park

Pueblo

C O L O R A D O

St. George

Glen Canyon Nat'l. Rec. Area

Durango

L. Powell

Mesa Verde Nat'l. Park

Trinidad

Arizona

New Mexico

Oklahoma

Continental Divide

Taos

R. Grande

Texas

Gallup

Flagstaff

Santa Fe

ITINÉRAIRES

Les Rocheuses séduisent tous les amoureux de la nature. Quelle que soit la saison, on peut y pratiquer d'innombrables sports et activités de plein air, de la randonnée pédestre au raft, de l'alpinisme à la spéléologie, sans oublier le ski. Ces montagnes abritent en effet certains des plus beaux domaines skiables au monde, où l'on peut goûter aux joies de la poudreuse de décembre à fin avril. Le calendrier local est également ponctué de nombreuses manifestations culturelles ou sportives, qui permettent au visiteur de mieux connaître les traditions de cette région, mais aussi ses habitants.

Ces montagnes abritent en outre plusieurs grands parcs nationaux, tels ceux de Grand Teton, Rocky Mountain, Arches ou Bryce Canyon, véritables conservatoires de la flore et de la faune, qui attirent de nombreux visiteurs. Ainsi, près de trois millions de personnes viennent chaque année admirer les geysers, les forêts et les cascades pétrifiées du Yellowstone National Park, le plus ancien, le plus fréquenté et le plus vaste des parcs naturels américains qui, avec ses 8 000 km², s'étend sur une superficie comparable à celle de la Corse.

Ce guide se propose de vous faire visiter Denver, la « Porte des Rocheuses », puis de prendre la route de la Front Range pour découvrir les pittoresques villes de montagne du Colorado. Certains de ces anciens camps de chercheurs d'or sont devenus, telle Aspen, des lieux de villégiature de la jet-set américaine. D'autres cités des Rocheuses, comme Durango, sont, elles, restées fidèles aux traditions de l'*Old West*. Après avoir admiré les paysages grandioses de la Royal Gorge et du Black Canyon, vous traverserez les profondes forêts de conifères de la Medicine Bow Range, l'une des régions les plus sauvages des Rocheuses, pour rejoindre la vallée de Jackson Hole, refuge des cerfs et des wapitis. Vous visiterez Cody, sur laquelle plane le souvenir de Buffalo Bill, et Cheyenne, capitale du rodéo, avant de suivre à Bozeman, dans le Montana, la trace des cow-boys et des chercheurs d'or. Enfin, après avoir traversé l'Idaho, vous atteindrez Salt Lake City, la capitale de l'Utah marquée par un siècle de culture mormone.

Heureux voyage qui, nous l'espérons, vous fera partager l'enthousiasme du héros d'*Un été dans l'Ouest* de Philippe Labro :

« Le conducteur prononça deux mots brefs empreints d'une certaine révérence :

– Les voilà.

J'ai frissonné. Les Rocheuses !...

J'ai pensé aux pionniers, aux chasseurs de fourrures, à ceux qu'on nommait les « coureurs de bois », qui avaient poursuivi le soleil et les peaux de castor, qui s'étaient soumis à l'appel de la forêt et s'étaient retrouvés un jour, deux ou trois siècles auparavant, face à cette imposante barrière de montagnes auréolée de brume bleue et rosâtre. Avaient-ils ressenti la même stupéfaction mêlée au même bonheur ? »

L'ATTRAIT DES GRANDS ESPACES

Depuis leur découverte, les Rocheuses ont toujours fasciné les aventuriers. On ne dispose d'aucun témoignage écrit sur l'histoire ancienne de la région, mais les peintures rupestres ou les pétroglyphes trouvés à Lake Powell, le long de la Colorado River, ou parmi les ruines troglodytiques de Mesa Verde montrent que les Rocheuses ont été habitées de longue date par les Indiens. Nul doute que ces premiers occupants furent attirés par les Rocheuses pour les mêmes raisons que les explorateurs, chercheurs d'or et pionniers d'hier ou que les touristes d'aujourd'hui. La profusion des ressources naturelles, le pittoresque des paysages et la promesse d'aventures et de bien-être constituent autant de motivations puissantes, presque magiques.

Dès la signature du traité d'acquisition de la Louisiane, en 1803, on vit arriver les premiers explorateurs, chasseurs, trappeurs, ou encore géographes tel Zebulon Pike, qui reconnut en 1806 le sommet qui porte aujourd'hui son nom. Mais ce fut aussi l'ère des excentriques dont l'histoire, maintes fois embellie, fait partie de la légende de cette nouvelle frontière. Ainsi Lord Gore, un authentique aristocrate anglais, se rendit célèbre pour ses parties de chasse d'un extrême raffinement. Non content de s'entourer d'une nuée de cuisiniers et de domestiques — luxe inouï pour l'époque ! —, il ne se déplaçait jamais sans une immense baignoire de cuivre afin de pouvoir prendre chaque soir un bain bien chaud sous la tente. Une montagne porte aujourd'hui son nom; et plus d'un touriste, ignorant de l'anecdote, se plaît à inventer mille histoires macabres pour expliquer cette appellation (*Gore Mountains* peut aussi se traduire par « Monts ensanglantés »).

Malgré quelques tentatives de colonisation au début du XIX⁰ siècle, le territoire des Rocheuses ne commença véritablement à attirer l'attention qu'à

Pages précédentes : a station de Steamboat (Colorado) ; le Zion National Park ; les gorges du Capitol Reef National Park ; randonnée équestre dans les environs de Snowmass (Colorado). A gauche, jeune adepte du V.T.T.

l'automne 1858 : on venait de découvrir de l'or et de l'argent dans les collines à l'ouest de Denver.

En un rien de temps, de modestes camps de mineurs se transformèrent en d'opulentes cités. On ouvrit des opéras, on édifia des demeures somptueuses et on vit s'imposer des personnalités hautes en couleur comme Horace A. Tabor, un « baron de l'argent » aussi célèbre pour ses fortunes que pour ses faillites. Ne dit-on pas qu'il commença comme épicier et que sa carrière dans les affaires débuta le jour où, en paiement d'une ardoise de soixante-quatre dollars, deux prospecteurs lui remirent une partie des actions qu'ils détenaient dans une concession minière. Ceux-ci repartirent vers la montagne et, la semaine suivante, découvrirent un fabuleux filon qui rapporta plus de vingt millions de dollars dès la première année d'exploitation !

D'abord établi à Leadville, Tabor y fit construire le somptueux Tabor Opera House. Mais comme son épouse, femme simple et laborieuse, s'accommodait mal de ce train de vie fastueux, Tabor partit s'installer à Denver. Là, il fit construire un nouvel opéra, le Tabor Grand Opera House, et prit une nouvelle épouse, Baby Doe, jeune beauté avide de plaisirs et de luxe. Ce bonheur fut hélas éphémère, et Baby Doe se retrouva bientôt veuve et sans le sou. Jusqu'à sa mort, elle espéra vainement que la mine de Matchless (« *la sans pareille* »), que Tabor lui avait fait jurer de ne jamais vendre, lui ramènerait la fortune...

Aujourd'hui ouverts au public, la Matchless Mine et le Tabor Opera House évoquent l'univers des pionniers. Mais Leadville, autrefois si fière de ses douze théâtres et de ses innombrables tripots, n'est plus que l'ombre d'elle-même.

Soif de détente

Après les booms de l'or et de l'argent, les Rocheuses accueillirent une nouvelle population d'éleveurs et de fermiers attachés à mettre en valeur les ressources naturelles de la région, et des cités fleurirent au bord des fleuves, au carrefour des grandes voies de communication et à proximité des sources chaudes. Au dire des Indiens comme des pionniers, ces eaux possédaient d'extraordinaires vertus curatives et l'on vit bientôt affluer les touristes désireux de se refaire une santé à Eldorado Springs, Idaho Springs, Hot Sulphur Springs, Ouray, Mount Princeton, Pagosa Springs, Redstone ou encore Glenwood Springs, qui abrite le plus grand bassin thermal au monde.

Paradoxalement, ces mêmes montagnes qui arrêtèrent tant de pionniers attirent de nos jours des foules de touristes. Dans le Colorado, on ne recense pas moins de cinquante-deux sommets dépassant 4 250 m ; plus de la moitié de cet État est constitué d'escarpements rocheux, de vallées encaissées et de hauts plateaux entaillés de canyons. Les pistes qu'empruntaient autrefois les colons au fond des défilés sont devenues un terrain d'aventures modernes.

Loisir, repos, remise en forme, besoin d'aventure, amour de la nature ou simple plaisir esthétique constituent les principales motivations des touristes, qui trouvent dans les Rocheuses un vaste éventail d'activités. En fait, tout y est possible : on peut aussi bien jouir du confort luxueux des stations à la mode que partir en expédition vers l'arrière-pays pour mener la rude existence des pionniers d'antan.

Le tourisme constituant l'une des principales ressources économiques de la région, celle-ci s'est dotée de nombreuses infrastructures de transport et d'hébergement. Les principaux sites sont à présent desservis par des autoroutes tandis qu'un excellent réseau secondaire permet aux visiteurs de se retrouver rapidement en pleine nature. Aussi, rien n'est plus simple que de se lancer à l'aventure : à pied, à cheval, en V.T.T. ou en 4x4, on gagne en un rien de temps des zones miraculeusement préservées où, loin de toute pollution, on retrouve une nature vierge.

Départ de l'Avon Ballon Race, dans le Colorado.

Le vent bruit dans les arbres, les ruisseaux chantent en dévalant les pentes et seul le cri d'un oiseau ou d'un rongeur dérangé dans son terrier vient parfois troubler le silence.

Une certaine élégance victorienne

Les nombreuses demeures victoriennes bâties à l'époque de la ruée vers l'or confèrent aux anciennes cités minières des Rocheuses un charme suranné empreint de nostalgie. Rien n'était trop beau pour les barons de l'or et l'on vit s'ériger de somptueuses «folies» ornées de vitraux, de boiseries et de sculptures, dont la plupart ont heureusement survécu au déclin général. Ainsi, on visitera le Tabor Opera House de Leadville ou le Teller House de Central City, cet hôtel célèbre pour les fresques de son saloon et pour les trente lingots d'argent massif qui pavent son seuil.

Avec l'essor du tourisme, ces villes autrefois à l'abandon ont repris goût à la vie. Les plus belles demeures ont été restaurées et transformées en *bed-and-breakfast*, en boutiques ou en musées, et l'été, de nombreux concerts et représentations théâtrales sont donnés dans les vénérables salles d'opéra. Les fastes de la décoration donnent aux spectateurs l'illusion d'appartenir à la meilleure société du XIXᵉ siècle. N'hésitez pas à séjourner dans ces anciennes cités minières : c'est la meilleure façon de vous replonger dans l'atmosphère de l'*Old West*.

Les villes fantômes

On retrouve également l'esprit des pionniers lorsque l'on s'enfonce dans la nature pour échapper à l'agitation des villes.

On ne rencontre aucun problème de transport dans les Rocheuses. Même ceux qui ne se déplacent qu'en voiture sont assurés de voir un maximum de curiosités. Les routes qui conduisent aux anciennes cités minières sont généralement bonnes et la plupart des villes fantômes sont desservies par des pistes carrossables. Si certains de ces sentiers étroits et sinueux qu'empruntaient autrefois les chariots et les chevaux sont réservés aux 4x4, la plupart permettent le passage des voitures ordinaires.

La visite de ces *ghost towns* est une expérience inoubliable. Sur les bâtiments en ruine, qui s'élèvent souvent dans un cadre grandiose, plane encore le souvenir des anciens colons, et chacun se prend à rêver aux temps héroïques où l'or et l'argent coulaient à flots. Avant que les cours ne chutent et que s'installent le silence et la désolation ...

Bien sûr, le 4x4 ou la Jeep ne sont pas les seuls moyens de transport. Il est toujours possible d'aller à la rencontre de la nature à cheval ou à pied. De nombreuses agences de voyages locales proposent des circuits en Jeep mais aussi des randonnées. Les Chambres de commerce et les *Visitors' Bureaus* fourniront les adresses de ces organismes ou tous les renseignements qui peuvent être utiles au promeneur solitaire.

Navigation à la voile sur le Grand Lake.

Les joies du grand air

Les nombreux lacs et torrents de montagne combleront les amateurs de pêche car ils regorgent de truites, que l'on attrape, selon les régions, à l'appât ou à la mouche. Dans la plupart des villages, on trouve des sociétés de pêche qui indiquent volontiers au visiteur les meilleurs coins et les plus beaux paysages. Suivez leurs conseils, car même si vous rentrez bredouille, vous serez certainement consolé par une superbe balade. La plupart vendent des appâts, louent du matériel de pêche ou proposent les services de guides, et se font souvent un plaisir de déposer les pêcheurs à pied d'œuvre, soit en Jeep, soit en bateau.

Les chasseurs de petit ou de gros gibier seront également à la fête dans les Rocheuses. La plupart des sociétés de pêche organisent aussi des parties de chasse, dont elles prennent en charge toute l'organisation. A l'automne, nombreux sont les ranches qui accueillent les chasseurs. Certains n'offrent que le gîte, mais d'autres procurent également des chevaux, un guide ainsi que l'équipement nécessaire à de longues randonnées à travers bois. Soyez assuré qu'en prime on vous régalera de maintes légendes et de savoureuses histoires de chasse !

Dans un univers sauvage aussi exceptionnel, la randonnée et l'escalade peuvent occuper une journée, une semaine ou toute une saison. Les sentiers de grande randonnée constituent un réseau dense, soigneusement entretenu par le service des Eaux et Forêts, qui en fournira la carte détaillée sur simple demande. Dans l'État du Colorado, on ne compte pas moins de onze *National Forests*, où des terrains de camping ont été aménagés à l'intention de ceux qui veulent découvrir l'arrière-pays. Là encore, si vous êtes novice, n'hésitez pas à demander conseil aux guides de montagne sur les meilleurs itinéraires à suivre et sur le matériel indispensable. N'oubliez pas qu'on ne doit s'éloigner des pistes

Au sommet d'Independence Pass, dans le Colorado.

balisées qu'avec un équipement approprié dont on maîtrise parfaitement l'utilisation. En montagne, le temps est souvent changeant. Même en plein été, la matinée qui s'annonçait radieuse peut brusquement laisser place à une violente bourrasque. Attention: en altitude, aucun mois n'est épargné par la neige.

Dans les entrailles de la terre

Toutes les formes d'escalade, que ce soit en alpinisme ou en spéléologie, attirent dans les Rocheuses de nombreux enthousiastes. Les néophytes doivent éviter de se lancer seuls dans ces sports, qui nécessitent certaines connaissances techniques ainsi qu'une bonne condition physique. Mais ils trouveront de nombreuses écoles d'escalade où, sous la conduite de guides confirmés, ils apprendront à maîtriser les gestes indispensables à la pratique de ces sports.

Les spéléologues amateurs doivent tout particulièrement veiller à la quali-

Descente mouvementée des rapides du Colorado.

té de leur équipement. De même, ils ne doivent jamais s'aventurer dans un gouffre sans être accompagnés d'un guide. Ne pas céder à l'attrait du mystère, se renseigner sur les difficultés du terrain et les itinéraires possibles, s'assurer qu'on dispose du matériel requis constituent des règles impératives. Les spéléologues amateurs doivent en outre se signaler, avant et après chaque expédition, auprès des antennes régionales du Forest Service.

Enfin, ceux qui veulent plonger dans les entrailles de la terre sans en braver le danger visiteront avec plaisir Cave of the Winds, non loin de Broadmoor Springs et de Colorado Springs, où les attend une débauche de stalactites, de stalagmites et de concrétions minérales.

Sur l'eau

Le réseau fluvial des Rocheuses n'est pas navigable; cependant on peut toujours s'y livrer aux joies du rafting. Les descentes se font habituellement sur

de grands radeaux pneumatiques accueillant une douzaine de passagers. On peut aussi louer un canot, un kayak ou un dinghy individuel. Compte tenu de la difficulté de certains torrents ponctués de rapides, seuls les sportifs expérimentés se lanceront dans ces expéditions solitaires; la majorité des touristes, quant à eux, auront recours aux innombrables sociétés spécialisées dans le *whitewater rafting*.

Une classification précise permet d'apprécier la difficulté des divers cours d'eau. La classe 1 correspond aux rivières plutôt calmes, généralement dotées de berges sablonneuses. La classe 3 indique des vagues moyennes ou irrégulières et la présence de rochers plus ou moins immergés. Enfin, les classes 5 et 6 sont réservées aux sportifs confirmés. Il existe donc des possibilités de rafting pour tous. On peut, au choix, participer à des excursions de quelques heures, d'une journée ou d'une semaine, pour découvrir des canyons autrement inaccessibles. Le rafting se combine souvent avec le camping, qu'il s'agisse de bivouaquer une nuit ou de prolonger l'exploration par des promenades à l'intérieur des terres.

Dans les Rocheuses, la navigation à voile ne ressemble guère à celle que l'on peut pratiquer en mer ou sur les fleuves. D'une superficie souvent très réduite, les lacs de montagne sont fréquemment agités de vents aussi violents qu'imprévisibles qui exigent autant d'habileté que de rapidité. Les eaux froides et peu profondes n'autorisent guère la natation, mais elles offrent en revanche des conditions idéales pour la pratique du ski nautique et de la planche à voile, à condition toutefois de revêtir une combinaison.

Parmi les lacs sur lequels bateaux à moteur et ski nautique sont autorisés, citons Bonny Reservoir, Grand Lake, Shadow Mountain et Green Mountain. A Dillon Reservoir, la navigation à voile ou à moteur est permise, mais la pratique de la natation, de la

Pause-détente pour les cow-boys et leur monture.

planche à voile et du ski nautique est interdite. Sur les lacs situés à proximité des grandes métropoles, on peut généralement s'adonner à tous les sports nautiques. Ainsi, près de Denver, les deux bases de loisirs de Chatfield et de Cherry Creek sont particulièrement fréquentées. Enfin, mentionnons comme un beau but d'excursion la descente du Rifle Gap, dans l'ouest du Colorado, où l'artiste Christo se rendit célèbre en habillant la falaise d'un immense rideau orange de 120 m sur 380.

En compagnie des cow-boys

Décor de nombreux westerns, les Rocheuses se prêtent à des randonnées équestres le long de sentiers escarpés ou au fond des canyons. Là aussi, quantité de villages de montagne proposent des sorties en fonction du niveau des cavaliers. On peut louer les services d'un guide à l'heure, mais rien ne vaut un *breakfast ride*. On monte en selle dans la fraîcheur de l'aube pour gagner un camp d'altitude, où l'on déguste un planureux petit déjeuner arrosé d'un café fumant, propre à satisfaire aussi bien les néophytes que les cavaliers endurcis. Les couche-tard, quant à eux, préféreront dîner dans les mêmes conditions. C'est l'*evening steak ride* ou le *wagon ride* (excursion en chariot). Dans une clairière ou dans quelque coin pittoresque, tout le monde se retrouve autour d'un feu de camp. Le café fume. Les steaks grésillent sur la braise. Un cow-boy s'empare d'une guitare, tandis qu'un autre se prend à raconter les légendes de l'Ouest ou la vie d'autrefois...

Il est également possible de s'enfoncer dans les montagnes pour des excursions organisées de plusieurs jours. Les guides se chargeront alors de l'équipement indispensable. Ces randonnées équestres sont parfois couplées avec des parties de chasse ou de pêche; mais le seul fait de chevaucher en toute liberté dans la nature constitue une expérience inoubliable.

La pêche est toujours fructueuse dans les lacs des Rocheuses.

Les Rocheuses vues du ciel

L'air extraordinairement pur des Rocheuses et leurs paysages changeants font dire à plus d'un touriste que ces montagnes offrent un décor «planant». Pourquoi ne pas les prendre au mot et faire une promenade en ballon dirigeable? L'aérostation se pratique désormais dans de nombreux ranches des Rocheuses. Elle permet aux touristes de réaliser de superbes photos en survolant paisiblement les champs et les villages.

Les ranches qui proposent ce type d'activité *(balloon rides)* sont généralement situés en plaine, au pied des premières collines; mais il s'en trouve également dans certaines hautes vallées qui servent de points de départ à ces grosses sphères colorées. Vu du ciel, le panorama devient un enchantement.

Enfin, pour les sportifs épris de liberté, il convient de mentionner le vélo ou le V.T.T., discipline difficile dans les Rocheuses, où le terrain s'apparente bien souvent... aux montagnes russes. Dans de nombreux comtés, un important réseau de pistes cyclables relie les principaux villages. Les unes partent à l'assaut des cols, tandis que d'autres, plus paisibles, suivent les méandres des cours d'eau.

Si l'ascension des cols nécessite une bonne condition physique, on peut en revanche louer un peu partout un vélo pour effectuer une tranquille promenade dans les vallées. La plupart des magasins où l'on vend des articles de sports d'hiver proposent, l'été venu, du matériel de pêche ou des vélos à louer. Profitez de l'expérience des vendeurs: ils sauront vous indiquer tous les itinéraires possibles, du plus facile au plus «techniques».

Le tennis est également un sport largement répandu dans les Rocheuses. Les amateurs trouveront presque partout des courts publics. En outre, la plupart des hôtels disposent d'installations permanentes où il est toujours possible de louer une raquette ou de prendre une leçon. On trouve même

Ascension du Fremont's Peak, qui domine la chaîne des Wind River Mountains, dans le Wyoming.

des courts en altitude qui laissent, au sens propre, à bout de souffle.

A vos clubs

Si vous souhaitez faire plus qu'une simple promenade dans un décor enchanteur, pourquoi ne pas vous laisser tenter par une partie de golf ? De nombreux parcours de dix-huit trous — certains conçus par des experts comme Jack Nicklaus ou Robert Trent Jones II — ont été récemment ouverts. Ainsi, à Vail Valley, on ne compte pas moins de cinq terrains, et à une petite heure de route de là, dans le Summit County, le parcours de Keystone est justement célèbre.

Les amateurs trouveront, dans les Rocheuses, des golfs splendides, avec des links souvent étroits et parsemés d'obstacles naturels. Les concepteurs ont su tirer parti du moindre accident de terrain pour offrir aux joueurs un parcours mouvementé à travers les collines, à la lisière des sapinières, par-dessus les cours d'eau et dans les replis des vallées. Il faut savoir placer sa balle ! D'autant plus que la raréfaction de l'air, qui allonge la portée des coups, impose de savoir choisir ses clubs avec discernement. Là encore, de nombreux magasins et moniteurs sont à la disposition des amateurs pour les aider à réussir le meilleur score.

L'art d'être spectateur

Même les moins sportifs ou les moins courageux n'ont pas été oubliés dans les Rocheuses, où il est toujours possible de participer à diverses manifestations sportives... en tant que spectateur. C'est le cas du rodéo, ce sport national qui jouit d'une popularité sans cesse croissante. Parmi les plus célèbres, les Cheyenne Frontier Days attirent des foules des quatre coins des États-Unis pour une semaine complète de concours et de démonstrations. En janvier, les cow-boys se rassemblent à Denver pour le National Western Stock Show and Rodeo. Mais, l'été, on les retrouve dans toutes les fêtes locales, prêts à dompter les *broncos* sauvages ou à montrer leur adresse au lasso.

Le Pro Rodeo Hall of Champions de Colorado Springs, musée qui retrace l'histoire de ce sport, vous fournira tous les renseignements utiles sur les quarante rodéos professionnels qui se déroulent chaque année dans la région.

Chaque été, les théâtres municipaux et des troupes itinérantes proposent aux amateurs d'art classique nombre de représentations, ballets ou concerts. Le programme de ces divers festivals artistiques est disponible dans toutes les syndicats d'initiative.

Tandis que l'été se prête à une foule d'activités sportives et manifestations artistiques, l'automne ravira les esthètes. Le paysage se transforme alors en une féerie : l'or roux des trembles se détache sur le tapis vert foncé des sapinières pour jouer avec le bleu de l'azur. C'est la saison enchanteresse par excellence où tous les habitants de la région viennent passer le week-end dans les bois. Si vous visitez

Grimpeur solitaire.

les Rocheuses en septembre ou en octobre, vous serez ébloui par la lumière de l'été indien qui fait vibrer l'or et le vert des forêts, et par la douceur des journées qui invite à une dernière promenade avant l'arrivée des frimas et des premières neiges.

Le royaume du ski

L'hiver, autrefois tant redouté des mineurs et des colons, est devenu une véritable manne pour la région. Grâce à de nombreuses stations de sports d'hiver et à un excellent enneigement, les Rocheuses, et plus particulièrement le Colorado, ont bien gagné leur surnom de « royaume du ski », ou « *Sky Country, U.S.A.* » comme disent les Américains.

Que ce soit dans les stations de prestige, telles Aspen, Vail, Deer Valley, Beaver Creek ou Snowbird, ou dans les villages plus paisibles, comme Loveland Basin, Telluride, Redlodge ou Jackson Hole, les possibilités d'hébergement sont extrêmement variées. Des suites luxueuses destinées aux chefs d'État ou aux milliardaires jusqu'aux *bed-and-breakfast* ou aux pensions de famille les plus modestes, on trouve toujours un logis à sa bourse et à sa convenance.

Le ski alpin règne ici en maître. Nul besoin d'être un champion : des pistes et des programmes adaptés aux débutants permettent à tout un chacun de goûter à l'ivresse de la poudreuse pour se joindre ensuite avec enthousiasme aux joyeuses veillées pimentées de truculentes anecdotes. Cependant les Rocheuses sont avant tout le domaine des sportifs confirmés. Avec ses goulets bosselés et ses « murs » abrupts la haute montagne offre un terrain de choix aux skieurs avides de sensations fortes.

Les adeptes de la neige et des sports mécaniques peuvent aussi se livrer aux joies du scooter des neiges et autres *snowmobiles*. Dans certaines zones protégées, leur utilisation est soigneusement réglementée ; mais on trouve désormais quantité de pistes soigneusement balisées au départ des principales stations, ainsi que de nombreuses sociétés qui proposent toutes sortes d'engins de location.

Depuis une dizaine d'années, le ski de fond a su conquérir un vaste public par sa simplicité et sa modicité. Pour y goûter, nul besoin d'être un athlète confirmé ou un expert du fartage. Désormais, chacun peut apprécier à moindre coût ce loisir en pleine expansion. De nombreuses stations ont récemment mis en place des réseaux de pistes, tant gratuites que payantes. Par ailleurs, le service des Eaux et Forêts entretient, grâce au National Park System, un ensemble de sentiers balisés, ouverts à tous. Les syndicats d'initiative et les bureaux régionaux du Forest Service sont en mesure de vous fournir toute information à ce sujet.

Promenades romantiques et repos absolu

Les ranches d'altitude et les gîtes d'étape se sont multipliés en haute montagne. On est assuré d'y trouver un confort rustique tout en étant à pied d'œuvre pour de longues randonnées à ski, qui se terminent souvent par un plongeon dans une source chaude. Chacun goûte ces plaisirs à son rythme. Mais qu'il soit épreuve d'endurance ou simple promenade nonchalante, le ski de fond permet d'apprécier au mieux toutes les joies de l'hiver dans une ambiance chaleureuse, parfois empreinte d'un certain romantisme. C'est ainsi que l'on peut participer à d'extraordinaires randonnées au clair de lune. A l'heure où l'astre nocturne fait scintiller la neige, quand les montagnes recouvrent les vallées de leur ombre, une simple promenade à ski se transforme en une véritable féerie.

Depuis un siècle, l'attrait des Rocheuses ne s'est jamais démenti et l'aventure en reste toujours le maître-mot. Toutefois, ces Pics Étincelants attirent un nombre croissant de visiteurs désireux de jouir en toute tranquillité des splendeurs de cette nature vierge et des vertus curatives du repos. Nul doute que cet attrait se perpétuera encore longtemps.

Les Rocheuses offrent un cadre splendide aux randonneurs.

SKIER DANS LES ROCHEUSES 115

SKIER DANS LES ROCHEUSES

Généralement considéré par les Américains comme le « royaume du ski », le Colorado mérite amplement cette réputation. La carte du nord de l'État — une vaste région hérissée de pics enneigés — est constellée de stations de sports d'hiver. C'est à juste titre que les trente-cinq stations du Colorado sont connues dans le monde entier comme les reines de la poudreuse. Que ce soit sur les pentes de la Bell Mountain à Aspen, ou dans les Back Bowls de Vail, les skieurs sont partout assurés de trouver des conditions idéales d'enneigement.

Denver, porte des Rocheuses

La plupart des voyageurs qui se rendent dans les Rocheuses font étape à Denver, capitale de l'État du Colorado et pôle d'attraction régional (son aéroport, Stapleton, est le septième des États-Unis par son trafic). Tout en demeurant le symbole de l'Ouest traditionnel, Denver a su acquérir un caractère cosmopolite en raison de l'afflux massif de touristes en hiver.

En arrivant à Denver, les hivernants sont souvent surpris de trouver une température clémente et de constater que la neige fond très rapidement. Qu'ils se rassurent : alors qu'on se promène en chemise dans la ville, à quelques kilomètres de là, les skieurs dévalent des pentes recouvertes de 30 cm de neige fraîche. Il tombe dans la région une moyenne de 8,90 m de neige par an et certaines stations en reçoivent parfois le double en une seule saison.

De Denver, les voyageurs peuvent aisément gagner les stations en minicar, en taxi ou en autocar, les transports étant particulièrement développés et efficaces dans tout le Colorado. Les automobilistes, quant à eux, feront bien de s'assurer de l'état des routes avant de quitter Denver. Ils trouveront à cet effet une antenne du Colorado Ski Country à Stapleton

Airport. Ils pourront également s'y renseigner sur l'enneigement des stations et réserver un gîte.

En raison du manque d'habitude de nombreux automobilistes à la conduite sur neige, la circulation est parfois ralentie sur les routes du Colorado. Sachez calculer votre heure d'arrivée en conséquence, gardez votre calme et profitez-en pour admirer le paysage.

Des pics majestueux couverts de neiges éternelles, des vallées encaissées, de belles demeures victoriennes aménagées en restaurants ou en boutiques, des villages de montagne où se nichent de ravissantes auberges, des hôtels de luxe, d'inoubliables descentes et, plus généralement, la fête : voilà tout ce qu'un skieur peut s'attendre à trouver dans les Rocheuses. Le vieil esprit de l'Ouest se perpétue à travers des fêtes et des célébrations traditionnelles de la neige comme l'Ullr Fest. Toutefois, nombre de stations nouvelles ont résolument adopté le style « vieille Europe », décontracté et chaleureux, aussi le cosmopolitisme et l'architecture de certains villages ne sont-ils pas sans rappeler Saint-Moritz.

Mais que ce soit dans les anciennes villes minières au cachet rustique comme Aspen, Breckenridge ou Telluride, ou dans les stations modernes comme Copper Mountain, Beaver Creek, Snowbird et Vail, les sportifs trouveront une occupation à toute heure du jour ou de la nuit.

Ski The Summit

Ski The Summit, l'un des plus vastes domaines skiables nord-américains, à 120 km à l'ouest de Denver, regroupe quatre stations : Arapahoe Basin, Breckenridge, Copper Mountain et Keystone, reliées quotidiennement de mi-novembre à mi-avril par des navettes gratuites (toutes les heures, de 6 h 30 à 23 h).

Keystone Resort (3 286 m–3 795 m) réunit en fait le village de Keystone et les trois domaines skiables de Keystone Mountain, North Peak et Arapahoe Basin (le forfait remontées est valable partout). Arapahoe Basin

Pages précédentes : la station de Snowmass, dans le Colorado. A gauche, les joies de la poudreuse.

détient le record d'altitude du Colorado. A 3 800 m, le panorama est exceptionnel, et l'on pourrait se croire dans les Alpes lorsque l'on contemple les hautes cimes déchiquetées de ces montagnes.

Les basses températures des sommets et un ensoleillement exceptionnel permettent à la neige de conserver longtemps sa légèreté. Ainsi, à **Arapahoe Basin** (142 ha), la saison dure de mi-novembre à juin. Quel que soit leur niveau technique, les skieurs seront ici comblés, et les plus casse-cou pourront se mesurer dans les goulets abrupts des redoutables pistes de Pallavicini et d'East Wall. Notez cependant qu'il vaut mieux venir skier à Arapahoe Basin en semaine, lorsque l'affluence est moindre.

Les pistes de **Keystone Mountain** (200 ha) offrent aux débutants et aux skieurs moyens de belles descentes, ouvertes pour certaines jusqu'à 22 h. La plupart des lieux-dits de Keystone Mountain ont conservé le nom que leur donnèrent bûcherons et chercheurs d'or, et les mines abandonnées de la vallée contribuent à l'ambiance *Old West* de la station.

La station de **North Peak**, ouverte en 1984, est dotée de quatorze pistes (100 ha). Accessible depuis la Summit House de Keystone Mountain ou depuis River Run Plaza, ce domaine a été créé à l'intention des skieurs confirmés. Plus de la moitié des pistes est en effet réservée aux sportifs de haut niveau. Deux télésièges à trois places conduisent les skieurs à pied

Le ski à l'époque des pionniers.

d'œuvre en moins de 10 mn. Là, ils ont le choix entre les 3 km de la Cat Dancer, les terribles bosses de la Geronimo, ou les «murs» de la Starfire. Enfin, précisons qu'un nouveau domaine skiable de 120 ha, **The Outback**, s'est ouvert en 1990 à Keystone.

Les champions olympiques Phil et Steve Mahre, secondés par leur ancien entraîneur, ont ouvert une école de ski dans la station et organisent des stages de tous niveaux, de l'initiation à l'entraînement à la compétition. Ces sessions de trois ou cinq jours en pension complète comprennent le prix des cours et des remontées. Bien sûr, il est également possible de prendre des leçons particulières ou en groupe, par sessions d'une ou de deux heures et demie.

Les amateurs de ski de fond n'ont pas été oubliés. Ils découvriront l'une des plus belles régions des Rocheuses en empruntant les 46 km de pistes qui traversent l'**Arapahoe National Forest**. Le Keystone Cross-Country/Touring Center propose des cours de *telemark* ainsi que des promenades au clair de lune, avec dîner, qui ajoutent une note romantique aux plaisirs du ski de randonnée.

Même en dehors des pistes, on ne s'ennuie jamais à Keystone. Sa patinoire découverte, ouverte du début décembre à la mi-mars, est la plus grande des États-Unis. Le John Gardiner Tennis Center met à la disposition des amateurs deux courts couverts, auxquels s'ajoutent douze courts de plein air à la belle saison. Le soir, des traîneaux tirés par des chevaux emmènent les touristes dîner au **Soda Creek Homestead** (réservation impérative). Les plus aventureux pourront descendre jusqu'à **Tiger Run** pour louer un scooter des neiges et faire une balade dans la montagne.

Enfin, tous ceux qui ont réservé une location et souhaitent jouir au maximum de leurs vacances peuvent s'adresser au Condominium Grocery Service, qui se charge de toutes les courses et de leur livraison à domicile. Les hivernants trouveront auprès de la Keystone Resort Association toutes les informations touristiques qui leur sont nécessaires. Les conditions d'enneigement sont données chaque jour par téléphone au (303) 468 41 11.

Breckenridge et le souvenir de la tradition

Si les bâtiments de Keystone sont résolument modernes, Breckenridge (2 935 m–3 720 m), fondée en 1859, est restée fidèle à son passé, comme en témoignent ses nombreuses demeures victoriennes (plus de trois cent cinquante édifices classés).

Il y a quelques années, Breckenridge n'était qu'une cité minière à l'abandon. Mais sa situation exceptionnelle, en plein cœur du domaine skiable de Summit County, lui a valu de renaître. D'importants investissements ont permis de restaurer les façades *Old West* de la station, et ses rues regorgent désormais de restaurants, d'hôtels et d'appartements à louer.

Breckenridge possède le plus vaste domaine skiable de Ski The Summit : cent douze pistes, soit 650 ha skiables, desservies par seize remontées mécaniques. Plus de la moitié des pistes aménagées sur les pentes des Peak 8 et Peak 10 sont réservées aux skieurs confirmés, tandis que la plupart des pistes du Peak 9 sont accessibles aux skieurs débutants ou moyens.

Parmi celles-ci, la terrible **Mach I** accueille chaque année deux compétitions de ski acrobatique : la Freestyle World Cup en janvier et l'Annual Breckenridge Mogul Challenge en février. Considérée comme l'un des parcours les plus difficiles de la coupe du Monde, Mach I attend tous les amateurs de sensations fortes.

La saison est couronnée en janvier par l'Ullr Fest. Consacré à Ullr, le dieu saxon de la neige, ce festival dure une semaine et s'achève par une gigantesque parade costumée. Un concours de sculptures sur glace ainsi que de grandes randonnées au clair de lune sont organisés, et la fête se clôt par un somptueux feu d'artifice et un bal célébrant le couronnement du dieu et de la déesse des glaces.

La World Freestyle Cup, qui coïncide avec l'Ullr Fest, réunit de nombreuses équipes internationales de ski artistique et donne lieu à de véritables ballets aériens, retransmis à la télévision. En février se déroulent également à Breckenridge les épreuves du TDK World Snowboard Championships (championnats du monde de surf sur neige). Ajoutons que, chaque année, les vedettes du petit et du grand écran se retrouvent pour participer au Celebrity Ski Race, à la plus grande joie de leurs admirateurs.

Mentionnons en outre les épreuves qui, tel le Camel Sprint Series, permettent aux skieurs amateurs de tester leur rapidité dans des conditions optimales de sécurité. Autre compétition qui rappelle l'*Old West*, le Telemark accueille tous les printemps des skieurs de fond en costume 1880 pour diverses épreuves se déroulant sur un parcours de plus de 10 km. Enfin, la saison de ski ne saurait s'achever sans l'extraordinaire Concours des 8, la Figure-8 Competition, qui se déroule sur les pentes d'Horseshoe Bowl. Cette course traditionnelle rassemble les candidats deux par deux à plus de 3 000 m. Au signal donné, chacun s'élance sur la piste en croisant le plus souvent possible les traces de son partenaire afin de dessiner une longue série de 8.

A Breckenridge, nul besoin de chausser ses skis pour trouver à se distraire. Non loin de là, à **Maggie Pond**, on peut faire du patin à glace, de la luge, louer un scooter des neiges ou profiter des 45 km de pistes de fond balisées et jalonnées de gîtes. Mais les mordus du ski alpin peuvent également se faire déposer en hélicoptère en pleine poudreuse et explorer de nouveaux espaces vierges en sus des 650 ha de domaine skiable offerts par la station.

L'école de ski propose divers programmes de cours collectifs ou individuels (descente, compétition, monoski, ski acrobatique, ski de fond, cours pour handicapés), dont des sessions féminines de trois jours, une école des Minimes et deux garderies, dont celle de Peak 8, qui accueille les nourrissons

à partir de deux mois. Signalons enfin que toute personne qui réserve au moins trois nuitées dans un des hôtels de la station se voit offrir la nuitée et la journée de ski consécutives.

Copper Mountain, la station des champion

Copper Mountain (2 920 m–3 730 m), dernière station de Ski The Summit, est nichée dans l'Arapahoe National Forest, à l'extrémité du Ten Mile Canyon. Cette station à l'architecture résolument moderniste, dotée de toutes les commodités, se trouve à moins de trente minutes en voiture de Vail et des autres sommets de Ski The Summit.

Le domaine skiable de Copper Mountain s'étend sur 485 ha et compte soixante-seize pistes de ski alpin desservies par vingt remontées mécaniques. Copper est célèbre pour son remarquable centre de remise en forme, le Racquet & Athletic Club, où l'on trouve des jacuzzis, hammams, saunas, des courts de squash et de tennis, une piscine de 25 m, ainsi que des salles de gymnastique, de musculation et de massage.

L'école de ski de Copper Mountain propose des cours particuliers ou collectifs de tous niveaux — initiation, compétition, poudreuse, saut de bosses, ski de fond, surf —, des sessions réservées aux femmes ainsi qu'une Early Season Ski Clinic pour se remettre en jambes avant de s'élancer sur les pistes.

Les plus jeunes ne sont pas oubliés. Les enfants de deux mois à deux ans sont accueillis au Belly Button Baby; de trois à six ans, le Belly Button Bakery leur apprend la cuisine et la pâtisserie tout en organisant des jeux d'intérieur ou de plein air. Le Junior Ranch accueille les jeunes skieurs de quatre à six ans, quel que soit leur niveau, et le Senior Ranch les sept-douze ans.

Copper Mountain est très fière d'accueillir chaque année l'équipe américaine de ski. Dès novembre, les athlètes viennent s'entraîner au Salomon/Copper Mountain Recreational Race Camp. La station accueille également, en février, l'U.S. National Alpine Championships. Cette fréquentation assidue des plus grands sportifs est le gage d'un ski de très haut niveau.

Une atmosphère familiale règne à Copper. Assez importante pour organiser des compétitions de niveau international, la station a su cependant préserver l'ambiance intime des veillées.

Vail, station cosmopolite

Située à 160 km à l'ouest de Denver, Vail (2 450 m–3 430 m) est la station la plus luxueuse et la plus importante du Colorado. La visite de ce charmant village de style tyrolien, où l'on ne compte pas moins de cent quinze bars et restaurants et quelque cent vingt boutiques élégantes, peut occuper à elle seule plusieurs journées. Pourtant, il y a trente ans seulement, il n'y avait là que des champs et des pâtures baignées par la Gore Creek.

Le domaine skiable de Vail s'étend sur 1 500 ha et compte vingt-cinq remontées mécaniques.

A Vail et à **Lionshead Village**, les possibilités d'hébergement sont variées. Selon la qualité du service attendu, on peut choisir de descendre dans un hôtel de luxe comme le Marriott ou le Westin, louer un appartement ou un chalet ou, plus modestement, opter pour une pension de famille ou un *bed-and-breakfast*. Des numéros d'appel gratuit (800) permettent de se renseigner directement auprès des divers hôtels ou de la Vail Resort Association qui centralise les informations hôtelières.

Compétitions et fêtes sportives

En février, Vail accueille l'American Ski Classic, une compétition internationale comptant pour la coupe du Monde. L'ancien président américain, Gerald Ford, lui-même skieur émérite, organise la Jerry Ford Celebrity Cup,

Quand le ski se transforme en un exercice aérien.

un événement qui rassemble de nombreuses personnalités du sport, de la politique et des médias. Enfin, les célèbres Legends of Skiing, troisième grande attraction de l'American Ski Classic, mettent en compétition d'anciens champions olympiques de toutes nationalités et de tous âges.

Les diverses épreuves de l'American Ski Classic se déroulent à Vail ou à **Beaver Creek**, station distante de 16 km. Mais les deux communautés se réunissent quand sonne l'heure de la parade, des feux d'artifice et de diverses manifestations données au profit des handicapés. Enfin, chaque année, la célèbre Mountain Madness salue le retour du printemps. Deux semaines durant, résidants et touristes s'affrontent à l'occasion de la Rental Cup ou de la Great Race, une joyeuse compétition mêlant compétitions de ski alpin et de ski de fond à des épreuves de natation et des courses de tricycle qui doivent être effectuées chaussures de ski aux pieds. Pendant cette quinzaine se déroule également une gigantesque chasse au trésor dans la montagne.

La Vail Resort Association propose des prix de séjour préférentiels lors de la Mountain Madness, ainsi que début décembre et pendant le mois de janvier, périodes où la neige est souvent exceptionnelle alors que l'affluence est moindre.

Tout autour de Vail s'étendent d'immenses champs de neige immaculée, dont le domaine hors piste des **Back Bowls**, qui s'étend sur plus de 300 ha. Après chaque chute de neige, les meilleurs skieurs se rassemblent sur la ligne de crêtes, à 3 430 m, pour dévaler les pentes vierges au signal des pisteurs.

A ceux qui se sentent peu d'affinités avec la poudreuse, Vail propose les 25 km^2 du domaine de **Game Creek Bowl**. La plus longue descente de Vail, **Riva Ridge**, s'élance doucement depuis le sommet de la montagne. Puis elle fait place à l'agéable piste de **Tourist Trap** qui déroule ses méandres jusqu'à la station.

Randonneurs admirant le panorama de Crosscut Ranch, dans le Montana.

La Vail/Beaver Creek Ski School a récemment ouvert une école et un circuit de ski de fond au sommet de la montagne. Les skieurs peuvent redescendre ensuite vers la station en télésiège ou en empruntant les pistes bleues qui passent en dessous. Dans le village, un service de traîneaux gratuit dépose skieurs et promeneurs devant leur hôtel ou résidence.

Beaver Creek

Saluée lors de son inauguration en 1980 comme « l'ultime station », Beaver Creek (2 450 m–3 480 m), complexe luxueux mais cependant abordable, est l'une des destinations les mieux desservies du Colorado. Son domaine skiable s'étend sur 350 ha. Ajoutons que le départ de la plupart des remontées mécaniques (dix en tout) est situé à proximité immédiate des principaux hôtels.

Les skieurs apprécient ces commodités qui s'ajoutent à l'ambiance chaleureuse de la station, à l'affluence généralement modérée au départ des remontées mécaniques et aux pistes ouvertes sur des terrains très variés. Ainsi, plusieurs pistes vertes et bleues qui partent du sommet du Rose Bowl (3 847 m) permettent aux débutants de profiter d'une neige abondante et de superbes panoramas sur les vallées environnantes. Le tronçon de Spruce Saddle, qui part de 3 110 m, regroupe des pistes bleues et rouges, tandis que le domaine de **Larkspur Bowl** réunit des pistes de différents niveaux de difficulté, depuis les champs de bosses les plus raides jusqu'à de véritables boulevards qui descendent paresseusement jusqu'à la station.

Les champions ont, quant à eux, rendez-vous sur les pistes de Peregrine, Goshawk et Golden Eagle, les terribles « Birds of Prey », où les attendent quelques-unes des descentes les plus longues et les plus abruptes des Rocheuses.

D'une longueur totale de 4 400 m, la **Centennial** fut ouverte pour accueillir l'épreuve de descente des jeux Olympiques de 1976, lorsque le site de Beaver Creek fut proposé pour les compétitions alpines. Ce choix ne fut pas entériné mais la Centennial reste un parcours exceptionnel, alternant champs de bosses et portions relativement faciles.

Sur les pistes, le grand lieu de rendez-vous est le **Spruce Saddle**, un superbe chalet en bois de cèdre doté d'une terrasse panoramique où se retrouvent tous les fanatiques du bronzage les jours de grand soleil. Son agréable restaurant, le **Rafters**, propose diverses spécialités, dont des pommes cuites au fromage blanc, ainsi qu'un alléchant chariot de desserts.

L'un des événements les plus attendus de Beaver Creek est le Mountain Man Winter Triathlon, qui regroupe trois épreuves : ski de fond, raquettes et patinage.

La Vail/Beaver Creek Ski School mérite une mention particulière : avec ses quatre cent cinquante sept moniteurs, c'est en effet la plus grande école de ski du monde. Elle a longtemps joué un rôle de pionnier dans le développement des techniques et des méthodes d'apprentissage du ski. Ses efforts ont abouti à l'élaboration de l'American Teaching Method désormais enseignée dans toutes les écoles de ski américaines. L'école offre évidemment une gamme complète de cours, tant pratiques que théoriques, pour s'initier à toutes les techniques de ski alpin (slalom, poudreuse, saut de bosses, etc.), de monoski et de surf sur neige.

Au clair de la lune...

Le Cross-Country Center dispense des cours d'initiation et de perfectionnement aux amateurs de ski de fond. L'entraînement commence sur le terrain de golf de Beaver Creek mais, dès que les élèves maîtrisent les techniques de base, il se poursuit sur les nombreuses pistes de la White River National Forest ou sur les 30 km de pistes aménagées dans le McCoy Park. Deux excursions organisées par cette école de ski de fond rencontrent un franc succès. Il s'agit du Gourmet Cross-Country Tour, au cours duquel les randonneurs sont conviés à un véritable festin en plein air, et du Moonlight Tour qui, par les nuits de pleine lune, invite les randonneurs à monter jusqu'à la **Shrine Pass** pour y jouir de «l'obscure clarté qui tombe des étoiles».

Dans les deux stations de Vail et de Beaver Creek, on peut également s'adonner aux joies du patin à glace, du tennis, de la natation, louer des motoneige ou faire des promenades en traîneau.

Aspen, ou le défi international

Aspen, l'une des stations les plus célèbres des États-Unis, regroupe quatre domaines skiables, **Aspen Mountain** (252 ha, huit remontées mécaniques), **Aspen Highlands** (223 ha, onze remontées), **Buttermilk** (163 ha, six remontées) et **Snowmass** (640 ha, seize remontées), tous reliés par un service permanent de navettes. Ces quatre massifs offrent des pistes très variées, des champs de poudreuse du Bell, à Aspen Mountain, aux nombreuses pistes vertes de Buttermilk en passant par les pistes noires de High Alpine, à Snowmass. On peut skier plusieurs semaines à Aspen sans jamais se lasser.

Deux grands événements, le Winterskol et le Subaru Aspen Winternationals, marquent la saison. Le premier, qui dure cinq jours, donne lieu à de nombreuses compétitions de ski acrobatique, de hockey sur glace, de raquettes ainsi qu'à un lâcher de montgolfières. Il s'achève par une grande retraite aux flambeaux, la Winterskol Parade. Cette manifestation a lieu en janvier, à une époque où les prix des remontées, des repas et des pensions, font l'objet d'importantes réductions.

Avec le Winternational, organisé en avril, qui regroupe une épreuve de descente et un slalom géant comptant pour la coupe du Monde, Aspen s'inscrit délibérément dans le circuit de la compétition internationale. C'est l'occasion, par exemple, d'admirer les exploits de Bill Johnson, ancien médaillé d'or olympique. Notons que la municipalité d'Aspen a mis en place un système original de marquage des pistes, le *trailblazer*, qui permet aux skieurs moins chevronnés de suivre l'itinéraire des champions tout en découvrant l'histoire du village et de la coupe du Monde.

Bien qu'Aspen soit l'une des plus anciennes stations du Colorado, elle ne cesse de se développer. On ouvre de nouvelles pistes, comme la Steep and Deep à Snowmass, ou les 48 ha de Hanging Valley et de Cirque, réservés aux meilleurs skieurs. De grands hôtels-restaurants, tel l'**Ullrhof** (520, West Main Street), font régulièrement l'objet de travaux de modernisation.

Cette ancienne ville minière connut son premier boom dans les années 1880 avec la découverte de riches filons d'argent (la ville détient d'ailleurs le record de la plus grosse pépite jamais trouvée : plus d'une tonne d'argent!). Puis la vogue du ski, dans les années 1940, lui donna un second souffle. Des hôtels s'ouvrirent et les propriétaires de pensions n'hésitèrent pas à investir des millions en travaux de rénovation. Ainsi le **Hotel Jerome** (330, East Main Street), fondé en 1889, et qui s'enorgueillit en son temps d'être le premier établissement de l'Ouest doté d'un ascenseur, a subi pour plus de douze millions de dollars de travaux. Sa boîte de nuit, son élégant restaurant et ses cent cinq chambres reflètent aujourd'hui la volonté de la ville de se doter d'installations modernes tout en préservant le cachet traditionnel de ses demeures victoriennes.

Il faut compter quatre heures de route pour venir de Denver à Aspen par l'Interstate 70. Si on ne craint pas les retards, fréquemment occasionnés par de mauvaises conditions météorologiques, on peut également emprunter l'un des appareils des compagnies United Express ou Continental Express, qui relient quotidiennement Denver à Aspen (un vol toutes les demi-heures, de 7 h à 22 h). Les agences de voyages et les tours opérateurs vous donneront tous renseignements sur les diverses liaisons entre Aspen et les principales métropoles américaines.

Steamboat

Située à 250 km au nord-ouest de Denver, Steamboat (2 100 m–3 200 m) allie l'ambiance chaleureuse des villes de l'Ouest traditionnel au confort des stations de ski modernes. Le domaine skiable, d'une superficie totale de 1 000 ha, regroupe plus de cent pistes desservies par vingt et une remontées mécaniques. Les premières pistes furent ouvertes en 1962 au flanc de Storm Mountain. Deux ans plus tard, le site prit le nom de **Mount Werner** en hommage à Buddy Werner, enfant du pays et champion olympique de descente, qui périt emporté par une avalanche alors qu'il réalisait un film en haute montagne.

La station s'est ensuite rapidement développée pour répondre à la vogue sans cesse croissante des sports de glisse. Les pistes bleues de Sunshine Bowl doublent désormais les pistes noires de Priest Creek, qui plongent depuis le sommet de Sunshine Peak jusqu'au fond de la vallée.

Abstraction féerique : photo en pose de skieurs dévalant les pentes au flambeau.

Aux soixante restaurants et bars de la station s'ajoutent six auberges d'altitude. Sur les pistes, on peut déjeuner au **Ragnar's**, à Rendezvous Saddle (Priest Creek), ainsi baptisé en l'honneur de Ragnar Omvedt, un célèbre sauteur à skis norvégien qui établit le premier record du monde en 1915 sur les pentes de Howelson Hill, à Steamboat. Cette discipline a en effet joué un très grand rôle dans le développement de la station. On peut également se restaurer chez **Hazie**, à Thunderhead, à l'arrivée des télécabines de Silver Bullet.

L'école de ski locale propose divers programmes de cours pour débutants ou skieurs confirmés. Billy Kidd, ancien champion olympique désormais installé ici, dirige également des stages d'entraînement à la compétition. Cette école propose aux skieurs débutants des sessions de formation de quatre à six jours.

A Steam Village, l'ancien esprit de l'Ouest ressuscite à l'occasion du Cowboy Downhill. Cette compétition

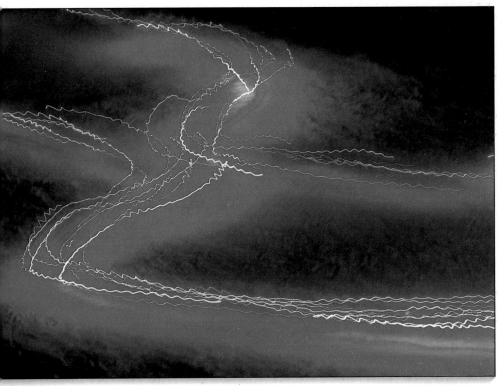

vit le jour dans les années 1970 lorsque les champions de rodéo Billy Kidd et Larry Mahan invitèrent des cow-boys qui participaient au National Western Stock Show de Denver à faire quelques descentes. Ce passage du rodéo au ski obtint un tel succès que, depuis cette date, le Cowboy Downhill compte au nombre des grandes manifestations hivernales du Colorado.

Le Steamboat Springs Winter Carnival, célébré en février, réunit pendant une semaine éleveurs, cow-boys et touristes pour un grand défilé costumé et diverses compétitions de ski (vitesse, saut), course de luges, lâcher de montgolfières. Le carnaval commémore l'arrivée dans la région, en 1913, de Carl Howelsen, le « Norvégien volant » qui initia la jeunesse locale au périlleux exercice du saut à skis. Il réussit à convaincre ces fermiers et ces éleveurs que la neige, loin d'être un tracas supplémentaire, pouvait être la source de nombreux amusements. Depuis, nul ne l'a jamais démenti.

Le Steamboat Springs Stampede clôt la saison dans la bonne humeur avec la Cardboard Classic, une course de « véhicules » en carton.

Jackson Hole

Les fans de Jackson Hole (Wyoming) se font intarissables lorsqu'il s'agit de vanter les mérites de leur station préférée. Son domaine skiable (plus de 1 000 ha, quatre-vingt et une pistes) reçoit en moyenne 11 m de belle poudreuse. Les deux montagnes de Jackson Hole, **Rendezvous** (3 185 m) et **Apres Vous** (2 575 m), sont desservies par neuf remontées mécaniques et par un téléphérique qui conduit les skieurs de **Teton Village** au sommet de Rendezvous Mountain, où débutent les champs de poudreuse.

Jackson Hole est renommé pour son école de ski, dirigée par Pepi Stiegler, ancien champion olympique et entraîneur de l'équipe de ski autrichienne. On peut y prendre des cours à l'heure ou à la journée, avec évaluation vidéo,

A gauche, retour au chalet après une randonnée en raquettes ; à droite, saint-bernard dans son rôle traditionnel de sauveteur.

et participer à diverses épreuves de vitesse. La Jackson Hole Kinderschule (garderie d'enfants) accueille les enfants de trois mois à quatorze ans.

Le ski de fond est l'une des spécialités de la région. Ainsi, à Teton Village, on ne trouve pas moins de trois écoles, le **Jackson Hole Karhu Cross-Country Ski Center**, le **Togwotee Mountain Lodge Center** et le **Spring Creek Ranch Ski Touring Center**. Il faut dire que les environs, ainsi que le parc national de Grand Teton, tout proche, sont sillonnés de nombreuses pistes balisées. Une brochure d'information, disponible à la Chambre de commerce locale, fournira tous les renseignements indispensables à qui souhaite séjourner à Jackson Hole.

Les stations du Montana

Le Montana est célèbre pour ses grands espaces qui lui ont valu le surnom de Big Sky Country («contrée aux vastes cieux»). La plupart des quatorze stations de sports d'hiver que compte cet État sont ouvertes de mi-novembre à avril. Les plus importantes sont Big Sky, Big Mountain et Red Lodge, mais les skieurs jaloux de leur tranquillité trouveront également à se loger chez l'habitant dans de charmants petits villages de l'ouest du Montana.

Deux télécabines et six télésièges desservent les 88 km de pistes de descente de **Big Sky**. Avec un enneigement moyen de plus de 1 m, cette station attire tous les fervents de sports d'hiver du Montana.

Les quarante-quatre pistes de **Big Mountain** s'étendent sur 53 km et 654 m de dénivelé. Enfin **Red Lodge** dispose de trente pistes d'une longueur totale de 40 km sur une dénivellation de 615 m.

On trouve dans le Montana maintes possibilités d'hébergement, des chambres les plus modestes jusqu'aux appartements luxueux, mais il est toujours prudent de réserver. De nombreuses auberges rustiques, chalets et ranches proposent des séjours en pension complète, assortis de promenades en traîneau et de randonnées à skis ou en scooter des neiges, qui procurent un agréable dérivatif à la pratique du ski alpin.

Deer Valley et les grandes stations de l'Utah

Située à 56 km au sud-ouest de Salt Lake City, la station de Deer Valley (2 195 m) se proclame, à juste titre, « loin de la pollution, loin des foules et pourtant dotée de toutes les qualités ». Hormis les tronçons du Mayflower Bowl, les quarante-cinq pistes aménagées au flanc de Bald Mountain (2 900 m) et de Bald Eagle Mountain (2 560 m) sont relativement faciles. Toutefois, non loin de là s'étendent les champs de neige de Park City et de Park West, qui combleront les amateurs de bosses et de poudreuse.

Ce village des monts Wasatch est réputé pour sa gastronomie. Deux restaurants, le **Snuggery**, sis dans le complexe d'altitude de **Silver Lake Lodge**, et le **Hugger**, de **Snow Park Lodge**, dans la station, réjouissent tous les gourmets et ne possèdent guère d'équivalent dans toutes les Rocheuses.

Deer Valley se signale également par son sens de l'accueil et son service particulièrement attentif : café servi à volonté, *ski valets* — de jeunes garçons en uniforme qui aident à décharger les bagages ou à conduire au pied des pistes —, ou le Ski Corral, où chacun peut déposer gratuitement ses skis à l'heure de la pause.

Au village, les hôtels de luxe comme le **Stein Eriksen** ne manquent pas. Cet établissement porte le nom de son propriétaire, ancien médaillé olympique et directeur de l'école de ski locale. Il n'hésite pas à escorter ses hôtes sur les pistes, avec l'ineffable sourire et le style aérien qui le caractérisent.

Le Ski Utah met à la disposition des touristes un service d'informations et de réservations dans quinze stations de l'État, dont **Snowbird**, **Alta** ou **Park City**, mais aussi dans des stations plus modestes, cependant tout aussi attrayantes, telles **Sundance**, **Crystal Mountain** ou **Brighton**.

La plupart de ces centres de villégiature présentent l'avantage d'être situés à proximité de l'aéroport international de Salt Lake City. Il est désormais possible pour de nombreux Américains de quitter leur bureau à midi et de gagner l'une de ces stations à temps pour pouvoir dévaler une ou deux pistes avant la fin de la journée. En outre, Salt Lake City offre aux hivernants des possibilités supplémentaires d'hébergement et de distractions.

Les bons skieurs qui souhaitent sortir du cadre étroit des stations peuvent participer à l'Interconnect Adventure Tour, une excursion à prix modique qui leur fera découvrir les principales pistes de Park City, Snowbird, Alta, Brighton et Solitude, sous la conduite d'un guide agréé par l'United States Forest Service. Cette promenade de huit heures nécessite une bonne condition physique, puisqu'elle suppose de longues traversées hors piste entre chaque station; mais il existe également des circuits plus courts, de trois

ou quatre étapes. Toutes ces randonnées, limitées à quatorze participants, dépendent évidemment du temps et des conditions d'enneigement, aussi vaut-il mieux se renseigner préalablement auprès de Ski Utah.

Les vertigineuses pistes de Snowbird

Juchées au sommet du Little Cottonwood Canyon, les stations de Snowbird et d'Alta ne sont qu'à 49 km au sud-ouest de l'aéroport international de Salt Lake City.

Snowbird (2 400 m) est connue pour la légèreté de sa poudreuse et ses pentes à couper le souffle. La station, qui connaît un enneigement moyen de 1,25 m, est ouverte de la mi-novembre à la mi-mai. Ses cinquante pistes (850 ha) sont desservies par sept télésièges et par un téléphérique de 125 places, qui amène les meilleurs skieurs à 3 352 m d'altitude, au sommet de Hidden Peak, et leur permet de dévaler d'une traite les 5 km de la vertigineuse **Gad Valley** et de la **Lower Bassackwards**.

Les champs de neige de l'Utah affichent souvent des dénivelés de près de 1 000 m, et la moitié des pistes de Snowbird sont réservées aux skieurs confirmés. Pourtant, la station n'est nullement spécialisée dans le ski de haut niveau, puisqu'un tiers de ses pistes présentent une difficulté moyenne et qu'environ 20 % sont réservées aux débutants. Les bons skieurs peuvent également se faire déposer en hélicoptère dans les étendues de poudreuse des alentours pour tester leur godille, s'exercer au monoski ou au surf sur neige.

Snowbird est l'une des rares stations américaines qui s'efforcent de promouvoir le ski d'été. Alors que le commun des sportifs commence à ranger ses skis pour ressortir clubs de golf ou raquette de tennis, les fous de poudreuse affluent dans la station pour les semaines du Summer Ski Race Camps, qui se déroulent de mi-mai à mi-juin. Les descentes se font sous la direction de moniteurs de l'École nationale de ski et des champions

Joyeux cow-boy au sommet des pistes.

olympiques Susie et Ken Corrock. Le prix de ces stages, très avantageux, comprend le transport depuis Salt Lake City, la pension complète et le prix des remontées mécaniques.

La saison, qui commence véritablement avec les fêtes de fin d'année, est ponctuée de nombreuses compétitions de ski alpin ou de fond, d'une fête du vin et d'un concours de sculptures sur glace. On trouve à Snowbird quinze restaurants et bars, ainsi que de nombreuses possibilités d'hébergement et de loisirs qui contribuent au charme de cette station récente. Des navettes relient régulièrement Snowbird à Alta et à Park City.

Sun Valley, station des stars

Cow-boy à skis prenant au lasso une charmante monitrice.

Sun Valley (2 790 m), dans l'Idaho, a le privilège d'être la plus ancienne station de sports d'hiver des États-Unis : sa première remontée mécanique fut mise en service en 1935. Depuis lors, Sun Valley est restée la station favorite des vedettes de Hollywood.

Ouvert de fin novembre à mi-avril, le domaine skiable de Sun Valley compte soixante-quatre pistes, desservies par seize remontées mécaniques, et s'étend sur trois sites — **Baldy**, **Warm Springs** et **Dollar Mountain** —, aux pistes de difficultés très variées. On peut également y pratiquer le ski de fond ou le ski de randonnée.

Historiquement, le village s'est développé autour de la **Sun Valley Lodge and Inn**, construite par Averell Harriman, célèbre homme d'affaires, politicien et diplomate américain. Située à 8 km des pistes, cette auberge de charme constitue un lieu de séjour très agréable. On peut également loger au pied des pistes à **Warm Springs** et à **River Run**.

L'Idaho compte de nombreuses autres stations. Parmi les plus réputées figurent **Switzer**, qui surplombe **Lake Pend Oreille** — le plus grand lac de l'État —, et **Bogus Basin**, dont les pistes, ouvertes de 10 h à 20 h, attirent tous les amateurs de ski de la région après leur journée de travail.

LES ROCHEUSES EN FÊTE

De très nombreuses manifestations culturelles, artistiques et sportives se déroulent chaque année dans les Rocheuses. Aussi, si vous souhaitez découvrir cette merveilleuse région et aller à la rencontre de ses habitants, tâchez de faire coïncider votre séjour avec quelques-uns de ces événements. Vous verrez que l'essentiel de l'activité festivalière des États-Unis est concentré, en été, dans les Rocheuses. La liste des manifestations vous sera communiquée par l'Office du tourisme des États-Unis ou, sur place, par les Chambres de commerce, bureaux du tourisme et syndicats d'initiative.

De Denver à Telluride

Ainsi Denver, capitale du Colorado, est le cadre d'une suite ininterrompue de festivals et manifestations diverses. Tout au long de l'année, la compagnie théâtrale du Denver Center for the Performing Arts met en scène tous les derniers succès de Broadway. Au Boettcher Concert Hall, l'une des meilleures salles de concert au monde, le grand orchestre symphonique de Denver accueille régulièrement les plus grands instrumentistes et chefs d'orchestre mondiaux. Mais l'année est également jalonnée de manifestations à caractère folklorique comme le **Breakaway**, festival de danse dont le concours de breakdance rassemble, chaque été, la jeunesse locale, ou le **Festival Caravan** qui a pour but de promouvoir une meilleure compréhension entre les différentes cultures.

Par ailleurs, les nombreux musées et galeries d'art de Denver organisent régulièrement des expositions temporaires et il suffit de passer quelques jours dans cette ville pour avoir un panorama exhaustif des grands courants artistiques américains.

Pages précédentes : les cow-boys « nouveau style » sont de fervents adeptes des épreuves de ski alpin. A gauche, voyagez dans le temps grâce au Renaissance Festival de Larkspur, dans le Colorado ; ci-dessus, masques et costumes constituent l'un des principaux attraits de ce festival.

Si l'on met ensuite cap au sud sur Durango — en empruntant l'une des routes les plus spectaculaires du pays —, on traverse les San Juan Mountains pour atteindre les stations à la mode d'Aspen et de Vail. Chaque été, l'**Aspen Music Festival**, qui donne lieu à des concerts de jazz et de musique de chambre, accueille de nombreux musiciens de renommée internationale.

Mais Vail n'est pas en reste. Les montgolfières qui s'y retrouvent pour disputer l'**Avon Hot Air Balloon Race** offrent un spectacle de toute beauté. D'autres courses de ballons dirigeables se déroulent

chaque été dans différentes régions des Rocheuses et, à Del Norte, dans le sud du Colorado, un terrain spécial accueille tous les fans de l'aérostation.

La Highway 145 se fraye ensuite un chemin à travers les San Miguel Mountains pour atteindre Telluride (2 665 m d'altitude), au cœur du massif des San Juan. Redécouverte par une nouvelle génération éprise de grands espaces et de neiges éternelles, Telluride attire des visiteurs toute l'année. Aussi s'y déroule-t-il diverses manifestations d'importance, dont un festival de danse, une fête du vin, un festival de musique de chambre et une compétition de ski à l'occasion de la Fête nationale, le

Lunar Cup 4th of July Ski Race. Chaque été, le **Telluride Film Festival** réunit vedettes, réalisateurs et adeptes de sports de plein air, tandis que les amateurs de musique folk se retrouvent au **Telluride Blue Grass Festival**.

Ce festival qui débuta modestement en 1973 à l'initiative des Fall Creek, un petit groupe local de *blue grass*, est aujourd'hui salué comme un événement musical de première importance et réunit pour un long week-end tous les amoureux de country music. Les concerts ont lieu dans un champ, au pied des San Juan Mountains couronnées de neiges éternelles. De nom-

Water Revival, qui se déroulent en août sur le Lake Granby. Ce lac de retenue figure au nombre des plus grands lacs du Colorado avec Shadow Mountain Lake et Grand Lake — le plus grand lac naturel de l'État. L'été, les plaisanciers viennent de très loin naviguer sur ces vastes plans d'eau et assister ou participer aux régates, dont la fameuse **Lipton Cup Race**, organisée en août sur le Grand Lake.

La fête de la petite reine

Principal événement cycliste annuel, la **Coors Classic** traverse des villes du désert

breux stands d'artisanat et buvettes contribuent à la fête et le public n'hésite pas à chanter et à danser au son des orchestres. La plupart des spectateurs plantent leur tente aux abords de la station et de petits groupes donnent des concerts impromptus à chaque coin de rue. C'est dans cette ambiance particulièrement bon enfant que Leon Russell, Willie Nelson, John Hartford, Roseanne Cash, The Band, New Grass Revival ou Hot Rize ont tous, un jour ou l'autre, honoré le festival de leur présence.

Parmi les plus beaux spectacles auxquels on puisse assister dans les Rocheuses figurent les régates du **Winter Park Cool**

telles Cheyenne et Grand Junction, mais aussi des villes de montagne comme Vail et Aspen (soit 1 500 m de dénivellation) et exige des coureurs une endurance hors du commun.

Ce grand classique fut lancé en 1975 par Mo Siegel, P.-D. G. de la Celestial Seasonings Herb Tea Company, afin de lutter contre le choc pétrolier en montrant « aux Américains qu'il était temps de quitter leur voiture pour enfourcher un vélo ». Il s'agissait alors d'une course de deux jours se déroulant dans les environs de Boulder et baptisée Red Zinger Bicycle Classic, en référence aux tisanes commercialisées par son fondateur.

Cette manifestation, qui remporta un succès immédiat, fut placée en 1980 sous l'égide de la Adolph Coors Company de Golden, d'où son nom actuel. Vous pourrez assister à cette course si vous vous trouvez dans les Rocheuses fin juillet ou début août, à Vail, Boulder, Aspen, Estes Park, Denver ou dans le Colorado National Monument, où se déroule également le *Tour of the Moon*.

Cette course de 1 200 km est devenue la principale épreuve cycliste masculine des États-Unis et la principale épreuve féminine mondiale. Des billets à prix forfaitaire permettent aux amateurs de suivre les

sur six week-ends consécutifs en juin et juillet. Ses nombreux stands de dégustation et ses quelque deux cents artisans que l'on peut voir à l'œuvre ressuscitent l'ambiance des marchés européens du XVIᵉ siècle.

Mais ce Renaissance Festival est prétexte à maintes autres réjouissances. Ainsi, au Crown Theatre de Notting Hill se produisent régulièrement des baladins. A Tumble Downs, le Celestial Seasonings Pavilion accueille des prestidigitateurs, des concerts de musique ancienne et des bouffons, tandis qu'un peu partout se produisent de grands acteurs shakespeariens.

onze étapes de la course (pour tous renseignements, vous pouvez écrire à Coors Bicycle Classic, 1540 Lehigh, Boulder, Colorado 80303).

Baladins et bouffons

Le **Colorado Renaissance Festival** propose, quant à lui, un voyage dans le temps. Cette manifestation, qui se tient à Larkspur, à la sortie de l'Interstate 25 reliant Colorado Springs à Denver, s'étend

A gauche, le Blue Grass Festival de Telluride (Colorado) ; ci-dessus, le peloton du Coors Bicycle Classic négociant un virage.

Art lyrique et musique de chambre

L'**Opera Festival** de Central City (56 km à l'ouest de Denver) est l'un des plus anciens festivals d'art lyrique des Rocheuses. Il se déroule dans le splendide Opera House construit en 1878, alors que la ville n'était encore qu'un camp de mineurs. Mais les amateurs se retrouvent aussi au Colorado College de Colorado Springs pour assister en juillet au **Colorado Opera Festival**. De même, le Chautauque Auditorium de Boulder, construit en 1896, accueille chaque été le **Colorado Music Festival**. Pendant cinq semaines se succèdent concerts de musique de chambre, conférences, expositions et films.

Rodéo et musique folklorique

Dans le Wyoming, les spectacles sont plus généralement axés sur l'univers du western. Chaque été sont organisés de très nombreux rodéos, dont la liste est disponible auprès des Chambres de commerce. Le plus célèbre de tous est certainement le **Cheyenne Frontier Days**, inauguré en 1897. Quinze mille spectateurs s'y rassemblèrent pendant deux jours pour assister à

de nombreuses courses et séances de dressage de chevaux, ainsi qu'à la reconstitution d'une bataille opposant les Sioux à la cavalerie américaine.

Aujourd'hui ce festival dure dix jours et propose les meilleurs rodéos du monde, un grand défilé ainsi que des spectacles de *square dance* et de danses rituelles indiennes. Plus de mille trois cents cowboys professionnels s'y disputent chaque année un prix de 500 000 dollars.

Le Montana organise également chaque été de nombreux rodéos qui soulèvent l'enthousiasme des foules. C'est le cas du **College National Finals Rodeo** de Bozeman ou du **Wild Horse Stampede** de

Wolf Point. Les amateurs de musique traditionnelle, et plus particulièrement de violon, pourront assister au **State Fiddling Championship**, qui se déroule en juillet à Polson, sur la berge du Flathead Lake, et rassemble plus de cinq cents violonistes de la Montana Old Time Fiddlers Organization.

Fêtes indiennes

Le **Crow Fair**, qui se tient dans le Montana, et le **Shoshone Bannock Festival** de Fort Hall, dans l'Idaho, figurent parmi les principaux *pow-wows* indiens aux États-Unis. Le festival de Fort Hall donne notamment lieu à l'élection de Miss Sho-Ban, à la présentation de la « Petite Princesse », ainsi qu'à de multiples courses, rodéos indiens, jeux d'adresse et spectacles de danse folklorique. Vêtus de leurs somptueuses parures traditionnelles, les Indiens offrent un spectacle haut en couleur et l'on ne sait ce qu'il faut le plus admirer, des vêtements de cuir, des parures de perles, des coiffes de plumes, des maquillages ou des chevaux somptueusement caparaçonnés. Les tambours qui, toute la nuit, accompagnent les danses, donnent à ces cérémonies une solennité particulière.

Aujourd'hui siège de la réserve des Shoshones et des Bannocks, Fort Hall fut construit en 1784 par un Bostonien pour servir de comptoir d'échanges aux Indiens et aux trappeurs. Toute l'année, on trouve dans ses nombreuses boutiques un artisanat d'excellente qualité, mais lors du Shoshone Bannock Festival, les stands se multiplient et c'est l'occasion d'admirer de nombreux objets d'art indien, maroquinerie, pelleterie, poupées kachinas (représentant des divinités), bijoux ou parures de perles.

Pêcher ou surfer sur les grands lacs du Colorado, assister au tournoi de golf de Vail, au Jerry Ford Invitational Tournament, à l'Aspen Summer Dance Festival, participer à l'Estes Alpine Classic et à l'ascension du Pike's Peak : décidément, dans les Rocheuses, le visiteur n'a que l'embarras du choix !

A gauche, Cheyenne et sa petite fille faisant revivre les coutumes ancestrales ; à droite, éblouissante parure de plumes d'un danseur cheyenne.

LA CRÉATION DES PARCS NATIONAUX

Les Rocheuses abritent de splendides parcs nationaux évocateurs d'un passé idyllique. Dans ce cadre grandiose, le visiteur peut imaginer les Indiens vivant en parfaite harmonie avec la nature, les grands troupeaux de bisons, les cerfs et les élans paissant librement au pied des monts, scènes enchanteresses auxquelles la signature, en 1803, du traité d'acquisition de la Louisiane devait mettre un terme.

Le secret des pionniers

C'est un certain John Colter, trappeur de son état, qui fut, dit-on, le premier homme blanc à pénétrer sur le territoire actuel du Yellowstone National Park. Après avoir guidé l'expédition de Lewis et de Clark jusqu'aux rivages du Pacifique, Colter refusa en effet de rentrer à Saint Louis.

En compagnie de deux autres coureurs des bois, Forest Hancock et Joseph Dixon, il décida d'explorer la région. Puis, au printemps de 1807, il rencontra Manuel Lisa, un négociant qui remontait le cours du Missouri en vue d'établir un comptoir à Yellowstone, à l'embouchure de la Big Horn. Convaincu de s'associer à cette entreprise, le trappeur fut chargé d'établir des contacts commerciaux avec les tribus indigènes et, dès l'hiver suivant, il repartit vers l'inconnu.

Après avoir traversé une région de sources thermales et franchi le Pryor's Gap (non loin de l'actuel Cody, dans le Wyoming), Colter s'engagea vraisemblablement dans la cuvette de Jackson Hole avant de franchir la Teton Pass et de traverser la Teton Valley. Remontant ensuite le cours de la Snake River, il pénétra sur l'actuel territoire du parc. Puis, après avoir traversé le plateau et franchi le Continental Divide, il découvrit l'immense lac de Yellowstone à l'est. Plus au nord, en suivant le cours de la

Pages précédentes : méandres de la Snake River au pied du massif des Tetons ; canyons et mesas de Bryce Canyon. Ci-dessous, les visiteurs du Yellowstone National Park peuvent observer des bisons, à condition de rester prudents.

Yellowstone River, il atteignit enfin le Grand Canyon de Yellowstone et ses deux gigantesques cascades.

Une terre mythique

Colter vécut là trois ans, partageant le secret de ces merveilles avec les seuls Indiens. Mais quand, de retour à Saint Louis, il voulut faire part de sa découverte à ses semblables, nul ne voulut croire en l'existence d'un *wild west* peuplé de phénomènes étranges. On le traita de menteur et l'on railla ses descriptions de sources chaudes, de boues bouillonnantes et de centaines de geysers jaillissant à intervalles réguliers. C'est ainsi que naquit comme une galéjade *Colter's Hell* («l'enfer de Colter»), terme qui longtemps désigna la région du Yellowstone. Seul, semble-t-il, le capitaine Clark accorda un crédit suffisant à ses récits pour faire figurer l'itinéraire du trappeur sur ses cartes.

Mais bientôt Colter fit des émules. Jim Bridger, le plus célèbre d'entre eux, suivit ses traces et s'enfonça à son tour dans la région de Yellowstone où il vécut pendant trois ans du produit de sa chasse. Pourtant, à son retour, son récit fut jugé tout aussi incroyable et les journaux de Saint Louis refusèrent de rendre compte d'«histoires aussi grotesques».

Connu jusque-là comme un homme digne de foi, Bridger se piqua au jeu et décida que, quitte à passer pour un menteur, autant enjoliver ses descriptions. Ce pince-sans-rire prétendit que «là-bas, après avoir pêché un poisson dans un torrent gelé, on le plonge dans une source chaude, et on obtient une belle friture sans même avoir à décrocher l'hameçon». Il prétendit que toute la région avait été maudite par un sorcier indien et que, sous l'emprise du sortilège, les forêts les plus luxuriantes s'étaient changées en pierres, faisant ainsi allusion aux arbres pétrifiés que les touristes viennent aujourd'hui admirer le long de Specimen Ridge.

Oubli et redécouverte

Le Yellowstone retomba bientôt dans l'oubli. En 1849, lors de la ruée vers l'or, quelques rares mineurs s'y aventurèrent mais, bredouilles, quittèrent rapidement la région pour la Californie. Le déclin du commerce des peaux, la crainte des attaques indiennes et un désintérêt général pour l'exploration firent qu'on évita longtemps ces parages. Enfin, lorsqu'éclata la guerre de Sécession, les expéditions officielles et les campagnes d'exploration géologique furent suspendues et, progressivement, la région redevint sauvage.

Il fallut attendre 1869 pour assister au lancement d'une seconde grande expédition. Cook, Folsom et Peterson sillonnèrent la région, observant en détail les geysers et autres phénomènes volcaniques. Hélas, tout comme leurs prédécesseurs, ils ne suscitèrent qu'incrédulité.

La vérité finit pourtant par faire son chemin. En 1870, une première mission officielle, l'expédition Washburn-Langford-Doane, se vit accorder une

Jeune ranger du parc de Yellowstone.

escorte militaire de cinq hommes; et en moins d'un mois, la troupe redécouvrit les lieux visités soixante ans plus tôt par Colter et Bridger, et constata la véracité de leurs récits.

L'expédition n'alla pas cependant sans péripéties: l'un de ses membres, un certain Truman Everts, se perdit au milieu de ces immensités sauvages. Les explorateurs partirent à sa recherche et découvrirent par hasard la région de l'Upper Geyser Basin et le plus célèbre geyser du monde, l'Old Faithful (le «vieux fidèle»), dont la ponctualité n'est jamais prise en défaut. Mais nulle trace de leur camarade...

La mort dans l'âme, la troupe décida de rentrer. A son arrivée, elle eut la surprise d'apprendre qu'Everts, après avoir erré «au milieu des périls» pendant trente-sept jours, avait fini par retrouver son chemin et était rentré sain et sauf en compagnie d'autres explorateurs. En souvenir de ses épreuves, on donna son nom à une montagne — le Mount Everts.

Nathaniel P. Langford, chef de l'expédition, passa également à la postérité en devenant, quelques années plus tard, le premier surintendant du Yellowstone National Park.

Le premier parc national américain

En 1871, une nouvelle expédition militaire et scientifique, conduite par le docteur Ferdinand V. Hayden, compléta les informations recueillies par ses prédécesseurs, et le photographe William H. Jackson rapporta les premiers clichés de ces merveilles de la nature.

La région avait gagné ses lettres de noblesse. A une majorité écrasante, le Congrès vota la création d'une zone protégée et, le 1er mars 1872, le président Grant ratifia officiellement l'acte de naissance du premier parc national au monde. «Par décision du Sénat et de la Chambre des représentants des États-Unis d'Amérique réunis en Congrès, les territoires s'étendant du

Éternel combat des wapitis mâles pour la conquête du territoire.

Montana au Wyoming, près des sources de la Yellowstone River, seront désormais protégés et interdits à toute occupation, installation ou vente, au terme des lois actuellement en vigueur (...) et consacrés à la création d'un parc national offert au loisir et à la récréation de la population. »

Les quatorze premières années, le parc fut dirigé par cinq surintendants successifs. Mais ceux-ci ne pouvant faire face à l'ampleur de la tâche, la direction du parc échut à l'armée. De 1886 à 1918, le Yellowstone fut placé sous le contrôle de la cavalerie. Au terme de ces trente-deux années de gestion rigoureuse, qui permirent de mettre fin à tous les abus précédemment enregistrés, l'administration du parc fut de nouveau confiée aux autorités civiles.

Le service des Parcs Nationaux

Selon une loi votée par le Congrès en 1916, le service des Parcs Nationaux a pour but « de veiller à l'entretien des parcs, monuments ou autres réserves (...) afin d'en préserver les paysages, curiosités naturelles et historiques ainsi que la faune et la flore, et de transmettre ce patrimoine intact aux générations futures ».

Aux États-Unis, on compte actuellement trois cent quarante parcs nationaux visités chaque année par plus de trois cents millions de touristes. Les divers sites répondent à divers critères esthétiques, géologiques, historiques, culturels ou archéologiques, mais ils s'efforcent tous de promouvoir une véritable politique écologique. Aménagées de façon didactique et placées sous la surveillance rigoureuse des rangers, ces zones tentent de préserver un difficile équilibre entre les exigences d'un tourisme de masse et la précarité des écosystèmes.

Aujourd'hui, la mission du service des Parcs Nationaux a largement débordé le cadre national, puisque celui-ci collabore à la création et à l'entretien de parcs dans quelque quatre-vingt-dix pays étrangers.

Les élans fréquentent plus volontiers les points d'eau à l'aube ou au crépuscule.

YELLOWSTONE NATIONAL PARK

Près de trois millions de visiteurs viennent chaque année admirer les paysages incomparables du Yellowstone National Park, le plus ancien, le plus fréquenté et le plus vaste des parcs naturels américains. Avec ses 8 000 km² — une superficie comparable à celle de la Corse — le Yellowstone offre en effet une véritable débauche de spectacles naturels.

Le grand livre de la nature

Le Yellowstone est un paradis pour les géologues. Les monts vertigineux surgis de l'océan à la fin de l'ère primaire, les terres bouleversées par les éruptions volcaniques de l'ère tertiaire, les rocs et les canyons polis par les glaces ou érodés par les eaux au quaternaire constituent autant de merveilles qui enchantent, mais aussi déroutent les visiteurs par leur profusion même. Une visite du Yellowstone National Park demande au moins trois jours et un minimum de préparation, si l'on veut profiter pleinement de son séjour.

Situé à la frontière du Montana, de l'Idaho et du Wyoming, le parc dispose de cinq entrées, où les visiteurs se voient remettre un plan et une brève présentation des principales curiosités du parc. Ne manquez pas de vous enquérir dans l'un des Visitor's Centers des attractions et expositions du moment. En effet, il se passe toujours quelque chose au Yellowstone. Le National Park Service propose chaque jour de nombreuses visites guidées. Des expositions et des spectacles audiovisuels sont présentés dans les Visitor's Centers; et le soir, il est toujours possible d'assister à des films ou à des causeries dans l'un des amphithéâtres du parc.

Où que vous alliez, vous serez d'abord frappé par les séquelles de l'incendie qui ravagea le parc au cours de l'été 1988. La violence du sinistre fut telle que, malgré tous leurs efforts, les pompiers se révélèrent incapables

de le circonscrire et plus d'un tiers du parc demeura la proie des flammes jusqu'aux premières chutes de pluie et de neige. Aujourd'hui certaines parties du parc offrent le spectacle désolant de troncs d'arbres calcinés... Doit-on parler de désastre écologique ? Pas si sûr. L'administration du parc qui, par le passé, avait tout mis en œuvre pour prévenir les incendies, considérait que la forêt ne se renouvelait plus et que l'équilibre écologique en était menacé. Depuis quelque temps déjà, elle avait donc décidé de laisser se développer les feux spontanés. Mais il est évident qu'une telle catastrophe n'était pas prévue... Toutefois, il semble bien que le sinistre ait régénéré la végétation : sur les terres noircies, les arbrisseaux et la prairie poussent plus dru que jamais.

Les plus impressionnants geysers du monde

Le terme Yellowstone fut mentionné pour la première fois par Lewis et Clark en 1805. En se fondant sur les indications des Mandans, les deux explorateurs portèrent sur leur carte le nom de *Yellow-Stone* («pierre jaune») pour nommer le principal affluent du Missouri — traduction du vocable indien désignant les escarpements de grès ocre qui caractérisent l'aval de la Yellowstone River. Ce nom s'est étendu depuis à l'ensemble du parc et recouvre de nombreuses merveilles.

On ne saurait visiter le parc sans voir le **Grand Canyon**, avec ses abruptes falaises de plus de 30 m et ses deux cascades d'**Upper Falls** (33 m de haut) et de **Lower Falls** (94 m).

Ne manquez pas non plus les deux principales curiosités volcaniques du parc : le **Mud Volcano**, célèbre pour ses chaudrons de boue d'où s'échappent des vapeurs sulfureuses, et l'**Upper Geyser Basin**, où quelque soixante-dix geysers se manifestent à heures fixes. Le plus célèbre est l'**Old Faithful** qui jaillit toutes les soixante-cinq minutes.

On compte ainsi plus de dix mille sources chaudes ou geysers sur l'ensemble du parc, ce qui en fait un site unique au monde. Il n'y a qu'en Islande, en Nouvelle-Zélande et en Sibérie que l'on puisse observer des phénomènes comparables. A une faible profondeur, le sous-sol n'est qu'un magma de roches en fusion. Les eaux d'infiltration se réchauffent à son contact et remontent à la surface pour engendrer sources chaudes, geysers, volcans de boue ou fumerolles.

Le visiteur peut également effectuer un voyage dans le passé en visitant la forêt fossile qui s'étend sur 100 km² à l'extrémité nord-est du parc.

Un sanctuaire de la vie sauvage

Tant de merveilles ont rendu le Yellowstone justement célèbre, mais le parc doit aussi son succès à l'extraordinaire faune qui s'y ébat librement. Le site fournit un habitat idéal à de nombreuses espèces: ours, bisons, élans, chevreuils, antilopes, mouflons, coyotes et lynx, ainsi que loups et grands félins aperçus à de rares occasions. La gent ailée inclut l'aigle, l'oie du Canada, l'orfraie, le cygne à trompette, le pélican blanc et diverses variétés de canards, qui partagent les mêmes eaux que le *mountain whitefish*, l'ombre et la truite — les trois seuls poissons indigènes du parc — auxquels s'ajoutent de nombreuses espèces de truites d'élevage.

il y a peu, on rencontrait encore des grizzlis ou des ours noirs (dont la couleur varie en fait du brun foncé à la couleur cannelle). Mais, pour éviter les accidents, les décharges des hôtels et des campings, où les ours venaient s'approvisionner, ont été fermées. On a également interdit aux touristes de les nourrir. Et ces plantigrades, forcés de renouer avec leurs anciennes habitudes de chasse, ne sont plus guère visibles au bord des routes.

Un parc de loisirs

Le Yellowstone offre quantité d'activités au visiteur, qu'il s'y promène à vélo ou en *mobile home*, qu'il y dorme à la belle étoile ou dans un confortable *lodge* de montagne. La saison bat son plein de début mai à début septembre, mais le parc reste ouvert toute l'année.

La plupart des campings sont ouverts de la mi-juin à la mi-septembre, et en haute saison, les places sont chères; il importe donc de s'enquérir des possibilités d'hébergement dès que l'on pénètre dans le parc. N'hésitez pas à vous adresser aux rangers, qui savent se montrer aussi courtois qu'efficaces.

Plus de 160 km de sentiers balisés permettent de découvrir les parties les plus sauvages du Yellowstone. On peut aussi bien faire de tranquilles balades de quelques heures que des courses en montagne qui exigent de l'endurance et une certaine expérience de l'escalade.

Des lacs poissonneux

Dans le parc du Yellowstone, les pêcheurs peuvent se livrer à loisir à leur sport favori. Le **Yellowstone Lake** (360 km², 2 357 m d'altitude, second plus grand lac de montagne du monde

Riches en minéraux, les sources chaudes de Yellowstone adoptent toutes les couleurs de l'arc-en-ciel.

après le lac Titicaca) est justement célèbre pour ses truites. Ils doivent toutefois être munis d'un permis de pêche — délivré gratuitement sur simple demande — et se renseigner sur la réglementation en vigueur.

Des permis sont également requis pour les plaisanciers. Les marinas des lacs Yellowstone et Lewis accueillent les bateaux à voiles et à moteur tandis que certains plans d'eau, comme le **Shoshone Lake,** sont réservés aux embarcations à rames. Enfin, on peut toujours louer sur place une barque ou se joindre à l'une des nombreuses excursions en bateau organisées sur le Yellowstone Lake.

Le paradis des photographes

Le Yellowstone National Park est un paradis pour les photographes amateurs : ses impressionnantes cascades, ses sources chaudes nimbées de vapeur ou les animaux sauvages qui vagabondent dans les champs en fleurs constituent autant de sujets de choix.

Certains vous diront que le Yellowstone est encore plus beau en hiver. Recouvert d'un épais manteau de neige d'octobre à juin, le parc se métamorphose alors en un univers silencieux, avec ses cascades prises dans les glaces et ses arbres scintillants de givre. Malgré cet apparent sommeil, la saga de la vie sauvage se poursuit, même si elle ne dévoile ses secrets qu'aux plus intrépides. Ce n'est qu'en chaussant des raquettes, des skis de fond ou en chevauchant un scooter des neiges que l'on peut alors s'aventurer dans les prairies, où les élans et les bisons fouillent la neige profonde à la recherche de leur pâture, ou encore aller admirer l'Old Faithful dont les jets d'eau et de vapeur chaudes semblent faire reculer l'hiver.

De mi-décembre à mi-mars, des excursions sont organisées au départ de Jackson, Pahaska, TeePee et de l'entrée Ouest. Mais on peut aussi hiverner confortablement près de l'Old Faithful ou à Mammoth Hot Springs.

Geyser vedette de Yellowstone, l'Old Faithful projette à intervalles réguliers un jet d'eau de 50 m de haut.

TOUCHEZ PAS AU GRIZZLI !

Victime d'une réputation injustifiée, le grizzli est aujourd'hui une espèce menacée. En effet, l'image du carnassier impitoyable, largement diffusée par les médias, et celle du placide plantigrade sont tout aussi irréalistes. La vérité, bien sûr, se situe entre ces deux visions par trop caricaturales.

Certes, le plus grand et le plus puissant des carnassiers américains peut toujours se révéler dangereux mais, fort heureusement, il ne se soucie le plus souvent que de lui-même et évite habituellement les humains, à la différence de l'ours noir, toujours avide de quelque friandise.

Toutefois, la férocité et l'apparente invulnérabilité de cet ours gris lui ont valu un respect mérité. Lewis et Clark, les premiers, en donnèrent une description précise et, dans son rapport, Clark n'hésita pas à écrire : «L'extraordinaire endurance de ces animaux nous stupéfia. Je dois avouer que je n'apprécie pas du tout ce citoyen et que je préfère encore affronter deux Indiens plutôt qu'un grizzli solitaire.»

De même, certains esprits romanesques, comme le peintre américain Charles Russell, ont su saluer sa bravoure : «Si le courage vient du cœur, le grizzli possède assurément un cœur énorme, à la mesure de sa force.»

Pour rendre justice à cet animal en voie de disparition, il faut bien reconnaître que seule sa farouche détermination à défendre son territoire explique sa réputation de carnivore meurtrier.

Après l'arrivée des colonisateurs européens, acharnés à repousser sans cesse les frontières de la «civilisation», ce plantigrade a partagé le triste sort des Indiens. Même si les vieux trappeurs l'avaient affectueusement surnommé *Old Ephraïm*, le grizzli fut promis à l'extermination par les fermiers. Reprenant le cri de guerre des armées de conquête de l'Ouest — «Tout bon Indien est un Indien mort» —, vachers et éleveurs firent montre d'une égale sauvagerie à l'égard des grizzlis.

Un grizzli, aisément reconnaissable à sa bosse dorsale, déambulant paisiblement dans la montagne.

L'introduction de grands troupeaux dans les hauts alpages et dans les vastes plaines de l'Ouest fut un facteur déterminant dans l'extermination des ours gris. En raison de la demande sans cesse croissante en viande de bœuf, des troupeaux de plus en plus nombreux empiétèrent sur le territoire des grizzlis. Pour ces grands carnivores, les bovins constituaient une proie facile et un mets de choix, et les grizzlis devinrent rapidement les principaux prédateurs des troupeaux. Cependant, face aux vachers armés de fusils automatiques et escortés de meutes de chiens, la lutte, par trop inégale, ne pouvait se solder que par un massacre.

Alors qu'ils peuplaient autrefois par milliers le nord-ouest du continent américain, les grizzlis ne sont plus que quelques centaines, cantonnés dans les zones les plus désertiques du Montana, du Wyoming et de l'Idaho. Il est vrai que ces plantigrades subsistent encore en grand nombre au Canada et en Alaska ; mais les amoureux de la nature ne sauraient se contenter de cet argument. Comme l'exprime Aldo Leopold : «Reléguer les grizzlis en Alaska, c'est comme vouloir interdire le bonheur ailleurs qu'au paradis.»

Un équipement toujours plus léger permet aujourd'hui aux randonneurs de s'aventurer dans les contrées reculées et les zones protégées où vivent les derniers grizzlis, et les rencontres entre campeurs et ours gris se font de plus en plus fréquentes. Même si ce carnassier redevient une menace pour l'homme, le danger est en fait plus grand pour l'ours, systématiquement abattu par les gardes forestiers en cas d'incident. Le taux de fécondité de cette espèce est hélas trop faible pour compenser cette nouvelle cause de mortalité.

Avant de s'aventurer sur le territoire des grizzlis, il est indispensable de se renseigner auprès des rangers sur les mœurs de ces animaux et le comportement à adopter en cas de rencontre inopinée. Les gardes des parcs nationaux vous expliqueront ce qu'il convient de faire de vos déchets afin de ne pas les attirer et vous donneront quelques conseils indispensables, comme de ne pas vous approcher des oursons.

Celui qui se risque dans ces contrées reculées ne doit jamais oublier qu'il n'est qu'un intrus sur les terres d'un roi. En tout état de cause, il convient d'adopter les manières les plus civiles à l'égard d'Old Ephraïm.

GRAND TETON NATIONAL PARK

La **Teton Range**, qui s'étend au nord-ouest du Wyoming, juste au sud du Yellowstone National Park, offre un spectacle grandiose. Ses pics dentelés, qui couronnent le Grand Teton National Park, semblent surgis de nulle part et s'élèvent brutalement pour culminer à 4265 m. Plus d'un Américain, fasciné par ces pyramides bleutées qui dominent de plus de 1 600 m les Sagebrush Flats et la cuvette de Jackson Hole, les comptent au nombre des merveilles de l'Ouest.

Les Tetons sont des montagnes jeunes (les plus jeunes de la chaîne des Rocheuses) et leur croissance n'est pas encore achevée. Une série de pressions souterraines a entraîné la surrection progressive de ce gros bloc de granite. La croûte terrestre s'est fendue selon un axe nord-sud et, tandis que le bloc occidental se redressait, le bloc oriental s'est affaissé; aussi cette chaîne présente-t-elle aujourd'hui deux versants fort différents : abrupt à l'est et faiblement incliné à l'ouest.

Un peu d'histoire

Pendant des millénaires, les Indiens furent les maîtres incontestés du massif des Tetons, empruntant les cols et traversant les vallées au gré des besoins de la guerre, de la chasse ou de la pêche. Toutefois, les rigueurs du climat interdisaient toute installation permanente dans la cuvette de Jackson Hole, et la région demeura largement sauvage.

Puis, en 1807, l'intrépide John Colter, en route pour le Yellowstone, franchit à son tour ces défilés et fut le premier homme blanc à visiter la région. Pendant quelques décennies, les Tetons attirèrent ensuite quantité de trappeurs et de négociants canadiens-français qui, impressionnés par la majesté de ces reliefs, leur donnèrent leur nom actuel (il existe aussi

Randonnée équestre dans le cadre grandiose du massif des Tetons.

dans le parc une *Gros Ventre River !*). Mais vers 1845, avec le déclin du commerce des peaux, les trappeurs désertèrent la région, et les vallées des Tetons ne virent plus que le passage de quelques rares Indiens.

Enfin, vers 1880, arrivèrent les premières missions de reconnaissance officielles, bientôt suivies de quelques hardis pionniers. Profitant du *Homestead Act*, les premiers fermiers s'installèrent de manière définitive en 1888 et s'efforcèrent d'améliorer leurs maigres ressources en accueillant des touristes et en organisant à leur intention des excursions ou des parties de chasse.

Dès 1890, on discuta de la création d'un parc national dans la vallée de Jackson Hole. Mais, comme les partenaires intéressés possédaient dans la région des ranches qu'ils entendaient préserver, l'idée mit longtemps à faire son chemin. En 1925, John D. Rockefeller Jr. se porta acquéreur de nombreuses propriétés afin de faciliter la création d'une Jackson Hole

Preserve. Ignorant cette opération, le Congrès vota le 26 février 1929 la création du Grand Teton National Park. La zone ainsi protégée se limitait à la seule chaîne des Tetons, soit un tiers de la surface actuelle du parc. En 1949, les terres acquises par les Rockefeller furent remises au ministère de l'Intérieur et ainsi offertes au peuple américain. La donation portait sur 13 540 ha de terres de la cuvette de Jackson Hole, d'une valeur de deux millions de dollars, et couronnait vingt-cinq années de tenaces efforts. Entérinée par un acte du Congrès, le 14 septembre 1950, la fusion des deux zones protégées porta ainsi la superficie du Grand Teton National Park à 1 300 km².

Les plaisirs de l'eau

Avant toute chose, il convient de faire halte au **Moose Visitor's Center** (à l'entrée sud) ou au **Colter Bay Visitor's Center** pour s'enquérir des nombreux services et activités que propose le parc. Des films, des conférences, des projections ainsi que des spectacles de danses indiennes sont présentés dans divers auditoriums et amphithéâtres.

Les imposants reliefs de la Teton Range constituent la principale attraction du parc. Ils ne sauraient pourtant faire oublier les dizaines de lacs qui scintillent à leur pied comme une parure de diamants. Dissimulés derrière des rideaux de saules ou de petits raidillons, la plupart sont à l'écart de Teton Park Road, principal axe routier du site.

Les plaisanciers se retrouvent à **Jackson Lake**, le plus grand lac du parc et le seul sur lequel la navigation à voile soit autorisée. Par ailleurs, l'usage des bateaux à moteur est limité aux lacs de Jackson, Jenny et Phelps, les autres plans d'eau n'accueillant que les embarcations à rame.

La **Snake River**, qui prend sa source au nord du parc et traverse le Jackson Lake, est l'un des cours d'eau les moins pollués des États-Unis. Après avoir traversé le parc de Grand Teton sur 65 km, elle parcourt près de

Tempête sur un pic des Grand Tetons, dans le Wyoming.

1 600 km et se jette dans la Columbia à Pasco (État de Washington). La Snake River recèle une extraordinaire faune aquatique. La végétation luxuriante de ses berges abrite des nuées d'insectes dont se nourrissent toutes sortes de poissons. Ces derniers constituent une proie de choix pour les hérons, harles, aigles, orfraies, loutres et castors qui ont élu domicile aux abords du fleuve. Parmi les nombreuses variétés de poissons qui attirent ici les pêcheurs figure une truite tachetée (la *Snake River cutthroat trout*) qui ne se plaît que dans ces eaux.

Pour découvrir la faune et les paysages du parc, l'idéal est de descendre la Snake River en bateau. Plusieurs agences proposent des promenades d'agrément (*float trips*) ou plus sportives (*whitewater river trips*), à la journée ou à la demi-journée. Les *float trips* partent du barrage de Jackson Lake (**Jackson Lake Dam**), où la Snake reprend son cours de 43 km à travers le parc. Il n'y a qu'à se livrer au plaisir d'un spectacle sans cesse renouvelé en écoutant les commentaires du guide sur telle ou telle curiosité de la faune ou de la flore. Au fil de l'eau, on observe les aigles, les orfraies, les grands hérons bleus, les canards, les oies sauvages du Canada, les loutres, les castors ou les élans qui s'ébattent en liberté dans le parc comme à l'aube des temps. On peut également explorer la Snake River sur son propre kayak, canot ou dinghy, sous réserve de posséder un permis. Les plus téméraires seront sans doute tentés par une descente en raft des rapides. Un seul conseil : ne jamais sous-estimer la force des courants.

Randonnées pédestres et alpinisme

Le Colter Bay Visitor's Center abrite un **musée d'Art indien**. Après avoir visité les quelques sites d'intérêt historique du parc, on pourra suivre les sentiers d'orientation qui partent de **Jenny Lake** ou de **Colter Bay**, et destinés à attirer l'attention des prome-

De nombreux sommets des Rocheuses sont couronnés de neiges éternelles.

neurs sur les principales curiosités de la nature. Ces circuits très courts — de 1 à 3 km — qui serpentent au pied des montagnes et font le tour des lacs ne présentent aucune difficulté et vous donneront peut-être envie de vous lancer sur les 320 km de sentiers de grande randonnée qui ont été aménagés dans le parc. Les promenades de quelques heures, voire d'une journée, dans les canyons et les montagnes, nécessitent une bonne endurance. Mais les marcheurs sont largement récompensés de leurs efforts par le merveilleux spectacle de la nature. Enfin, ceux qui souhaitent camper dans des zones sauvages doivent préalablement se munir d'une autorisation.

le Grand Teton National Park renferme quelques-uns des plus beaux parcours d'escalade des États-Unis. Même si de nombreux alpinistes préfèrent installer un camp de base en haute montagne, les premières parois abruptes sont si proches qu'il n'est nul besoin de monter une expédition. En outre, dans de nombreux endroits, la roche très dure présente de nombreuses crevasses et corniches qui permettent l'escalade à mains nues.

Avant et après toute course en montagne, il faut obligatoirement se faire enregistrer auprès de la **Jenny Lake Ranger Station**.

La ronde des saisons

Les meilleures conditions pour l'escalade se rencontrent de mi-juillet à fin septembre, mais chaque saison donne un nouveau visage au parc. En hiver, les Tetons connaissent un climat rigoureux avec de fortes chutes de neige, des rafales de vent et des températures extrêmes. Une seule tempête peut recouvrir la cuvette de Jackson Hole de 2 m de neige. C'est la saison du ski de fond, de la pêche sous la glace et du patinage, où l'on se déplace en raquettes ou en scooter des neiges. On peut alors camper ou hiverner à **Flagg Ranch**, **Triangle X Ranch** et **Signal Mountain Lodge**, ou, bien sûr, à la ville voisine de Jackson.

Fleurs sauvages et clôtures traditionnelles au pied des montagnes.

ROCKY MOUNTAIN NATIONAL PARK

Non loin de Denver et de Boulder, les sommets enneigés du Rocky Mountain National Park dominent les hautes vallées et les innombrables lacs de montagne du nord du Colorado. Fort de ses soixante et onze sommets de plus de 3 650 m, traversé sur 65 km par la ligne de partage des eaux, le parc mérite amplement son surnom de « toit du continent ».

Topographie et flore variées

La topographie de Rocky Mountain témoigne de profonds bouleversements géologiques. Là où, à l'ère primaire, s'étendait une vaste mer s'élèvent aujourd'hui des montagnes abruptes façonnées au secondaire ou des dépôts de moraines et des cirques, vestiges de l'ère glaciaire, qui tous témoignent de la force de la nature.

A mesure que l'on s'élève des vallées (2 000 m) vers les cimes (plus de 4 000 m), les paysages présentent des contrastes marqués, phénomène qui constitue l'une des principales caractéristiques du parc. En empruntant la **Trail Ridge Road**, principale route du parc, on traverse autant d'écosystèmes différents que si l'on remontait jusqu'au cercle arctique. Aussi la flore est-elle fort variée.

Le pitchpin et le genévrier poussent sur les versants ensoleillés des piedmonts, tandis que les versants nord, plus froids, sont plantés de sapins de Douglas. Au bord des cours d'eau s'élèvent des forêts mixtes d'épicéas bleus, de pins et de trembles. Çà et là s'ouvrent des clairières et des prairies parsemées de fleurs sauvages. Puis, à partir de 2 700 m, apparaît une sylve de type subalpin, une dense forêt noire trouée d'éblouissants parterres d'ancolies. A mesure que l'on s'élève, les arbres se rabougrissent, puis font bientôt place à la végétation fragile et rase de la toundra alpine (un tiers du

La flore des hauts plateaux de Rocky Mountain National Park est celle du cercle polaire arctique.

parc se situe au-dessus de la ligne des arbres). Plus d'un quart des plantes qui poussent à ces altitudes ne se retrouvent qu'au-delà du cercle arctique.

Le parc n'abrite plus ni loups ni grizzlis, espèces pratiquement éteintes dans le Colorado. En revanche, on y rencontre des élans, des cerfs, des mouflons, des coyotes, des castors ainsi que des ours noirs, et plus de deux cent trente espèces d'oiseaux.

Les premiers colons

Les Utes et les Arapahoes sont les derniers Indiens à avoir peuplé le site de Rocky Mountain. Il y a plusieurs millénaires, d'autres Indiens, sur lesquels on est très peu renseigné, chassaient déjà dans la région. Les collines et les prairies abritaient alors en grand nombre élans, antilopes, mouflons, ours, cerfs, castors ou autre gibier. Mais les hivers trop rigoureux empêchèrent ces tribus semi-nomades de s'y installer de manière permanente.

Les prairies de piedmont sont couvertes de fleurs sauvages.

Au début du siècle dernier, suite au traité d'acquisition de la Louisiane, arrivèrent les premiers trappeurs, explorateurs et autres aventuriers blancs. En 1806, l'expédition du lieutenant Zebulon Pike fut la première à identifier **Long's Peak**, point culminant du parc (4 341 m). Ce sommet doit son nom au colonnel S. H. Long, qui, quatorze ans plus tard, conduisit une expédition jusqu'au pied des montagnes — mais n'en fit lui-même jamais l'ascension.

Le premier pionnier qui s'installa à Rocky Mountain fut un certain Joel Estes, en 1860. Il vécut six ans en compagnie des siens dans les riches pâturages de la vallée qui porte aujourd'hui son nom.

Puis, cas unique dans l'histoire des États-Unis, **Estes Park** ainsi que la majeure partie du Rocky Mountain National Park devinrent la propriété d'un aristocrate d'origine irlandaise. Séduit par la beauté du site et l'abondance de son gibier, le comte de Dunraven se porta en effet acquéreur

du domaine en 1872, à l'issue d'une partie de chasse. Il parvint à obtenir plus de 6 000 ha, de façon parfois frauduleuse, et se heurta bientôt à la vindicte des colons furieux de se voir ainsi spoliés. L'affaire fut portée devant les tribunaux et le comte vit son domaine amputé de moitié. Finalement, en 1906, il morcela ses terres et les revendit, entre autres, à F. O. Stanley, célèbre inventeur d'une des premières automobiles à vapeur. Quatre ans plus tard, ce dernier investit plus d'un demi-million de dollars dans la construction du luxueux **Stanley Hotel**, qui domine encore Estes Park.

La ruée vers l'or qui, dans les années 1850, donna naissance à Denver, ou à des cités minières comme Central City et Blackhawk, n'affecta guère la région du Rocky Mountain National Park. Des camps de chercheurs d'or se développèrent sur la berge de **Grand Lake** dans les années 1880, mais le minerai s'avérant de faible teneur, les mines fermèrent bientôt et les prospecteurs repartirent sur leurs mules chercher fortune sous d'autres cieux.

Rocky Mountain National Park n'aurait jamais vu le jour sans l'écrivain naturaliste Enos A. Mills. Sept années durant, ce dernier s'efforça de défendre le projet, à travers des rapports et conférences enthousiastes, effectuant de nombreux voyages à ses frais du Colorado à Washington ou à New York pour aller plaider sa cause. Ses efforts finirent par porter leurs fruits lorsque, en 1915, les autorités accordèrent à la région le statut de parc naturel.

A-pic et vues imprenables

Ouverte à la circulation en septembre 1920, la **Fall River Road**, qui fait le tour du parc par le nord, s'avéra rapidement inadaptée aux besoins. Les paysages du tronçon oriental étaient partiellement masqués par les arbres et les éboulis, tandis que le tronçon occidental s'ouvrait sur des précipices

Le célèbre Stanley Hotel, qui domine la bourgade d'Estes Park.

si vertigineux que les automobilistes se sentaient incapables de profiter sereinement du panorama. De plus, l'enneigement souvent tardif faisait chaque année craindre de ne pouvoir dégager la route avant l'arrivée des touristes.

En 1926, on chercha donc à créer un autre axe routier, moins accidenté et offrant des vues imprenables. C'est ainsi que fut viabilisée la Trail Ridge Road, qui traverse le parc d'est en ouest. Cette piste n'est autre que celle que parcouraient autrefois les Utes et les Arapahoes pour se rendre de leurs terrains de chasse jusqu'aux hauts plateaux de l'Est — soit de **Middle Park** à Estes Park. C'est aussi le chemin qu'empruntaient les chercheurs d'or pour franchir le Continental Divide et atteindre Lulu City ou d'autres villes minières de la Colorado Valley.

Suivez le guide !

Pour connaître le programme des excursions, conférences et autres manifestations organisées à Rocky Mountain de début juin à fin septembre, faites d'abord halte dans l'un des Visitor's Centers situés aux quatre entrées du parc, sachant que seuls le **Headquarters Visitor Center** à l'est et le **Grand Lake Visitor Center** à l'ouest sont ouverts toute l'année.

Près de trois millions de touristes visitent chaque année le parc, et les terrains de camping affichent souvent complet en été. Aussi est-il préférable de visiter le parc en septembre ou en octobre, lorsque les températures sont encore clémentes, et que la nature se pare de couleurs mordorées.

Les conditions météorologiques déterminent ici toutes les activités. Elles varient souvent d'une partie à l'autre du parc, en fonction de l'altitude ou de l'exposition. De même, on observe de grandes amplitudes thermiques entre le jour et la nuit. En été, les températures diurnes atteignent souvent 25 °C ou 30 °C, alors que la nuit le thermomètre peut descendre jusqu'à 0 °C. Enfin le Continental Divide, qui suit la ligne des crêtes, traverse le parc selon un axe nord-ouest/

sud-est et induit de grands contrastes climatiques entre les versants est (Estes Park) et ouest (Grand Lake).

A l'assaut des cimes

Même si les eaux froides du parc ne sont guère poissonneuses, il est possible d'y faire de belles parties de pêche, à condition d'être muni d'un permis de l'État du Colorado. Rappelons toutefois qu'il est interdit d'employer des appâts vivants et de pêcher dans les cours d'eaux et lacs où l'on tente de réacclimater la truite (*greenback cutthroat trout*).

Le Rocky Mountain National Park fera les délices des grands marcheurs. Ses 480 km de sentiers de randonnée permettent de découvrir les parties les plus reculées du parc où, loin de la foule, on peut jouir en toute liberté de la nature. Il est prudent de se munir d'une carte de l'U. S. Geological Survey, en vente dans les Visitor's Centers ; enfin, ceux qui souhaitent faire du camping sauvage doivent en demander l'autorisation au West Unit Office. L'existence de couloirs d'avalanches et de zones interdites au camping imposent au randonneur de préparer soigneusement son parcours. N'hésitez pas à demander conseil aux rangers. Ces derniers vous indiqueront les itinéraires les moins fréquentés et les curiosités à ne pas manquer.

Le parc offre également, toute l'année, de nombreuses possibilités d'escalade. Il abrite d'ailleurs une école d'alpinisme et il est toujours possible de louer les services d'un guide pour effectuer des courses en haute montagne.

En été, il est également possible, tant à l'extérieur qu'à l'intérieur du parc, de louer un cheval pour des promenades en individuel ou en groupe.

Chaque hiver, quand tombe la neige, revient la saison du ski : ski de fond dans les basses vallées, ski de randonnée sur les crêtes et ski alpin à **Hidden Valley**. Les routes qui partent de l'entrée orientale du parc restent dégagées pour permettre aux hivernants d'admirer les sommets enneigés des Rocheuses.

LES PARCS NATIONAUX DE L'UTAH

Bien que situés dans un étroit rayon de 320 km, les cinq parcs nationaux de l'Utah ont chacun leur caractère et figurent parmi les plus beaux sites naturels du monde. On peut faire une visite rapide de ces cinq parcs en se limitant aux circuits routiers balisés. Cependant, les amoureux de la nature n'hésiteront pas à prendre tout leur temps pour explorer en détail ces gigantesques merveilles et s'imprégner de leurs paysages saisissants.

Zion National Park

Zion National Park — le plus ancien parc national de l'Utah — se présente comme un plateau de grès aride, entaillé d'un long canyon creusé par le vent, la pluie et le gel, et surtout par le lit de la **Virgin River**. La route qui suit le fond du canyon ménage des vues surprenantes sur l'abondante végétation qui pousse au pied des falaises aux reflets pourpres ou rose orangé.

La Virgin River serpente paresseusement parmi les saules, les peupliers et les frênes, en laissant derrière elle de nombreuses criques où il fait bon se promener et pique-niquer. L'été, quand le soleil darde ses rayons brûlants, toutes sortes d'oiseaux ainsi que des chevreuils, des renards, des lynx, des lapins et des écureuils viennent se réfugier dans l'ombre fraîche des taillis et des rochers.

On peut admirer la plupart des curiosités géologiques du site sans quitter sa voiture, mais le meilleur moyen de visiter Zion National Park c'est encore de suivre, à pied ou à cheval, les sentiers de randonnée balisés qui conduisent aux principales formations rocheuses (n'oubliez pas d'emporter une gourde d'eau fraîche et méfiez-vous des serpents et des scorpions). L'un des itinéraires les plus spectaculaires, le **Gateway to the Narrows**, part du **temple de Sinawava** (un rocher ainsi nommé en l'honneur d'un dieu indien) et suit les gorges de la Virgin River, profondes de plus de 600 m, sur 1,6 km. Les randonnées équestres partent de **Zion Lodge**.

Le parc abrite trois terrains de camping (approvisionnés en eau potable l'été uniquement). Le Visitor's Center, situé à l'entrée sud, est ouvert toute l'année, de même que la **Zion Canyon Scenic Drive**, la **Zion Mount Carmel Highway** et la **Kolob Canyons Road**, trois routes d'où partent de nombreux sentiers de randonnée.

Outre cartes et dépliants gratuits, vous trouverez au Kolob Canyon Visitor's Center, à l'entrée nord du parc, d'intéressantes expositions et un diaporama. En été et en automne, de nombreuses manifestations sont organisées à Zion : conférences d'histoire naturelle ou d'ethnographie (plusieurs tribus indiennes ont autrefois élu domicile dans la vallée de la Virgin River), visites guidées, feux de camp, etc. Les rangers vous fourniront tous renseignements utiles sur les possibilités d'hébergement ou les divers services proposés par le parc.

Pages précédentes : Delicate Arch, principale curiosité géologique d'Arches National Park (Utah). A gauche, spectacle enchanteur l'automne à Zion Park (Utah) ; à droite, coyote à l'affût.

Capitol Reef National Park

Isolé dans les solitudes rocheuses du centre-sud de l'Utah, Capitol Reef National Park se présente comme un véritable dédale de canyons, d'arches naturelles et de monolithes sculptés par l'érosion éolienne et pluviale dans le grès et le schiste d'un ancien désert pétrifié.

Sur cette masse auparavant plane, une ancienne mer déposa à la fin de l'ère primaire de nombreuses couches sédimentaires. A l'ère secondaire, celle-ci ne laissa que des dunes de sable, qui se pétrifièrent et formèrent des calottes rocheuses. C'est l'un de ces mamelons, le **Capitol Dome**, dont la silhouette rappelle le dôme du Sénat américain, qui a donné son nom au parc.

Le terme de *reef* (« récif ») appliqué à une formation terrestre désigne en anglais une barrière rocheuse. C'est ici le cas du **Waterpocket Fold**, un plissement long de 160 km et creusé de nombreuses cuvettes.

Les plus beaux paysages de ce site sauvage se cachent souvent au détour de routes accidentées ou à peine carrossables, loin des grands axes. Des pistes fléchés conduisent à des pétroglyphes (gravures rupestres laissées par les Indiens) ou à de superbes points de vue. En raison de leurs températures clémentes, le printemps et l'automne sont les saisons qui se prêtent le mieux à la randonnée pédestre et au camping dans le parc.

Arches National Park

Situé dans le sud de l'Utah, à la sortie de Moab, Arches National Park regroupe, sur 300 km², la plus grande concentration d'arches naturelles au monde ainsi que de fantastiques reliefs sculptés dans le grès ocre-rouge du **plateau du Colorado** par le vent, l'eau et le gel.

Delicate Arch, le site le plus connu du parc, est un gigantesque arc de pierre qui se détache sur les sommets enneigés des LaSal Mountains. Le

A Arches National Park, le visiteur peut se sentir écrasé par le gigantisme de Triple Arch.

paysage est à ce point hérissé de roches aux découpes improbables — **Landscape Arch**, d'une portée de 88 m, est la plus grande arche naturelle au monde — que les premiers explorateurs crurent y reconnaître les vestiges d'une ancienne civilisation mégalithique.

Le Visitor's Center met à la disposition des touristes un livret gratuit décrivant les principales curiosités du parc. Il organise également de nombreuses expositions et conférences d'Histoire ou de géologie. On peut aussi s'y inscrire pour des promenades guidées en compagnie de naturalistes.

Bryce Canyon National Park

Situé à 80 km au nord-est de Zion, Bryce Canyon National Park est un lumineux ensemble de colonnes aériennes et de flèches de pierre roses, blanches ou ocre.

Bryce Canyon est en fait une succession de combes creusées dans le plateau calcaire du Paunsaugunt en une douzaine d'amphithéâtres géants, profonds pour certains de 300 m. L'érosion a donné à la roche friable des formes fantastiques, parmi lesquelles on se plaît à imaginer des cheminées, des murailles, des minarets, des pagodes ou des temples. La lumière de l'aube et du crépuscule pare les roches de couleurs changeantes tandis que les ombres des nuages semblent sans cesse renouveler le relief de ces labyrinthes féeriques.

On peut aisément découvrir les principales curiosités géologiques de Bryce Canyon en suivant **Rim Drive**, une route de corniche de 50 km qui fait le tour du parc. Mais de nombreux sentiers pédestres ou cavaliers (de 1 à 37 km) permettent de découvrir d'étonnants panoramas.

De nombreuses espèces végétales se sont développées dans ce cadre grandiose : genévrier dans les canyons, pins ponderosa sur le plateau et sapins sur les hauteurs de **Rainbow Point**. Mais le parc est surtout remarquable par sa faune. A l'aube et au crépuscule, les

Vue panoramique de Bryce National Park.

chevreuils sortent des forêts pour s'aventurer dans les prairies et aux abords des routes. Dans les zones les plus sauvages, on peut parfois apercevoir des couguars, encore appelés pumas ou lions des montagnes, ainsi qu'une foule de petits rongeurs, lapins ou *jackrabbits*, qui sont régulièrement la proie de prédateurs nocturnes comme les blaireaux, les putois, les belettes, les renards et les coyotes.

On compte également 164 espèces d'oiseaux, depuis les minuscules martinets jusqu'aux aigles royaux. Passereaux, grives et rouges-gorges sont les plus facilement observables.

De jour, le visiteur peut penser que, hormis les inévitables lézards, *tamias* et autres écureuils, le parc abrite une faune bien maigre. En fait, la plupart de ses hôtes sont des animaux nocturnes. Aussi l'aube et le crépuscule sont-ils les meilleurs moments pour y observer la vie animale.

De mai à septembre, le Visitor's Center propose des films et des promenades en compagnie d'un naturaliste à qui veut s'instruire sur l'histoire, la géologie, la faune et la flore du parc.

Canyonlands National Park

Se rendre en voiture à Canyonlands National Park, dans le sud-est de l'Utah, est en soi une aventure car la station-service la plus proche se trouve à 96 km. Par ailleurs, le seul point d'eau courante se trouve sur le **terrain de camping de Needles**, aussi vaut-il mieux faire le plein avant. Les visiteurs ont également intérêt à se renseigner auprès des rangers sur l'état des routes.

Le Colorado et la **Green River** se rejoignent au cœur du parc pour former le fleuve le plus impétueux du continent. Celui-ci a creusé son lit dans le grès, formant les canyons spectaculaires de quelque 500 m de haut qui ont donné leur nom au parc.

Sous l'effet de l'érosion, les roches de Canyonlands ont épousé toutes sortes de formes — mesas, gorges étroites et falaises abruptes. Les zones quasi désertiques ou difficiles d'accès sont le domaine des mouflons, des chevreuils, des couguars, des coyotes, des renards et des antilopes, tandis que castors, canards et échassiers hantent les cours d'eau. Par ailleurs, la grande diversité des niches écologiques a favorisé l'implantation de très nombreuses espèces d'oiseaux.

Quelques rares routes, souvent accidentées, permettent de gagner des sites d'altitude qui ménagent de belles vues plongeantes sur les curiosités du parc, mais la plupart des 136 000 ha de Canyonlands constituent un domaine encore vierge qui laisse une grande place à l'aventure.

On peut explorer cette contrée désertique et sauvage à pied, en 4x4 ou encore la survoler en avion. Cependant, rien ne vaut une descente en raft de la Green River ou du Colorado via **Cataract Canyon**. Les agences qui organisent ces excursions guidées en Jeep, en raft ou en bimoteur, sont établies dans les principales agglomérations de la périphérie du site.

A gauche, pittoresque mirador de Capitol Reef National Park; à droite, le complexe travail de l'érosion se lit sur les roches de Zion Park.

LA TOUNDRA ALPINE

Le terme de «toundra» évoque immanquablement les vastes étendues froides et désolées de la steppe sibérienne. En fait, pour les botanistes, ce terme désigne un type de flore particulier, caractérisé par l'absence totale d'arbres, que l'on rencontre sous des latitudes polaires ou en haute montagne. La toundra alpine et les steppes arctique et antarctique connaissent en effet des climats comparables, même si la luminosité est plus intense à l'étage alpin. Sur ce sol, qui demeure gelé en profondeur une partie de l'année, croît une

clairement définis, semblent plus proches qu'elles ne le sont réellement. Le climat y est plus rude que dans les vallées car l'air raréfié emmagasine plus difficilement la chaleur.

Des lunettes de soleil, une crème solaire à haut indice de protection et, bien sûr, des vêtements chauds ainsi que de bonnes chaussures de marche sont indispensables pour qui souhaite s'aventurer sur ces hautes terres.

Une flore lilliputienne

Sous ces climats extrêmes où alternent les grands froids, les tempêtes de neige et un fort ensoleillement estival, les minuscules

végétation raréfiée, composée de mousses, de lichens, de plantes herbacées basses, de graminées et de fleurs sauvages, qui forment une véritable «forêt» miniature.

Dans les Rocheuses, l'immensité des cieux et la majesté des cimes enneigées composent un tableau saisissant. La toundra alpine est un espace vierge, dénué d'arbres, sans indice d'une quelconque présence humaine. La vie animale y est très réduite, et sous des cieux d'un bleu intense, parmi les éboulis et les monts couronnés de neiges éternelles, on pourrait se croire seul au monde. La lumière aveuglante rend les perspectives et les distances trompeuses : les montagnes, aux contours

fleurs sauvages doivent lutter pour survivre. Des plantes qui, dans un jardin, pousseraient jusqu'à 1 m atteignent péniblement 1 cm à maturité. Il y a quelque chose de magique à arpenter la toundra : on se prend volontiers pour Gulliver dans un monde parfaitement miniaturisé.

La toundra comporte de nombreuses variétés d'arbustes, de mousses, d'herbacées et de plantes à fleurs. En dépit de sa robustesse, cette végétation capable de résister aux rigueurs de l'hiver et aux pires orages d'été est cependant extrêmement fragile et l'on doit éviter de la fouler aux pieds. La croissance de certaines plantes peut demander des siècles et il n'est pas rare qu'un bourgeon mette des années avant d'éclore. La floraison se produit généralement vers la fin du printemps et, grâce à un fort ensoleillement, la plante est arrivée à maturité quand vient l'hiver.

Sa petite taille permet à cette végétation de mieux résister aux vents et aux rudesses du climat. Elle porte moins de feuilles et de fleurs que les espèces similaires qui poussent en plaine. En revanche, les fleurs paraissent souvent démesurément grandes par rapport aux tiges ou aux feuilles, car le nanisme n'affecte que la partie inférieure des plantes.

De même, la prairie alpine est souvent clairsemée, l'herbe poussant par plaques au milieu de zones semi-désertiques ponc-

tuées de ci, de là, de joncs. Ce type de végétation est amplement représenté dans les Rocheuses.

Dans le Rocky Mountain National Park, la Trail Ridge Road offre des vues spectaculaires sur les prairies de toundra, et, dans le même parc, à quelques mètres de la route principale, on peut admirer des champs couverts de fleurs. Autrefois, les Indiens suivaient cet itinéraire pour traverser les montagnes du Colorado d'est en ouest. La piste, même abandonnée depuis

A gauche, les fleurs sauvages poussent un peu partout dans les Rocheuses, y compris, ci-dessus, sur les roues des chariots.

des décennies, reste encore clairement visible car la toundra est infiniment lente à se régénérer. De même, les centaines de milliers de visiteurs qui empruntent chaque année la Trailridge Road imposent un dur traitement à la végétation.

L'été est la meilleure saison pour apprécier pleinement ces paysages. En juillet et en août, sous un ciel d'un bleu limpide, les brillantes floraisons de la toundra (saxifragacées, renonculacées, silènes, etc.) sont un véritable régal pour les yeux. Les plus beaux paysages de ce type s'observent à Independence Pass, de part et d'autre de la route qui va de Red Lodge à Cook City, dans le Montana, près de l'entrée nord du Yellowstone National Park ou, plus généralement, dans toutes les zones d'altitude situées au-dessus de la ligne supérieure de la forêt.

La faune de la toundra alpine

Peu d'animaux ont élu domicile dans la toundra. En hiver, les grands ruminants redescendent vers les vallées, car la pâture y est maigre. Seule une faune de petite taille (rongeurs et mustélidés pour la plupart) s'est adaptée au climat et vit ici à longueur d'année. Les plus connus sont le saccophore, la taupe, la souris, la musaraigne, la marmotte, la belette, le lapin et le tamia.

L'animal le plus commun est la marmotte à ventre jaune *(yellow-bellied marmot)*, un grand rongeur qui ressemble fort à la belette. On voit souvent cet animal à la corpulence impressionnante — 5 kilos pour une taille moyenne de 50 cm — mendier quelque friandise sur le bord des routes. Il faut résister à la tentation de nourrir ces marmottes, sous peine de contrarier leur régime alimentaire et de leur faire perdre l'habitude de se nourrir par elles-mêmes. En outre, il faut se méfier de leurs grandes dents acérées.

Afin de préserver le fragile écosystème de la toundra, on a évité d'y percer des routes ou des pistes. Mais les engins toutterrain — 4x4, motos de cross ou scooters des neiges — mettent en danger l'équilibre précaire de cette végétation. En hiver et à l'automne, saisons les plus difficiles pour ces plantes, de tels engins créent des dégâts irréparables. De nombreux écologistes craignent actuellement que la survie de la toundra alpine ne soit gravement compromise.

LES « NATIONAL MONUMENTS »

Les National Monuments sont des domaines naturels protégés pour permettre aux générations futures de jouir de ces « îlots d'espoir ». Ces sites sélectionnés pour leur intérêt historique ou géologique offrent des paysages de toute beauté. Même si nous ne présentons ici que les plus célèbres des quinze National Monuments que comptent les Rocheuses, tous méritent cependant une visite.

C'est au **Great Sand Dunes National Monument**, au pied des monts Sangre de Cristo, dans le centre-sud du Colorado, que l'on peut admirer les plus grandes dunes d'Amérique du Nord. Ces dunes qui se déplacent au gré des vents constituent une merveille géologique et un excellent terrain de loisirs. La beauté du site réside dans les contrastes entre l'ombre et la lumière, le désert et la forêt, le ciel et le sable, la plaine et les ergs. Enfin, le coucher du soleil sur les San Juan Mountains réserve un spectacle grandiose au promeneur tardif.

Sur les **Uncompahgre Highlands**, au cœur du Colorado, vous attendent plus de 7 000 ha de roches sculptées par l'érosion en des formes fantastiques. Dans le lit des canyons, on a découvert des os de dinosaures, des arbres pétrifiés et des vestiges indiens datant de la préhistoire. La **Rim Rock Drive**, une route panoramique de 35 km, offre de magnifiques points de vue sur les principales curiosités de **Red**, **Ute**, **No Thoroughfare** et **Monument Canyons**.

Fossiles et dinosaures

Dans la roche de **Florissant Fossil Beds National Monument**, à 64 km à l'ouest de Colorado Springs, sont enchâssés de nombreux os fossilisés.

Le parc de **Dinosaur National Monument**, à la frontière du Colorado et de l'Utah, abrite également de nombreux squelettes d'animaux préhistoriques pétrifiés. Ainsi, au Quarry Visitor's Center, à 32 km à l'est de Vernal, on peut visiter le plus grand cimetière de dinosaures au monde.

Situé à 37 km à l'est de Cedar City, dans l'Utah, le **Cedar Breaks National Monument** est un gigantesque amphithéâtre creusé par l'érosion dans le calcaire du plateau de Markagunt. Une route panoramique de 10 km offre de beaux points de vue sur ses forêts et ses alpages. Un terrain de camping et plusieurs aires de pique-nique ont été aménagés à l'intention des estivants.

Considéré comme l'une des Sept Merveilles du Nouveau Monde, le **Rainbow Bridge National Monument** (Utah) est la plus grande arche naturelle du monde (90 m de haut et 85 m d'ouverture). On peut gagner le site à pied ou à cheval, mais Rainbow Bridge ménage ses plus belles vues à ceux qui traversent le Lake Powell depuis Wahweep Marina. Après une croisière de 80 km jusqu'à Bridge Canyon, il faut faire 1 km à pied pour gagner le pont de pierre.

A 67 km à l'ouest de Blanding, dans l'Utah, une route carrossable de 13 km permet d'admirer les trois grands ponts de grès du **Natural Bridges National Monument**, sculptés par les affluents du Colorado : Kachina, Sipapu et Owachomo. Le parc abrite un intéressant musée.

Dans le centre-sud de l'Idaho, le **Craters of the Moon National Monument** regroupe sur 22 000 ha d'immenses champs de lave, des cratères et des dépôts de cendres volcaniques. C'est dans ce paysage grandiose mais quelque peu sinistre que les premiers astronautes venaient s'entraîner à « marcher sur la lune ». La visite du parc peut s'effectuer seul ou sous la conduite d'un guide naturaliste du Visitor's Center.

Dans le Montana, à 20 km à l'ouest de Wisdom, le **Big Hole National Monument** commémore la bataille qui opposa, en 1877, les troupes du colonel John Gibbon aux huit cents guerriers Nez-Percés de Chief Joseph. La tribu évitait la cavalerie américaine depuis deux mois lorsqu'elle fut attaquée par les cent quatre-vingts hommes de Gibbon. Les Nez-Percés parvinrent à repousser leurs assaillants en allumant des incendies. Le musée du Visitor's Center complète utilement la visite du champ de bataille.

Légendes et hauts faits indiens

Les personnes férues d'histoire ne manqueront pas de visiter le **Custer Battlefield National Monument**, à 24 km de Hardin, dans le Montana. C'est là qu'eut lieu, le 25 juin 1876, la fameuse bataille de Little Bighorn, au cours de laquelle les deux cent vingt-cinq hommes du colonel Custer furent massacrés par les Sioux et les Cheyennes.

Le sud-est du Wyoming était autrefois sous les eaux, comme en témoigne le **Fossil Butte National Monument**. Ce site, qui domine de plus de 2 000 m la Twin Creek Valley, abrite de nombreux poissons d'eau douce fossilisés.

Le **Devil's Tower National Monument**, dans le nord-ouest du Wyoming, surplombe de 390 m la Belle Fourche River. Visible à plus de 150 km à la ronde, cet impressionnant rocher de 182 m de haut est fait de phonolite, une roche volcanique qui a la particularité de tinter quand on la heurte. Devil's Tower a prêté matière à de maintes légendes indiennes. Un jour, raconte l'une d'elles, trois jeunes Indiennes venues cueillir des fleurs furent attaquées par des grizzlis. Elles se réfugièrent au sommet d'un rocher, qu'un dieu compatissant souleva pour les mettre hors d'atteinte des plantigrades. Les ours durent abandonner leurs proies, et les jeunes filles redescendirent en tressant une échelle de fleurs. On assure que Sitting Bull y venait souvent prier pour obtenir la victoire sur les Blancs.

Plus récemment, le site a acquis une nouvelle notoriété en servant de décor au film de Stephen Spielberg, *Rencontres du troisième type*. Au pied de Devil's Tower s'étend une réserve de chiens de prairie, ouverte en 1933, lorsque l'espèce fut déclarée en voie de disparition.

Promeneurs dans les dunes du Great Sand Dunes National Monument (Colorado).

CONSEILS
AUX PHOTOGRAPHES

Les Rocheuses constituent un terrain de choix pour les photographes. Nombre de touristes ont à cœur d'immortaliser leurs émotions esthétiques et, en la matière, la variété des paysages et de la faune de cette région, tout comme les phénomènes naturels qui s'y produisent, offrent maintes tentations.

Choisissez votre matériel en fonction de vos centres d'intérêt, sachez faire preuve d'imagination et, en utilisant les quelques

ment d'un ou deux diaphragmes supplémentaires. Attention aux reflets parasites engendrés par la glace.

La faune. Appareil prêt, placez-vous à bonne distance de l'animal sans lui bloquer le passage. Utilisez de préférence un zoom ou un téléobjectif sur pied. Les meilleurs clichés se prennent à l'aube ou au crépuscule. Choisissez une vitesse rapide (1/250e minimum) et un fort diaphragme (f8) pour vous libérer de tout souci de réglage.

La flore. Portez toute votre attention sur la précision de la mise au point et sur la profondeur de champ qui se restreint à mesure que l'on s'approche du sujet. Pour les très gros plans, utilisez une lentille

« trucs » que nous vous suggérons, vous serez assuré de prendre de magnifiques clichés.

La lumière. Préférez l'aube, le crépuscule et les éclairages latéraux qui donnent plus de force et de relief à l'image. Évitez de faire apparaître le soleil dans le cadre.

Les paysages. En fonction du sujet, utilisez un grand angle ou un téléobjectif, mais quel que soit votre choix, composez l'image à partir d'un seul sujet principal. (Ce sujet ou la ligne d'horizon ne doivent jamais figurer au centre de l'image).

La neige. Les cellules automatiques ayant tendance à sous-exposer les paysages enneigés, il faut ouvrir manuelle-

macro. Lorsque l'éclairage est correct, un pied est rarement nécessaire. Prenez vos photos de préférence le matin, le soir, ou par une lumière voilée, en sachant qu'il vous est toujours possible de créer cette ombre.

Les scènes animées. Les meilleurs clichés sur le vif s'obtiennent en pré-réglant la focale et l'ouverture de l'objectif et en se promenant au hasard, à la recherche de scènes pittoresques. Pour une pose plus étudiée, l'éclairage naturel d'une fenêtre permet de faire d'agréables portraits. En intérieur comme en extérieur, munissez-vous d'un flash afin d'obtenir une bonne lumière complémentaire.

Architecture. Pour éviter les déformations de perspective, maintenez votre appareil parallèle au sol. Choisissez de préférence un point de vue surplombant la base du bâtiment. Accentuez les reliefs de la façade en jouant sur les ombres et la lumière.

Pour tirer le meilleur parti du temps

Par temps couvert. C'est le meilleur éclairage pour le portrait quand on ne dispose pas d'un flash. De nombreux sujets, trop plats en pleine lumière, prennent tout leur relief sous un éclairage diffus.

Par temps de pluie. La pluie se dessine admirablement sur les décors sombres et

Par temps de brouillard. Sachez tirer parti du brouillard. Il exalte le charme nostalgique de certaines villes et le romantisme de certains paysages. De même, les brumes vaporeuses donnent une dimension mystérieuse aux forêts.

Quelques données techniques

Photos nocturnes. Pour photographier les bâtiments illuminés ou les spectacles de nuit, choisissez une vitesse allant de la 1/2 seconde au 1/125e et une pleine ouverture (f2 8). Les paysages nocturnes éclairés par la lune se photographient avec un pied et une pose allant de trente secondes à plusieurs minutes.

permet de jouer avec le reflet des lumières sur les sols mouillés. Protégez votre objectif avec un parapluie ou en glissant votre appareil dans un sac en plastique et prenez vos photographies depuis un trou prédécoupé.

Sous l'orage. Lorsque s'apaise l'orage, les nuées se percent de lueurs où naissent les arcs-en-ciel. Si vous savez vous montrer patient, vous obtiendrez ainsi de spectaculaires résultats.

A gauche, gros plan sur la flore de la toundra alpine ; ci-dessus, ce promontoire offre un point de vue idéal sur le Grand Canyon du Yellowstone.

Photos aériennes. La photo prise, vitre ouverte, à partir d'un petit avion ou d'un hélicoptère réserve toujours d'heureux effets. Si le hublot ne s'ouvre pas, nettoyez-le préalablement et n'appuyez sur le déclencheur que lorsque l'aile de l'avion sera plongée dans l'ombre. Faites votre mise au point sur l'infini et choisissez une vitesse élevée (1/250e ou 1/500e). Préférez les films de faible sensibilité (64 ou 100 ASA) et veillez au bon placement de la ligne d'horizon.

Rivières et cascades. Les poses longues (1/8e de seconde ou moins) donnent une image fluide de l'eau. Pour ces vitesses lentes, utilisez un pied.

DENVER ET LA FRONT RANGE

Pages précédentes et à gauche, architecture de verre et d'acier, dans le Civic Center de Denver. A droite, la pittoresque demeure de « l'Insubmersible Molly Brown ».

L'immense Continental Divide, ou ligne de partage des eaux, qui traverse les États-Unis du nord au sud en suivant la cordillère des Rocheuses, constitue une importante barrière tant climatique que démographique. Mais c'est dans le Colorado que cette division est le plus marquée. Le contrefort oriental des Rocheuses, ou Front Range, marque une frontière nette entre la plaine et la montagne. A ses pieds s'étale une immense mégalopole qui, de Pueblo à la limite du Wyoming, inclut Colorado Springs, Denver, Boulder, Longmont, Greeley et Fort Collins. Mais dès qu'on atteint les premières pentes, cette zone densément peuplée fait rapidement place à d'immenses étendues désertiques, ponctuées de rares villages de montagne.

Bien que sise à 1 609 m d'altitude, ce qui lui a valu le surnom de *Mile High City*, Denver jouit d'un climat beaucoup plus clément que les montagnes environnantes. Les nuages qui arrosent les Rocheuses et déposent leur neige sur les pistes atteignent rarement la Front Range. Denver connaît des précipitations comparables à celles de Los Angeles (de 20 à 30 cm par an) et ses trois cents jours annuels d'ensoleillement rappellent le climat de Miami. Dans la Front Range, les étés peuvent être très chauds, mais la chaleur reste supportable en raison du faible taux d'hygrométrie.

La ruée vers l'or

La colonisation de la Front Range ne remonte guère qu'à un siècle. Dès 1806, le lieutenant Zebulon Pike identifia le pic qui porte aujourd'hui son nom mais il ordonna à ses seize hommes de contourner la montagne vers le sud sans chercher à en faire l'ascension. En 1849, lorsque des milliers de chercheurs d'or se précipitèrent en Californie, la paisible vallée de Denver était encore le domaine des Utes et de quelques rares trappeurs. Certains, comme Jedediah Smith ou Bill Williams, explorèrent partiellement la Front Range alors qu'ils pistaient le gibier ; mais la majorité des coureurs des bois préféra s'établir plus au nord, près de la Wind River, dans le Wyoming.

Après la découverte de filons d'or à Cherry Creek, en 1859, un premier camp de tentes apparut sur le site de l'actuelle Denver. Il fallut néanmoins attendre 1860 et la découverte des riches gisements aurifères de Clear Creek pour voir affluer quinze mille prospecteurs. Un an plus tard, après la ruée vers l'or de Pike's Peak, on comptait plus de cinquante mille pionniers dans toute la Front Range.

Des débuts difficiles

En quelques années, Denver devint une cité relativement policée. Un quartier commerçant se développa autour de l'actuel Larimer Square et un quartier résidentiel, aux belles demeures victoriennes, s'érigea non loin de là. Après que la ville eut été ravagée par un incendie, en 1863, les constructions en bois furent bannies et remplacées par d'imposants immeubles en brique. Pourtant, lorsque la fièvre de l'or retomba, Denver connut une décennie difficile. L'enclavement du Colorado rendait difficile l'acheminement du minerai à travers les montagnes et très onéreuse l'importation des marteaux-pilons et des meules rotatives permettant de broyer la roche pour en extraire l'or.

De plus, les Indiens, toujours sur le sentier de la guerre, interrompaient fréquemment les communications et dissuadaient les pionniers de s'implanter dans la région. «Quelques mois de guerre d'extermination contre ces diables rouges suffiront à nous ramener la paix. C'est la seule solution», lisait-on alors dans le *Rocky Mountains News*. Les colons suivirent ce conseil. Les Indiens furent invités à venir signer un traité de paix et quand toutes les tribus furent réunies, la cavalerie chargea... Ainsi furent exterminées les tribus indiennes des Rocheuses.

L'achèvement, en 1870, de la Denver Pacific et de l'Union Pacific Railroad sortit enfin Denver de son isolement. Cette liaison ferroviaire avec Cheyenne et Kansas City engendra un nouvel afflux d'immigrants et la ville poursuivit son expansion le long de la voie. Dès 1880, les chemins de fer de Denver, Rio Grande et Santa Fe totalisaient plus de 3 000 km de voies dans la Front Range et les contreforts des Rocheuses.

Puis la découverte de filons d'argent à Leadville assura une nouvelle prospérité au Colorado pendant plusieurs années. Les mines rapportèrent plus de 11 millions de dollars en 1880 et attirèrent une nouvelle vague d'immigrants. Porte des Rocheuses, Denver bénéficia largement de cette ruée vers l'argent. Les besoins en bois de charpente (pour étayer les galeries minières) et en charbon (pour chauf-

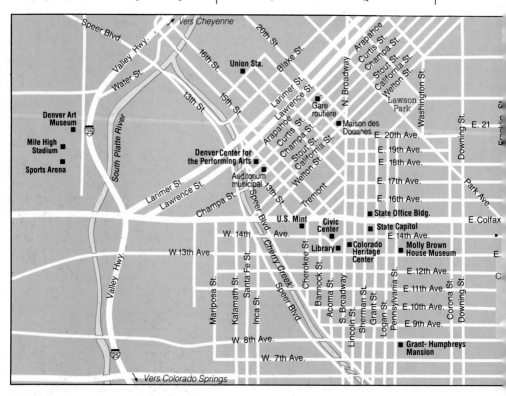

fer maisons et locomotives) lancèrent les premières industries extractives. Grâce à la mise en place de systèmes d'irrigation, l'agriculture connut un développement rapide à Greeley, Longmont et Fort Collins tandis que l'élevage bovin s'implantait dans l'est des Rocheuses. L'université du Colorado ouvrit ses portes en 1877, suivie peu après par le Colorado Agricultural College, l'University of Denver et la Colorado School of Mines. Enfin, Pueblo devint un important centre de fonderies. Toutes ces activités devaient assurer la prospérité du Colorado jusque dans les années 1950.

Les premiers touristes

L'Art Center Mall de Denver, un paradis pour les enfants.

Grâce aux chemins de fer, les Rocheuses ne tardèrent pas à attirer les touristes. Dès 1878, les paysages grandioses, les sources chaudes et les hôtels de luxe de la région drainèrent deux cent mille visiteurs. Les principales attractions touristiques étaient alors les sources chaudes d'Idaho Springs, le Stanley Hotel d'Estes Park, l'Hôtel de Paris et le petit train panoramique de Georgetown, sans oublier les fameux thermes de Colorado Springs et son somptueux Broadmoor Hotel. Grâce à son air sec et vif et à ses nombreuses sources thermales, le Colorado devint vite réputé pour le traitement de la tuberculose et des affections respiratoires.

Après l'effondrement des cours de l'argent en 1893, la Front Range connut une nouvelle période de dépression. Mais, une fois encore, la région fut sauvée par la découverte de gisements aurifères à Cripple Creek — les plus importants jamais mis au jour aux États-Unis.

Entre-temps, les riches pères fondateurs de Denver, soucieux de donner quelque respectabilité à cette ville-champignon boueuse et mal famée, en avaient depuis longtemps fait paver les rues et offert à leurs administrés des jardins publics, des fontaines, des statues, un Capitole et un Civic Center.

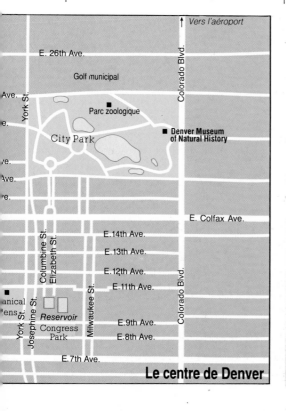

Une ville dynamique

Jusque dans les années 1950, Denver connut la vie paisible des petites villes de province. Mais avec l'augmentation rapide des besoins énergétiques, dans les années 1960, elle se révéla occuper une position stratégique dans la région. Située à proximité des riches gisements de charbon et de schistes bitumineux du Colorado, Denver bénéficiait d'un climat tempéré et offrait de larges possibilités de développement. Aussi la Front Range ne tarda-t-elle pas à devenir un haut lieu de la recherche en matière d'énergie solaire, géothermique et éolienne. Plusieurs compagnies de prospection minière et pétrolière ainsi que des sociétés comme IBM, Kodak ou Samsonite choisirent d'y installer leur siège social. Très récemment, de nombreuses industries technologiques de pointe s'y sont implantées, faisant de la Front Range la Silicon Valley des Rocheuses. Enfin, dans l'ouest de la ville, le gouvernement fédéral a ouvert un immense complexe administratif, le deuxième des États-Unis.

Ainsi, Denver a connu un taux de croissance extraordinaire au cours des deux dernières décennies. La population a augmenté de 30 % entre 1975 et 1985 et, chaque mois, trois mille Américains choisissent d'y élire domicile. La capitale du Colorado est aujourd'hui florissante et s'enorgueillit d'une population jeune et d'un très haut pourcentage de diplômés de l'enseignement supérieur. D'autres statistiques, tout aussi éloquentes, montrent que la ville détient le plus haut ratio mondial de magasins de sports par habitant et le plus haut taux de fréquentation des cinémas des États-Unis.

Une cité-jardin

Il fait bon vivre à Denver. La ville ne compte pas moins de deux cent cinquante parcs et jardins, dont certains furent aménagés dès la fin du siècle dernier. La municipalité gère en outre

Gratte-ciel de Denver se détachant sur les Rocheuses.

8 000 ha de parcs naturels en montagne. La Cherry Creek et la South Platte River, qui traversent Denver, sont bordées de pistes cyclables et d'itinéraires de jogging, et un système de passerelles permet de déambuler dans le centre ville en évitant le flot de la circulation.

La plupart des automobilistes qui se rendent dans les Rocheuses passent par Denver. On ne saurait donc trop leur recommander de s'y arrêter une journée ou deux car cette cité offre une merveilleuse introduction à l'histoire de la région. Le centre (Downtown), flambant neuf, regorge de boutiques et de musées passionnants. Vu les intenses problèmes de circulation et de pollution atmosphérique que connaît Denver, il est conseillé de garer son véhicule à la périphérie de la ville puis d'emprunter une navette gratuite *(shuttle bus)* pour se rendre dans le centre. En effet, les montagnes qui cernent Denver provoquent une stagnation atmosphérique à l'origine de l'un des plus forts taux de

Pittoresques maisons de bois de Georgetown.

pollution des États-Unis. La ville encourage donc vivement les visiteurs à se déplacer à pied et à vélo, ou à emprunter les transports en commun. Les navettes gratuites qui desservent Downtown partent toutes les quatre-vingt-dix secondes de chaque extrémité de 16th Street.

Promenade dans le centre de la ville

Une promenade dans Downtown se doit de commencer par la visite du **Colorado State Capitol**. En gravissant les quatre-vingt-treize marches qui mènent à sa coupole, on jouit d'un beau panorama sur la ville et ses environs. Par temps clair, on peut apercevoir la chaîne des Rocheuses de la frontière du Wyoming jusqu'à Pike's Peak, à plus de 200 km.

Ce point de vue donne une bonne idée du plan de la ville, qui peut paraître confus à prime abord. Comme partout aux États-Unis, les rues et les avenues des quartiers péri-

phériques sont orientées selon les points cardinaux. Mais le centre échappe à cette règle. On dit que, lorsqu'il traça les premières rues en 1858, le général Larimer prit Long's Peak comme point de repère et leur donna une orientation nord-ouest/sud-est.

En face du Capitole se dresse l'imposant **City and County Building**, siège des services administratifs de la ville et du comté, qui, chaque hiver, s'illumine de décorations de Noël. A côté, le **Civic Center Park**, avec ses belles pelouses, ses massifs de fleurs et ses grands arbres, apporte une bouffée d'oxygène.

Derrière Pennsylvania Street, entre 13th et 8th Avenue, se dresse une quarantaine de demeures victoriennes. Le **Molly Brown House and Museum** permet au visiteur d'imaginer la vie de la haute bourgeoisie locale à la fin du siècle dernier. En 1884, la jeune Molly Tobin suivit son frère à Leadville. Là, elle épousa un certain James J. Brown et vint s'établir à Denver, jusqu'à ce jour de 1912 où elle s'embarqua sur le Titanic pour un voyage inaugural... Au moment du naufrage, elle eut une conduite héroïque. Elle poussa un groupe d'immigrants dans une chaloupe et, sous la menace d'un petit revolver dont elle ne se séparait jamais, elle obligea les hommes à ramer jusqu'à l'arrivée des secours, gagnant dans cet épisode son surnom d'«Insubmersible Molly Brown».

Les musées de Denver

A l'angle de 14th Avenue et de Broadway, le **Colorado Heritage Center** retrace l'histoire de la région, des anciens Anasazis, qui vivaient à Mesa Verde, jusqu'aux hardis constructeurs de gratte-ciel. Ne manquez pas la splendide série de dioramas représentant des scènes de chasse au bison, d'anciens forts militaires, les camps de chercheurs d'or et Denver avant l'incendie de 1863. Le musée abrite également une magnifique collection de photographies sur verre de l'Old West.

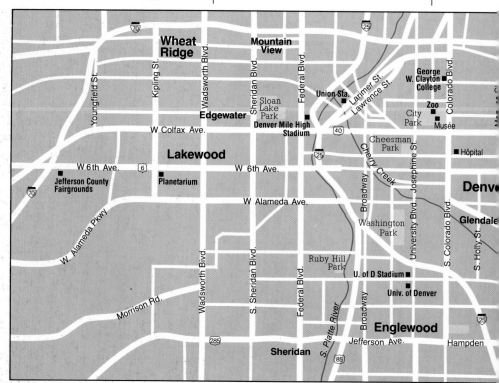

Plus à l'ouest, en contournant la bibliothèque municipale, on parvient au **Denver Art Museum**, un curieux édifice conçu par Gio Ponti et James Sudler. Cette étonnante structure à vingt-huit côtés, habillée de verre fumé gris et couronnée de créneaux suggérant une forteresse, est en soi une œuvre d'art. Outre de nombreuses salles consacrées aux principaux courants artistiques, de l'Antiquité à nos jours, elle abrite l'une des plus belles collections d'art précolombien et indien du monde (neuf mille pièces).

Non loin de là, on peut également visiter le **Denver Firefighters Museum** (musée des Pompiers), le **Trianon Art Museum and Gallery**, qui abrite une magnifique collection de mobilier des XVIIIe et XIXe siècles, ainsi que l'**United States Mint**, où sont frappées quotidiennement trente millions de pièces de monnaie.

A l'angle de 17th Street et de Tremont se dresse le **Brown Palace Hotel**, une somptueuse folie érigée en 1892. Son hall décoré d'onyx et son atrium de neuf étages coiffé d'une verrière de style Tiffany méritent un détour. Dans le hall, on peut encore voir l'entrée du souterrain qui passait sous la rue pour mener discrètement les clients de l'hôtel au Navarre, une maison close à la décoration exubérante. A l'emplacement du Navarre s'élève à présent le **Museum of Western Art**, qui renferme des œuvres d'artistes américains du siècle dernier comme O'Keeffe, Remington, Russell, Moran et Bierstadt.

Les boutiques du Mall

Pour faire du lèche-vitrines, ou prendre une consommation à la terrasse d'un café, rien ne vaut la promenade piétonne de 16th Street, avec ses fontaines, ses plantes grimpantes, ses jongleurs et musiciens ambulants. La galerie marchande de **Tabor Center** regroupe à elle seule quelque soixante-dix boutiques et restaurants. A l'extrémité nord du Mall, on débouche sur **Larimer Square**, où fut, dit-on, éri-

En route pour les Rocheuses.

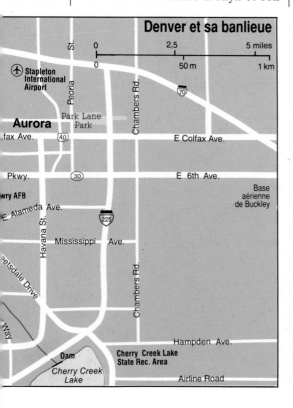

gée la première maison de Denver (en planches de cercueil !). Ses becs de gaz, ses dix-huit maisons et commerces de style victorien évoquent le Denver des années 1890. Chaque année s'y déroulent plusieurs fêtes dont l'Oktoberfest, une fête de la bière à la munichoise.

Au sud-ouest, à quelques blocs de là, le **Center for the Performing Arts** est l'un des hauts lieux de la vie culturelle de Denver. Ce centre culturel, plus vaste que le Lincoln Center de New York, abrite le **Boettcher Concert Hall**, salle de concerts circulaire, une cinémathèque, des studios d'enregistrement, quatre salles de spectacle et l'une des plus importantes compagnies théâtrales des États-Unis.

Dans les environs

A 4,5 km à l'est du centre ville, le **Museum of Natural History** renferme une riche collection de minéraux et de dioramas mettant en scène la faune du monde entier et, bien sûr, des Rocheuses. Mais pour les petits et les grands enfants, le **Gates Planetarium** et l'**IMAX Theatre** constituent une attraction de choix. Le premier propose une véritable visite du système solaire. L'IMAX Theatre, quant à lui, possède le plus grand projecteur du monde, un écran panoramique géant et trente haut-parleurs qui raviront les cinéphiles et les amateurs de technologie de pointe. On n'a plus l'impression d'assister à une simple projection mais bien plutôt d'être plongé dans un film en quatre dimensions. Enfin, de l'autre côté du City Park et de son lac, on peut visiter le **Parc zoologique de Denver**.

Les **Denver Botanical Gardens** présentent une belle sélection d'orchidées et de plantes tropicales sous serre, ainsi que de nombreux jardins miniatures en plein air, dont le Rock Alpine Garden, qui constitue une bonne introduction à la flore des Rocheuses.

Denver possède également plusieurs parcs d'attractions. Le plus ancien et le plus grand, **Elitch Gardens**, à l'est de la ville, est un lieu charmant agrémenté de jardins et de plans d'eau. On y trouve de nombreux manèges à l'ancienne, des montagnes russes et un théâtre de verdure, l'**Elitch Theatre Company**. Parmi les autres parcs d'attractions, citons le **Lakeside Amusement Park**, au nord d'Elitch, et le quartier de **Heritage Square**, à Golden (19 km à l'ouest de Denver), réplique d'une ville de l'Ouest des années 1870.

Les habitants du Colorado sont tous des supporters inconditionnels des Bronco, l'équipe de football américain de Denver, et vont applaudir leurs idoles au **Mile High Stadium**, derrière Colfax Avenue, dans l'ouest de la ville. Les autres fans de sport se retrouvent au **MacNichols Arena**, où les Nuggets et les Flames exercent leur talent respectivement au basket-ball et au hockey. On y trouve aussi un cynodrome et un hippodrome. C'est également là que se déroule en janvier le National Western Stock Show, qui réunit tous les cow-boys pour dix jours de rodéos, de spectacles et de ventes aux enchères de chevaux.

A gauche, souvenir du Far West : l'Imperial Hotel de Cripple Creek (Colorado); Ci-dessous, planeurs au-dessus de Pike's Peak (Colorado).

Denver la nuit

Denver comptant plus de deux mille restaurants, chacun, quels que soient ses goûts, est assuré d'y faire bonne chère. La viande de bœuf est, bien sûr, la grande spécialité locale, mais on peut aussi déguster du bison, du gibier ainsi que les délicieuses truites arc-en-ciel des Rocheuses. La cuisine mexicaine est également à l'honneur mais plus authentique dans les petits restaurants de banlieue que dans les établissements chics du centre.

Les noctambules trouveront à **Glendale**, un quartier du sud-est de la ville, nombre de restaurants, saloons et discothèques avec orchestre de rock, de swing ou de country. Plus près du centre, East Hampden Boulevard, South Parker Road, South Monaco Boulevard, East et West Colfax offrent également de nombreuses distractions nocturnes.

Peut-être serez-vous tenté d'assister à l'un des nombreux concerts en plein air organisés chaque été dans le **Red Rocks Amphitheatre** (19 km à l'ouest de la ville). Ses gradins taillés dans le grès d'un vaste cirque naturel peuvent accueillir huit mille spectateurs.

En route pour le sud

De Denver, on peut partir à la découverte du sud du Colorado en prenant la U. S. Highway 85-87, et faire une première halte à Colorado Spring (110 km).

Comme maintes cités des montagnes Rocheuses, **Colorado Springs** fut d'abord un camp de prospecteurs, avant de devenir une station thermale réputée pour le traitement des affections respiratoires. La ville fut bâtie (littéralement) dans les années 1870 par William Jackson Palmer, un magnat du rail qui voulait en faire un lieu de cures réservé à une élite. Mais au début du siècle, à l'instigation de Spencer Penrose, la station s'ouvrit à un public plus vaste. En l'espace de dix ans, cet énergique entrepreneur fit construire un zoo, un terrain de polo, une arène, un funiculaire conduisant au sommet de Pike's Peak et une autoroute, la Cheyenne Mountain Highway. Il fit aussi restaurer le Casino et le Broadmoor Hotel, et dota la ville d'une bibliothèque et de nombreux bâtiments administratifs. Son zèle, soutenu par d'importantes campagnes publicitaires, fut récompensé.

Colorado Springs devint ainsi une petite cité florissante mais, au moment de la Seconde Guerre mondiale, prévoyant un déclin du tourisme, la municipalité décida d'inviter l'armée de l'air en mettant gracieusement à sa disposition 14 000 ha. On vit bientôt se construire **Fort Carson**, puis l'**Ent Air Force Base**, quartier général de la défense aérienne américaine, enterré dans le flanc de la Cheyenne Mountain. Dernière venue, l'**Air Force Academy** se distingue par une architecture audacieuse. On peut visiter les principaux bâtiments de cette école militaire, assister au dressage de splendides faucons (certains ne sont élevés que pour leurs œufs) et à la parade des cadets, qui a lieu tous les jours à midi.

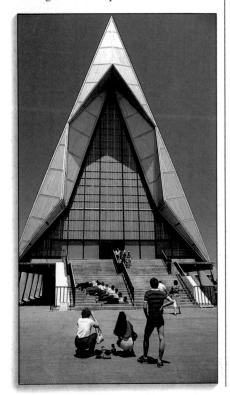

Chapelle futuriste de l'Air Force Academy de Colorado Springs.

Aujourd'hui Colorado Springs présente un curieux mélange de « pièges à touristes » et de vieilles demeures authentiques, de zones d'urbanisation sauvage et de quartiers résidentiels. On y trouve de nombreuses attractions : le **Hall of the Presidents Wax Museum** (musée de cire représentant les différents présidents américains), le **Cheyenne Mountain Zoo**, l'**American Numismatic Museum** (pièces, médailles, etc.) et le **Flying Chuckwagon Supper and Western Show**, spectacle à la gloire des cowboys. Le **Van Briggle Pottery Studio** permet de s'initier à l'art de la poterie tandis que le **Seven Falls** ainsi que le **Western Museum of Mining and Industry** reconstituent le monde des prospecteurs. On ne manquera pas, bien sûr, d'aller admirer les deux principales merveilles naturelles de la région, **Pike's Peak** et les aiguilles et monolithes de grès rouge du **Garden of the Gods**, qui, selon les légendes utes, étaient des envahisseurs pétrifiés par le Grand Manitou.

Cadets de l'armée de l'air dans le rôle inattendu de fauconniers.

La région de Pike's Peak

De Colorado Springs, on peut gagner **Cripple Creek** (110 km) en prenant l'U.S. 24 vers l'ouest puis la State 67, une route secondaire assez mauvaise qui contourne **Pike's Peak** (se renseigner au préalable sur sa viabilité).

La route dessert **Manitou Springs**, pittoresque petite station thermale située à 80 km de Colorado Springs. La plupart de ses maisons, perchées à flanc de montagne, ont conservé tout leur charme victorien. On peut y visiter le **Buffalo Bill Wax Museum** (musée de cire), **Miramount Castle** (un manoir victorien construit par un prêtre français), et prendre le funiculaire qui grimpe au sommet de **Mount Manitou** ou le chemin de fer à crémaillère qui monte jusqu'à **Pike's Peak**.

Nichée à 3 000 m d'altitude, dans le cratère d'un volcan depuis longtemps éteint, Cripple Creek fut l'une des plus prospères cités minières du Colorado dans les années 1890. Au début de ce

siècle, elle comptait plus de cinq cents mines en activité, cinquante mille habitants, cent trente-neuf saloons et quatorze journaux locaux. « A Cripple Creek, l'or pousse comme le raisin sur la vigne », disait-on alors. Aujourd'hui, cette « ville fantôme » vit du tourisme mais conserve un charme certain. Rares sont les habitants qui se souviennent des temps héroïques mais tous, jeunes et vieux, savourent la sérénité et la beauté du site.

Un antique train à vapeur, le Narrow Gauge Railroad, fait le tour de plusieurs concessions abandonnées avant de gagner Anaconda, l'une des plus importantes mines de la localité. On peut descendre dans le puits de la Mollie Kathleen Gold Mine pour voir les conditions dans lesquelles travaillaient les premiers chercheurs d'or, à 300 m sous terre. S'il n'est plus exploité, le gisement aurifère de Cripple Creek est loin d'être épuisé et les touristes peuvent s'initier sur place à l'art du battage et — qui sait ? — découvrir une pépite.

Si vous décidez de passer une nuit à Cripple Creek, ne manquez pas de descendre à l'**Imperial** — le seul hôtel datant des jours héroïques, qui a conservé son mobilier d'époque — ni d'assister à une représentation du **Victorian Melodrama Theatre** (le public siffle le « méchant » dès qu'il apparaît sur scène !).

Revenez vers Colorado Springs, et reprenez l'Interstate 25 pour rallier **Pueblo** (160 km au sud de Denver). Pueblo est la ville la plus méridionale de la Front Range. Cette cité fut à ses débuts un modeste comptoir d'échanges au confluent de l'Arkansas et de la Foutain River, à la croisée des pistes qui s'engageaient dans la montagne. Avant que le Nouveau-Mexique ne devînt un État de l'Union, au terme du conflit hispano-américain de 1846, c'était aussi le premier point d'eau passé la frontière mexicaine.

Grâce à l'arrivée de la Rio Grande Railroad, en 1872, Pueblo put se spécialiser dans le traitement des minerais. Siège du Colorado Fuel and Iron

Baignade dans une source chaude.

Mills, l'une des plus grosses entreprises de l'État, la ville a conservé sa vocation sidérurgique et charbonnière, mais c'est aussi un important centre d'échanges agricoles.

C'est à Pueblo qu'apparaissent les premiers bâtiments d'adobe caractéristiques du sud-ouest des États-Unis, qui vont de pair avec une importante population d'origine hispanique. Chaque année, lors de la dernière semaine d'août, la cité accueille la Colorado State Fair, dont les rodéos, courses de chevaux et autres attractions attirent des milliers de visiteurs.

Les Sangre de Cristo Mountains

Les San Juan Mountains offrent de belles promenades à l'est et au sud de Pueblo. On peut suivre l'U.S. 87 jusqu'à Walsenburg, puis prendre la State Highway 160 vers le Great Sand Dunes National Monument, qui tranche sur la végétation luxuriante de la San Luis Valley. Longue de 16 km, cette bande de sable doré aux reliefs fluctuants se parcourt à pied ou en Jeep en suivant le cours du **Medano Creek**.

De Walsenburg, on peut retourner vers Pueblo, Colorado Springs ou Denver en prenant le chemin des écoliers, la State 69, qui traverse la **Huerfano River Valley** et la **San Isabel National Forest** (se renseigner à Walsenberg sur la viabilité de cette route). Aux environs de **Gardner**, on admirera le Gardner Cone, un rocher solitaire cerné de pins pignons, dont les graines sont à l'automne un vrai régal. De Gardner, la route s'élève jusqu'au **Promontory Divide**, d'où l'on découvre un splendide panorama sur les Sangre de Cristo Mountains. Les vallées, de part et d'autre de la Ligne de partage des eaux, présentent de saisissants contrastes : aux maisons d'adobe de la Huerfano River Valley, signes d'une forte population hispanique, s'opposent les grandes fermes blanches et granges rouges en bois de la **Wet Mountain Valley**, colonisée essentiellement par des Allemands.

Route taillée à flanc de canyon près de Pike's Peak.

A **Westcliffe**, empruntez la State 96 vers l'est pour gagner **Silver Cliff**, une cité minière qui fut autrefois la troisième ville de l'État avant de s'éteindre aussi soudainement qu'elle était sortie de terre. De **Wetmore**, vous pourrez continuer en direction de Pueblo ou prendre la State 67 vers Florence et Cañon City.

A l'ouest de Denver

De Denver, on peut prendre la Valley Highway puis l'Interstate 70 pour rallier **Golden** (20 km). Les amateurs de vieilles locomotives ne manqueront pas de faire un détour par le **Colorado Railroad Museum**. Golden abrite une école des mines réputée mais elle est surtout connue pour sa grande brasserie, la **Coors Brewery** (visite et dégustation gratuites). De Golden, une route panoramique grimpe au sommet de la **Lookout Mountain** (belle vue sur Denver), où s'élèvent la tombe de Buffalo Bill et un intéressant musée consacré au plus célèbre cow-boy de

l'Ouest (**Buffalo Bill Cody's Grave and Museum**). Également dans les environs de Golden, **Evergreen** est un plaisant lieu de villégiature. On peut y visiter un curieux musée des cloches, l'**International Bell Museum**. Son lac attire plaisanciers et nageurs en été, patineurs en hiver.

Un des plus beaux itinéraires du Colorado quitte Golden par la State 6 et grimpe au flanc de **Clear Creek Canyon** en empruntant une ancienne voie de chemin de fer. En prenant ensuite la State 119, sur la droite, on peut rejoindre Central City ou poursuivre vers Boulder via Rollinsville et Nederland.

Central City est l'une des cités minières les mieux conservées des Rocheuses, avec ses trottoirs en planches et ses imposantes demeures en pierre et brique construites par les prospecteurs au siècle dernier. A l'époque de la ruée vers l'or, ses mines étaient si productives que les habitants de Denver n'hésitaient pas à tout délaisser pour se précipiter vers

Le « jardin des Dieux », à Colorado Springs.

« l'arpent de terre le plus riche du monde ». On pourra faire un agréable séjour ou un plantureux repas pour un prix raisonnable à la **Teller House**, vénérable hôtel (1872) que le président Grant, Oscar Wilde, le baron Rothschild et bien d'autres célébrités ont honoré de leur visite. A voir également, l'**Opera House**, construite en 1878, qui propose des dîners-spectacles en hiver et programme des opéras en juillet-août.

Pour rester fidèle à l'esprit des pionniers, Central City célèbre chaque été le Madam Lou Bunch Day en souvenir des « filles de la maison de plaisirs ». Une course de lits est organisée dans Main Street et le soir, chacun revêt ses plus beaux atours pour aller danser au Madam and Miners Ball.

On ralliera ensuite l'Interstate 70, à **Idaho Springs**, ancienne ville de mineurs reconvertie en station thermale, grâce à la présence de sources chaudes dont les vertus curatives étaient déjà connues des Utes. Pour apprécier le pouvoir régénérant de ces eaux légèrement radioactives, on peut descendre à l'**Indian Springs Resort**, hôtel de cures simple et peu onéreux.

A 32 km à l'ouest d'Idaho Springs, un peu en retrait de l'Interstate 70, s'étend **Georgetown,** autre ancienne cité minière aux rues étroites bordées de belles demeures victoriennes. Les Français ne manqueront pas de visiter le bel Hôtel de Paris, construit en 1875 par un certain Louis Dupuy et transformé en musée. Ce Normand se fit journaliste à Londres, puis s'engagea dans l'U.S. Army avant de déserter et de créer ce havre luxueux pour cowboys gastronomes.

Le vieux chemin de fer du **Georgetown Loop**, qui relie la ville à **Silver Plume**, offre une pittoresque promenade à travers diverses mines abandonnées. Botanistes et randonneurs pourront suivre l'étroite route (attention au vertige !), au nord de Georgetown, qui grimpe à travers des pâturages parsemés de fleurs et des forêts de conifères jusqu'au col désertique de **Guanella Pass**.

Boutiques de Central City.

De retour à Idaho Springs, on empruntera la State 40, une belle route panoramique qui, après avoir franchi le Continental Divide à Berthoud Pass, descend vers les domaines skiables de Berthoud et de Winter Park, puis traverse Granby pour atteindre Grand Lake, **Shadow Mountain** et **Granby Reservoir**. A Granby, la State 34 suit le bras septentrional du Colorado à travers la Kawuneeche Valley avant de remonter vers le Rocky Mountain National Park. De là, elle redescend ensuite vers Estes Park et la Front Range.

Porte d'accès du Parc national de Rocky Mountain, la petite ville d'**Estes Park**, très animée l'été, est nichée au fond d'une magnifique vallée cernée de pics enneigés. En hiver, Estes Park devient le point de ralliement de tous les amateurs de ski de fond de la région.

Sur la route du Wyoming, **Fort Collins** qui, comme son l'indique, fut autrefois une ville de garnison, constitue une agréable étape. Ce bourg à vocation agricole (culture industrielle de la betterave) est aussi le siège de la **Colorado State University**, qui lui donne une touche de sophistication. Plus au sud, **Loveland** a su tirer profit de son nom (« le pays de l'Amour ») : le jour de la Saint-Valentin, les amoureux viennent de fort loin pour envoyer un billet doux portant le cachet de la poste de Loveland à l'élu(e) de leur cœur. Encore un peu plus au sud, **Longmont** est une petite ville typique de cow-boys modernes.

Boulder

Boulder est en train de devenir le « réservoir de matière grise » des États-Unis. Séduits par son cadre enchanteur, sont en effet venus s'y installer IBM, le National Center for Atmospheric Research, la Ball Corporation, Rockwell International et quantité d'instituts et de sociétés spécialisées dans l'électronique et les technologies de pointe.

Boulder est une ville jeune et dynamique. Les instituts de médecine douce et tout ce qui touche aux modes de vie alternatifs font l'objet d'un même enthousiasme que l'univers du high-tech. Ses habitants vouent un véritable culte à l'exercice physique : la plupart des rues sont doublées de pistes cyclables et on compte près de 50 km de chemins réservés aux joggeurs. Les grimpeurs, quant à eux, se retrouvent au Flatirons, un pic qui domine l'ouest de la ville.

Boulder est aussi devenue un important centre artistique. Chaque été, de nombreux concerts en plein air sont donnés à **Chautauqua**, dans le cadre du Music Festival, tandis que l'université organise un Shakespearian Festival. Boulder possède aussi un orchestre philharmonique, une demi-douzaine de théâtres, une école de mime, un centre d'arts plastiques et quelques dizaines de galeries, comme la **White Horse Gallery**, internationalement renommée pour ses collections d'art indien. Les amateurs de jazz se retrouvent au **Blue Note**, et les amateurs de musique country au **Hi-Lo Inn**.

Ci-dessous, le jardin des Dieux de Colorado Springs ; à droite, promenade en canoë sur Grand Lake.

LES VILLES DE MONTAGNE DU COLORADO

Le Continental Divide et ses sommets occupent les deux tiers du territoire du Colorado. L'itinéraire qui suit la ligne de crêtes permet de découvrir quantité de villages pittoresques, parfois vieux d'un siècle, et les panoramas souvent grandioses des petits chemins de montagne.

Les pistes empierrées et les chemins de terre des Rocheuses sont réservés aux plus intrépides, qui les aborderont toutefois avec précaution car nids-de-poule et fondrières mettent les véhicules à rude épreuve. Il faut donc s'assurer de disposer d'un engin robuste, doté d'une bonne garde au sol, pour franchir les ruisseaux à gué et descendre les talus boueux. Avant de partir en expédition, faites toujours le plein d'essence et renseignez-vous sur l'état des pistes.

Respectez les règles de la conduite en montagne : sur voie étroite, les véhicules montant ont priorité ; après avoir ouvert une barrière, refermez-la toujours derrière vous ; ralentissez lorsque vous croisez des cavaliers et des piétons. Ne sortez jamais des pistes : la flore alpine, très fragile, mettrait des années à se reconstituer. Et sachez enfin que les fleurs de colombine font partie des espèces protégées. Ne les cueillez pas : elles perdent immédiatement leurs couleurs et vous en feriez sans doute de même en apprenant que vous êtes passible d'une amende de trois cents dollars.

Les grands lacs du Colorado

Le Rocky Mountain National Park (voir pp. 156-159) est sans doute le meilleur point de départ à une visite des Rocheuses du Colorado. L'entrée sud-ouest du parc se trouve à proximité de **Granby**. Cet ancien comptoir commerçant où venaient autrefois se ravitailler tous les prospecteurs de la

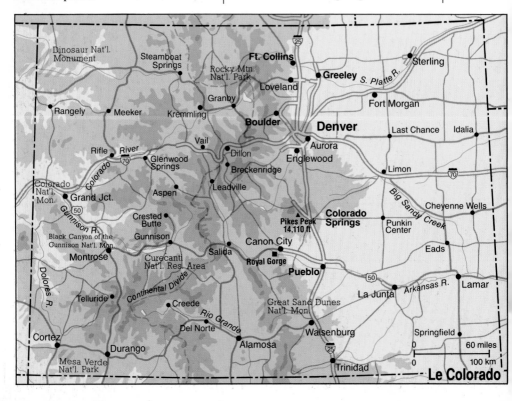

Le Colorado

région est devenu le point de ralliement des amateurs de sports nautiques en raison de la proximité des vastes plans d'eau du Grand Lake, du Shadow Mountain Reservoir, du Lake Granby et du Willow Creek Reservoir.

La marina de **Grand Lake** est très fréquentée en été et des régates sont régulièrement organisées par le club nautique local. On peut y louer des planches à voile et des bateaux à rames, à voiles ou à moteur.

De nombreuses légendes entourent Grand Lake, le «lac aux Esprits» des Utes. En effet, lorsque cette tribu était attaquée par les Cheyennes ou les Arapahoes, femmes et enfants se réfugiaient sur un vaste radeau au milieu du lac. Or un jour que les Utes venaient de remporter la victoire, une violente tempête se leva sur le lac, le radeau fut pris dans un tourbillon et tous ses passagers périrent noyés. Depuis lors, la légende assure que les brumes qui se lèvent parfois sur ces eaux sont la manifestation de ces âmes incapables de trouver le repos...

De Granby, l'U.S. Highway 40 conduit soit au domaine skiable de Winter Park, au sud-est, soit à Sulphur Springs et Steamboat Springs, au nord-ouest. La route longe alors le cours du Colorado, traverse la petite cité minière de Kremmling, puis grimpe vers Rabbit Ears Pass avant de redescendre vers Steamboat Springs et la Yampa Valley.

Le pays des cow-boys

Steamboat Springs est une bourgade à deux visages. Le village proprement dit se résume à une longue rue de western bordée de saloons, tandis que quelques kilomètres plus haut s'élève Steamboat Resort, avec ses résidences modernes, ses boutiques de sport et ses remonte-pentes. N'en déplaise aux dépliants touristiques qui ne vantent que les mérites de la station de sports d'hiver, le charme de Steamboat tient surtout à son cachet western.

La saison hivernale est ponctuée de nombreuses fêtes, tel le carnaval qui,

Pages précédentes : vue panoramique de la station de Steamboat. Ci-dessous, l'arrivée des œufs du Silver Bullet, à Steamboat.

en février, donne lieu à plusieurs manifestations sportives et défilés, mais aussi à une étonnante course de skieurs tractés par des chevaux, dans Main Street.

Été comme hiver, il se passe toujours quelque chose dans l'immense complexe sportif de Howelsen Hill, qui regroupe un tremplin de saut à ski, une patinoire, une arène de rodéo, des courts de tennis, des terrains de football et de rugby ainsi qu'un champ de courses. En été, on peut faire de superbes promenades à pied ou à cheval dans les environs. En suivant la **Routt National Forest**, on peut vagabonder jusqu'à la frontière du Wyoming sans rencontrer âme qui vive.

Slavonia, au nord, ou le terrain de camping baigné par l'Elk, près du **Zirkel Wilderness**, constituent d'excellents points de ralliement pour les randonneurs. On trouvera également plusieurs terrains de camping aux alentours de **Hahns Peak Village**, à 40 km au nord de Steamboat Springs,

sur la State 129. Non loin de là s'étend **Steamboat Lake**, excellente aire de sports nautiques. On peut également pêcher, se baigner ou faire du canoëkayak sur la Yampa et sur l'Elk, ou aller admirer les **Fish Creek Falls** (cascades de 85 m). Steamboat Springs, comme son nom l'indique, est aussi une station thermale ; la Chambre de commerce locale se fera un plaisir de vous indiquer les sources chaudes qui sont ouvertes au public.

Au sud de Steamboat, la State 131 suit les méandres de la Yampa River et traverse une magnifique vallée consacrée à l'élevage bovin. A **Yampa**, ne manquez pas de pousser la porte de l'Antlers Cafe & Bar. Avec ses aigles empaillés, ses tableaux anciens et son comptoir patiné, ce vieux relais de poste a su rester fidèle à la tradition de l'Ouest. Dans le même esprit, on pourra s'arrêter un peu plus loin, à **Toponas**, pour admirer le People's Store, un bazar du siècle dernier.

Là, on peut prendre la State 134, vers l'est pour franchir la Gore Pass et

Véliplanchistes sur l'un des nombreux lacs du Colorado.

la **Gore Range**, deux sites qui immortalisent le nom de Sir George Gore. Cet aristocrate irlandais loua les services du trappeur Jim Bridger pour organiser dans la région, en 1855, l'une des premières grandes parties de chasse du Colorado. Avec quarante autres chasseurs, il aurait massacré plusieurs milliers de bisons, d'ours, de cerfs, d'élans et d'antilopes, s'attirant la haine farouche des Utes dont il avait mis en péril les réserves hivernales de gibier.

Summit County et ses environs

On peut rejoindre le Summit County, au sud de la Gore Range, par la State 131 ou en prenant la State 9 à Kremmling. Ce comté regroupe plusieurs vallées et lieux de villégiature situés à proximité de l'Interstate 70, entre le col de Vail et le tunnel Eisenhower : **Dillon**, à proximité de l'immense plan d'eau navigable de **Dillon Reservoir** ; les deux stations de ski de Keystone et de Copper Mountain ; ainsi que Breckenridge qui se vante d'être « la plus vieille cité minière du Colorado ».

On dit que la fièvre du métal jaune s'empara de **Breckenridge** le jour où un coiffeur s'aperçut qu'un de ses clients avait de la poudre d'or dans les cheveux ! La ville abrite plus de trois cent cinquante demeures victoriennes, boutiques et saloons consciencieusement restaurés, tandis que tout autour s'élèvent de luxueux hôtels et des résidences modernes qui affichent complet l'hiver. En été, les plaisirs de l'équitation et de la randonnée attirent également de nombreux visiteurs.

Quand, en 1876, le Colorado devint le 38e État de l'Union, Breckenridge fut quelque peu laissée pour compte et ses habitants, mortifiés, n'acceptèrent de s'intégrer à la nation américaine qu'en 1936 à condition que leur ville recouvre « sa liberté et son indépendance trois jours par an ». C'est ainsi que chaque été, en août, visiteurs et autochtones se retrouvent pendant trois jours dans un no man's land, évé-

Red Mountain Pass, entre Ouray et Silverton, au printemps.

nement célébré par des barbecues, un défilé et des bals.

Deux routes pittoresques partent de Breckenridge vers le sud. La première, une simple piste empierrée, franchit le Continental Divide à Boreas Pass avant de descendre vers le South Park. Cet ancien chemin de diligences passe non loin de nombreuses mines désaffectées. La seconde, la State 9, franchit le Continental Divide à Hoosier Pass pour rejoindre **Alma** et Fairplay. Les monts Silverheels (« Talons d'argent ») commémorent le souvenir d'une danseuse de revue qui soigna courageusement les prospecteurs d'Alma lors d'une épidémie de variole, avant de disparaître mystérieusement.

La State 9 suit la South Platte River jusqu'aux cabanes en rondins de **Fairplay**. Le héros local est un âne baptisé Prunes. Lorsqu'il mourut, après soixante-trois ans de bons et loyaux services, on lui érigea une statue et son maître exigea d'être enterré à ses côtés. En souvenir de Prunes, la municipalité organise, le dernier week-end de juillet, une World Championship Pack Burro Race, course burlesque « âne » pas manquer ! A voir également, le **South Park City Museum**, une rue de trente-cinq bâtiments restaurés comme à l'époque de la ruée vers l'or, avec saloons et bazar.

Vers Leadville

Deux itinéraires mènent de Fairplay à Leadville. Le premier passe par la Weston Pass et offre de splendides panoramas, mais la route, fort dégradée, risque d'être impraticable par endroits, aussi faut-il s'assurer de sa viabilité avant de s'y engager. Le second suit l'U.S. 285 jusqu'à **Buena Vista**, puis l'U.S. 24 en longeant l'Arkansas River et la **Collegiate Range**. Chaque année, les étudiants des plus grandes universités américaines se retrouvent au pied du massif pour faire l'ascension du pic qui a donné son nom à leur établissement — Yale, Harvard, Princeton ou Columbia. Mais nul besoin d'être sorti de l'*alma mater* pour jouir des panoramas de la Sawatch Range !

A gauche, le Père Noël vient aussi skier à Keystone ; à droite, jeune femme en tenue locale, mi-western, mi-sports d'hiver.

Leadville doit sa fortune légendaire à ses nombreuses mines d'or. Ne dit-on pas qu'un jour d'hiver un fossoyeur découvrit une mine en dynamitant le sol gelé pour y creuser une tombe ? Immédiatement, la foule en folie transforma le cimetière en terrain de fouilles... Horace Tabor, le magnat local, dépensa des fortunes pour bâtir un opéra et embellir sa cité. Des rois, des présidents et des vedettes internationales vinrent se faire acclamer dans cette ville. Leadville déclina brutalement après l'épuisement des filons et ne retrouva un éphémère regain d'activité que lors de la Prohibition, quand des bootleggers installèrent des distilleries clandestines dans les mines abandonnées !

Les immenses terrils, les bâtiments délabrés de Leadville et les montagnes environnantes totalement déboisées manquent de pittoresque, mais la ville s'efforce de faire revivre son passé à travers plusieurs musées, comme **Healy House**, **Dexter Cabin** ou **Matchless Cabin**.

Leadville a conservé sa vocation minière, mais les activités d'extraction se sont aujourd'hui déplacées dans les immenses mines de molybdène de Climax, à une vingtaine de kilomètres de là.

On peut visiter de nombreuses villes fantômes dans les environs. Rexford, Swandyke, Boreas, Dyersville, Sacramento ou Ashcroft, parmi les plus connues, sont souvent desservies par des pistes à peine carrossables. Ne vous engagez sur ces chemins qu'en 4x4, muni de cartes et d'une boussole et, une fois sur place, ne prenez rien d'autre... que des photos !

De Leadville, on peut rejoindre **Vail** en prenant l'U. S. 24 vers le nord, via la Tennessee Pass (3 177 m). Vail et ses deux stations satellites, Avon et Beaver Creek, possèdent le plus beau domaine skiable des États-Unis. Autrefois simple ville d'étape, Vail est devenue le rendez-vous des sportifs et des célébrités du monde entier.

De nombreuses manifestations y sont organisées chaque été. Dès le début du mois de juin, la Summer Vail Kick-Off Celebration donne lieu à des tournois de tennis, de golf et à des compétitions de ski sur herbe. Puis viennent d'autres attractions : un festival international de marionnettes, une célèbre course cycliste, la Coors International Bicycle Classic ; un tournoi de tennis qui réunit des professionnels à Beaver Creek et un festival de jazz, le Big Band Swing Festival.

De Leadville à Aspen

De Leadville, on peut rallier Aspen (180 km) en prenant l'U. S. 24 vers le sud puis la State 82 qui passe par Twin Lakes et franchit le Continental Divide à Independence Pass. L'auberge de **Twin Lakes** propose de copieux menus et son propriétaire élève quelques loups, qui sont parfois enchaînés au bar.

D'Independence Pass, la State 82 redescend en virages tortueux vers la vallée de la Roaring Fork River. La route est jalonnée de terrains de camping et de sentiers de grandes randonnée. Les **Grottoes** et le **Devil's Punch**

Bowl, sculptés par la Roaring Fork River, offrent d'agréables points de halte pour un pique-nique ou une baignade (attention cependant au courant dans le Devil's Punch Bowl).

La renommée d'Aspen est telle que nous lui avons consacré un chapitre (voir pp. 208-213). De la station, les randonneurs pourront se lancer sur des sentiers peu fréquentés à la découverte de ravissants lacs de montagne ou de ruisseaux regorgeant de truites. Les **Maroon Bells**, deux pics jumeaux surplombant un petit lac, sont l'un des sites les plus photographiés des Rocheuses. Il est possible de camper à proximité à condition de réserver longtemps à l'avance.

Derrière ces pics s'étend une vaste contrée sauvage, dont l'exploration peut prendre plusieurs mois. A l'ouest, de l'autre côté de l'Elk Range, on rejoint Castle Creek et **Ashcroft**, une ancienne cité minière qui revit chaque hiver grâce au ski de fond. Sa **Pine Creek Cookhouse** propose de plantureux déjeuners pour un prix très

La Wheeler Opera House, à Aspen.

modique. Enfin, d'Aspen, on peut également rallier **Hunter Creek**, une ville fantôme perdue dans une haute vallée, à l'est de Red Mountain.

Suivez la State 82 à la sortie ouest d'Aspen jusqu'à **Carbondale** (50 km), au pied du majestueux Mount Sopris, et prenez la State 133 qui suit les méandres de la Crystal River vers le sud. De l'autre côté de la rivière court une vieille voie ferrée jonchée de blocs de marbre provenant des carrières de Marble.

Vous pourrez faire halte à **Redstone**, une ancienne communauté utopique fondée par un prospecteur enrichi. Ce visionnaire avait rêvé d'édifier une cité fondée sur l'égalité et la communauté des biens sur laquelle il régnerait depuis son château, **Redstone Castle**. Aujourd'hui le manoir — que l'on dit hanté — se visite et l'on peut ensuite faire un repas fort convenable à la **Redstone Inn**.

Passé Placita, les véhicules tout-terrain peuvent prendre à gauche la piste qui mène à Marble et à Crested Butte via Schofield Pass (3 265 m). C'est des carrières de **Marble** que fut extrait le bloc de marbre de 50 tonnes qui servit à édifier le Lincoln Memorial et la tombe du Soldat inconnu à Washington. Si le bourg compta jusqu'à deux mille habitants, ses cabanes en rondins n'abritent plus que des vacanciers l'été. A quelques kilomètres de là, l'immense marbrière creusée à flanc de montagne, où l'écho joue inlassablement, mérite le détour.

Vers Crested Butte et Gunnison

De **Placita**, la State 133 grimpe jusqu'à McClure Pass (2 669 m) pour redescendre dans une vallée fertile qui produit d'excellentes pêches. Une halte dans les vergers de Paonia, de Delta ou d'Hotchkiss vous permettra de faire ample provision de cerises, de pommes, de pêches ou de légumes.

De **Paonia**, une route empierrée relativement bien entretenue permet de rejoindre Crested Butte via Kebler Pass (3 042 m). A vol d'oiseau, Crested

Le Maroon Bells Peak, qui domine Aspen.

Butte est très proche d'Aspen, dont elle n'est séparée que par le Continental Divide, mais par la route, la station semble être à l'autre bout du monde. Pourtant, grâce à cet isolement, Crested Butte a conservé tout son cachet montagnard. Célèbre pour sa poudreuse et ses pistes de ski, elle offre l'été les mêmes attractions que les autres stations des Rocheuses.

De Crested Butte, on peut rallier Gunnison en suivant la State 135, via Almon, ou en prenant la piste qui passe par Ohio Pass (3 682 m) et Baldwin. On pourra s'arrêter dans cette bourgade pour visiter le **Gunnison County Pionner and Historical Society Museum** (minéraux, costumes, bâtiments du siècle dernier reconstitués) ou pêcher la truite dans les lacs et cascades environnantes.

De Gunnison à Telluride

De Gunnison, la U. S. Highway permet de rejoindre **Montrose**, à 100 km à l'ouest, et de là, de gagner Ouray,

Silverton et Telluride en suivant la U. S. 550.

Ouray, charmante bourgade qui porte le nom d'un chef ute, est nichée une haute vallée cernée de pics impressionnants. On y trouve quelques sources chaudes et plusieurs monuments historiques comme le **Beaumont Hotel**, le **Wright's Opera Hall** et le **Western Hotel**.

Un terrain de camping a été aménagé, à l'est de la ville, dans un magnifique cirque glaciaire ; la plupart des sommets environnants dépassent 4 200 m et réservent de superbes balades, à pied ou en 4x4. Ainsi, on pourra faire une belle excursion d'une journée en suivant les pistes de **Box Canyon** qui longent le cours du Canyon Creek, un cours d'eau impétueux qui descend en cascades vers la plaine.

Silverton (« la Tonne d'argent ») se trouve à 37 km au sud d'Ouray, de l'autre côté de Red Mountain Pass. Les antiques locomotives à vapeur qui promènent aujourd'hui les touristes entre Silverton et Durango en traversant quelques villes fantômes ont jadis transporté pour plus de trois cent millions de dollars de minerai d'or et d'argent.

Pour gagner Telluride, reprenez ensuite l'U. S. 550 jusqu'à **Ridgway**. A quelques kilomètres au nord de cette ancienne cité minière, les campeurs pourront faire halte au **Dallas Creek East Fork**, un terrain généralement désert avec vue sur le mont Sneffels. De Ridgway, prenez la State 62 jusqu'à Placerville. De là, la State 145 vous conduira à Telluride.

Nichée dans une étroite vallée cernée de sommets enneigés qui rappellent les Alpes, Telluride a conservé tout son charme. Quelques bars, de nombreuses vieilles demeures et la banque qui fut, dit-on, attaquée par Butch Cassidy, y parlent encore du passé. En hiver, Telluride se consacre au ski ; mais l'été, la petite station organise un Jazz Festival, un Bluegrass Festival et un Film Festival. Ces manifestations attirent un public très important aussi est-il prudent de réserver son gîte à l'avance.

A gauche, les joies de la navigation de plaisance au pied des montagnes, à Dillon Reservoir ; à droite, la station de Snowmass.

LA MAGIE D'ASPEN

Aspen possède un charme unique. Lieu de villégiature favori de la jet-set américaine, cette station s'élève dans une vallée qui, depuis plus d'un siècle, inspire et attire des entrepreneurs visionnaires.

On ignore depuis quand les Utes avaient élu domicile dans la Roaring Fork Valley lorsque les premiers Blancs arrivèrent, mais ils s'opposèrent farouchement à leur installation, n'hésitant pas à tuer onze des premiers colons ainsi qu'un détachement

découverts les premiers filons de la Roaring Fork Valley, près d'Independence Pass (où subsiste la ville fantôme d'Independence). Mais la piste reliant Leadville à Aspen *via* Independence Pass était alors quasi impraticable et demeurait fermée la plus grande partie de l'année.

L'épopée des fondateurs

Dans *Aspen on the Roaring Fork*, Frank L. Wentworth évoque les souvenirs d'un de ces colons, Henry Gillespie, qui avait demandé à un certain Henry Staats de se rendre à Aspen afin d'enregistrer ses

militaire venu enquêter sur ce massacre. L'appât du gain fut cependant plus fort que la peur des « Peaux-Rouges », et les prospecteurs, attirés par les riches filons d'argent, ne tardèrent pas à s'imposer par la force et par le nombre.

En effet, à partir de 1878, aux termes du Sherman Silver Purchase Act, le Trésor se porta régulièrement acquéreur de minerai d'argent pour pouvoir battre monnaie. La ruée vers l'or qui avait abouti au premier peuplement de la Front Range du Colorado se mua en ruée vers l'argent, et les colons eurent tôt fait de se répandre dans tout l'État. Leadville était déjà une prospère cité minière lorsque furent

concessions minières. La neige était si épaisse que la liaison semblait impossible. Depuis plus de trois semaines, de nombreux trappeurs s'évertuaient vainement à traverser la montagne, mais Staats affirma pouvoir y parvenir en trois jours.

Il fit construire cinq traîneaux que ses hommes hissèrent péniblement jusqu'au col. « Là, nous nous mêlâmes à la foule qui tentait de rallier Aspen. Nul n'avait pensé à voyager de nuit alors que la neige est pourtant moins collante. Il y avait sur cette piste de 20 km plus d'une centaine d'hommes dans toutes sortes d'attelages ou simplement chaussés de raquettes, chargés d'invraisemblables bagages. On aurait dit que des troupeaux entiers étaient passés sur la piste. Nous installâmes notre camp, empruntâmes deux ou trois poêles à frire et préparâmes de quoi manger tout au long de l'expédition. La nouvelle de notre projet nocturne s'étant répandue, une petite troupe attendit que nous levions le camp, vers vingt-trois heures, pour se joindre à nous. Nous fîmes plus d'une quinzaine de kilomètres sans mettre pied à terre mais nous eûmes bien du mal à couvrir le reste de la distance en traîneau.»

Aux temps héroïques, de nombreux prospecteurs faisaient ainsi enregistrer des concessions qu'ils revendaient ensuite aux

dix-sept jours d'épreuves, arriva dans la vallée. Cet entrepreneur-né prit en main l'organisation de la bourgade naissante. Il inspecta le camp de prospecteurs, enregistra de nombreuses concessions, choisit le site de la ville, qu'il baptisa Aspen (« les Trembles »), d'après les arbres qui couvraient les montagnes environnantes. Puis il repartit vers la civilisation vanter les mérites de cet eldorado.

Certains, tel Jerome B. Wheeler (sans lien de parenté avec Clark Wheeler), virent très tôt le potentiel économique d'Aspen. Directeur des grands magasins Macy's de New York, il investit autant

riches industriels de l'Est, seuls à posséder les capitaux nécessaires pour en assurer l'exploitation. De nombreuses rues et constructions d'Aspen ont conservé le nom de ces premiers promoteurs.

Gillespie, qui fut l'un de ceux-ci, n'hésita pas à se rendre à Washington pour réclamer le percement d'une route et l'installation d'une ligne télégraphique. Un certain Clark Wheeler, gagné par son enthousiasme, chaussa ses raquettes et, au terme de

Pages précédentes : Aspen à la tombée de la nuit. A gauche, skieur solitaire au milieu des sapins ; à droite, maisons traditionnelles aux environs d'Aspen.

d'argent dans la ville que cette dernière lui en rapporta. Il eut la chance d'acquérir des parts dans la Mollie Gibson, l'une des mines les plus riches d'Aspen. La concession lui rapporta un véritable pactole, avec lequel il fit bâtir une fonderie, une banque, un opéra et un hôtel, et prit des participations dans des carrières de marbre, des mines de fer et de charbon.

Grâce à ces louables efforts, en 1889, Aspen comptait huit mille habitants et possédait les équipements miniers les plus modernes du pays, dix églises, deux écoles, deux lignes de chemin de fer, trois quotidiens et un tribunal. Avec ses rues bordées de belles demeures victoriennes et d'élégantes boutiques, elle afficha bientôt un certain raffinement. Les dames de la bonne société fondèrent un cercle littéraire et une ligue de tempérance ; les barons de l'argent firent construire un champ de courses et un terrain de polo. Aspen fut même la première cité du Colorado dotée de l'électricité. Il n'y avait aucune ville comparable, de Denver à Salt Lake City.

La fin du rêve

Malgré ce désir de respectabilité, Aspen restait avant tout un camp de mineurs. Nuit et jour, les hommes se relayaient au

fond des puits, avant de redescendre en ville en se laissant glisser sur les pentes à la lueur des torches. Les saloons ne désemplissaient pas et les maisons closes fleurissaient dans Durant Avenue.

Lorsqu'en 1893 le gouvernement promulgua l'annulation du Sherman Act et la démonétisation de l'argent, la ville se retrouva au bord de la ruine. Les mines, les banques et les entreprises fermèrent, et la population commença lentement à décroître.

En 1930, la ville n'abritait plus que six cents personnes et les maisons étaient à vendre pour une bouchée de pain. Aspen n'était plus que l'ombre d'elle-même.

Le miracle blanc

Trois jeunes visionnaires, Ted Ryan, Tom Flynn et Billy Fiske, crurent, dès 1936, au développement du ski et des sports d'hiver. Ils construisirent un premier chalet à Mount Hayden, entre Castle et Maroon Creeks, et en mirent en chantier un second à Ashcroft. Avant même l'installation des premières remontées mécaniques, les skieurs commencèrent à affluer. André Roch, champion de ski européen, s'installa peu après en ville et créa l'Aspen Ski Club. En 1938 fut inauguré le premier remonte-pente.

Puis vint la guerre. Billy Fiske, enrôlé dans l'armée de l'air, fut tué au combat, et sa mort sonna le glas de la station de Mount Hayden. Toutefois, une division de chasseurs alpins s'entraînait à Camp Hale, près de Leadville. Apprenant qu'Aspen était une petite ville vivante, dotée d'un beau domaine skiable, nombre de soldats prirent l'habitude d'y passer leurs permissions. Après guerre, certains revinrent s'y fixer, tels Freidl Pfeifer et Steve Knowlton,

Ci-dessus : à gauche, le chanteur John Denver, fondateur du Windstar Institute ; à droite, barman-magicien à l'œuvre, à Snowmass (Colorado).

qui gérèrent pendant plusieurs années le restaurant Golden Horn. Pfeifer s'associa à un investisseur de Chicago, Walter Paepcke, pour louer de nombreux terrains d'Aspen Mountain, et créa l'Aspen Skiing Corporation.

Walter Paepcke et son épouse rêvaient de faire d'Aspen une mecque culturelle. Paepcke monta l'Aspen Company et se porta acquéreur du **Hotel Jerome** et du Wheeler Opera House. Il fit moderniser le premier et redécorer le second par l'architecte du Bauhaus Herbert Bayer. Paepcke s'adressait ainsi aux investisseurs potentiels : « Des études précises sont en cours afin de permettre l'épanouissement complet des habitants d'Aspen. Ici, chacun pourra vivre, travailler, jouir de la nature et des bienfaits du sport, des arts et de l'éducation. » Depuis la rédaction de ce « manifeste », à la fin des années 1940, Aspen est restée fidèle à sa vocation.

Une station mondaine

Les magnats du pétrole texans, les riches hommes d'affaires new-yorkais et les vedettes d'Hollywood firent bientôt d'Aspen leur station de prédilection. Si la jet-set représente toujours une véritable manne pour la municipalité, les stars sont là trop irrégulièrement pour jouer un rôle déterminant dans la vie quotidienne locale. Il y a ici tant de loisirs de plein air, tant d'activités et d'événements à organiser qu'à l'évidence les habitants d'Aspen n'ont guère le temps de s'intégrer à cet univers de *dolce vita* auquel, de l'extérieur, on associe si souvent la ville.

Comme toute station à la mode, Aspen a son étiquette. Ainsi, les habitants de la station ne porteront jamais ni bottes en fourrure ni chaîne en or, ne solliciteront jamais un autographe d'une vedette et désigneront toujours la montagne sous son ancien nom d'Ajax. Après le ski, il convient de se montrer au **Little Nells** ou au **Tippler**. **Abetones**, **Andres** et la **Ute City Banque** attirent une foule de touristes qui se piquent d'élégance plutôt que de gastronomie. Les habitants d'Aspen fréquentent plus volontiers le bar du Hotel Jerome, le **Red Onion** et le **Little Annie's** (où les grillades sont excellentes). En soirée, **Andre's Disco** et **The Paragon** sont des musts, tandis que le **Crystal Palace** est célèbre pour ses dîners-spectacles comiques. Mais la liste est longue. Les cent bars et restaurants d'Aspen sont toujours bondés à un moment ou un autre de l'année.

Car, si la station peut accueillir jusqu'à trente mille visiteurs, la population locale tourne autour de treize mille personnes. En hiver comme en été, les rues sont encombrées, les files d'attente s'allongent devant les restaurants, tandis que les hôtels et les chalets affichent complet. Au printemps, saison de la fonte des neiges, la ville se vide, comme à l'automne, malgré un superbe été indien qui couvre d'or les tremblaies et les forêts environnantes.

En fait, l'été est *la* saison touristique. Aspen organise alors des événements de toutes sortes : foires artisanales, rodéos, concerts de rock, lâchers de montgolfières, régates, marathons, courses de vélo ou de chevaux, tournois de tennis ou de golf, matches de polo, de football ou de volley-ball. Toute la ville se retrouve au grand air pour monter à cheval, courir, escalader, glisser, pêcher, canoter, marcher, jouer ou simplement bronzer. Et quand vient la nuit, elle danse dans les night-clubs sur des rythmes folk, jazz, country, disco, rock, house ou punk.

De festival en festival

Aspen acquit une renommée internationale dès 1949, en célébrant le bicentenaire de la naissance de Goethe. Ce festival, calqué sur celui de Salzbourg, en Autriche, fut imaginé par Paepcke et des responsables de l'université de Chicago. De nombreux chercheurs, philosophes, artistes et personnalités du monde entier s'y retrouvèrent pour célébrer la mémoire du grand écrivain, parmi lesquels Albert Schweitzer, José Ortega y Gasset, Arthur Rubinstein, Gregor Piatigorsky, Dimitri Mitropoulos et Bruno Walter. C'est à cette occasion que sont nées la plupart des institutions d'Aspen qui ont connu depuis le succès. C'est le cas de l'International Design Conference, de l'Aspen Music Festival et de l'**Aspen Institute for Humanistic Studies**, un groupe de recherche qui réunit des intellectuels, des politiciens et des hommes d'affaires américains.

Peu après ses débuts en 1950, l'**Aspen Music Festival** se doubla d'une école où viennent depuis enseigner les plus grands noms de la musique classique. De juin à août, Aspen égrène ses arpèges. Un grand chapiteau, dressé à la sortie ouest de la ville, accueille des concerts l'après-midi et en soirée. L'entrée est payante, mais on peut s'installer sur les pelouses environnantes pour bronzer tout en profitant de la musique.

Actuellement, la saison estivale s'ouvre à la mi-juin avec l'**International Design Conference**, qui réunit pour une semaine des designers de tous horizons. Quelques semaines plus tard débute le Music Festival. L'été salue également le retour du

d'arts plastiques d'Aspen, s'achève par une course trépidante de prototypes automobiles à travers la ville. A Snowmass sont organisés une foire, un rodéo, ainsi qu'une curieuse version locale de la chasse au renard, qui réunit des cavaliers en veste rouge et bombe noire, galopant derrière des chiens de meute eux-mêmes lancés à la poursuite de coyotes.

La vie de la station est aussi rythmée par de grandes fêtes. Le 4-Juillet est célébré par une folle parade dans Main Street et de nombreuses manifestations festives qui s'achèvent par un superbe feu d'artifice. Pour Halloween, toute la ville se déguise

corps de ballet d'Aspen, qui a établi ses quartiers d'hiver à Salt Lake City. Cette troupe, qui a acquis une renommée internationale, a ouvert une école de danse à Snowmass. Les amateurs de théâtre, quant à eux, se retrouvent à l'**Aspen Playwright's Conference**, où la Pilgrim Theatre Company offre leur chance aux dramaturges débutants en interprétant leur première œuvre sous le regard critique des plus célèbres metteurs en scène américains.

Septembre n'est pas en reste. L'**Aspen Film Festival** présente les meilleurs longs métrages indépendants de l'année. L'**Art Cart Derby**, sponsorisé par le Centre

et chacun a à cœur de se montrer dans ses plus beaux atours. En janvier, le **Winterskol** donne lieu à des compétitions de ski, défilés, bals costumés et à diverses réjouissances.

Snowmass

Situé à 16 km au sud-est d'Aspen, dans la Brush Creek Valley, le village de Snowmass a été rattaché à la municipalité d'Aspen en 1967. Depuis, cette bourgade n'a cessé de se développer. Les résidences en multipropriété, les *lodges*, les chalets, les hôtels, les boutiques et les restaurants poussent comme des champignons.

Cependant, à la différence d'Aspen, Snowmass reste une station familiale et possède un grand nombre de pistes pour skieurs moyens.

A l'**Anderson Ranch**, un des hauts lieux de Snowmass, se tiennent en été de nombreux cours, séminaires et ateliers dans toutes sortes de disciplines, de la poterie à la photographie en passant par le travail du bois ou les différentes techniques d'impression. Le ranch abrite également une salle d'exposition et une boutique d'artisanat.

Snowmass s'est aussi taillé un nom dans le domaine de l'aérostation grâce à sa course de montgolfières, la **Snowmass Balloon Race**. Le spectacle de ces sphères colorées s'élevant par grappes dans la lumière de l'aube est un régal pour tous les chasseurs d'images insolites.

Non loin de là, dans le vieux Snowmass, le **Windstar Institute** perpétue l'esprit des années 1970. Sous la férule de John Denver, Buckminster Fuller et Amory Lovins, cet organisme se consacre à la recherche alternative dans les domaines de l'énergie, de la construction et de la nutrition. Là aussi se tiennent de nombreux cours, séminaires et ateliers.

Le revers de la médaille

En raison de la flambée de l'immobilier, de nombreux résidants d'Aspen ont dû émigrer vers les cités-dortoirs de Basalt, El Jebel ou Carbondale. Toutefois, les habitants sont farouchement déterminés à préserver le cachet et l'originalité de la vallée. Les modes sont versatiles, et la jet-set et tous ceux qui évoluent dans son sillage peuvent bien la déserter demain, Aspen conservera toujours son charme, son magnifique domaine skiable et ses belles forêts de trembles qui frémissent au moindre souffle de vent.

Depuis les années 1950, la ville n'a cessé de s'étendre. Les restaurants, les boutiques et les résidences luxueuses se sont multipliés. Heureusement, les vrais amoureux d'Aspen se sont inquiétés d'une telle expansion et ont réagi en élisant des responsables qui prônaient une « croissance

A gauche, le festival de musique d'Aspen ; à droite, la diligence reprend du service lors du Winterskol Festival.

modérée ». La hauteur des bâtiments a été réglementée, l'usage des néons et des panneaux publicitaires limité, et de strictes règles de stationnement ont été adoptées. Les chaînes hôtelières comme Holiday Inn ont été repoussées en dehors de la ville et même McDonald n'a eu que récemment droit de cité. Ces règles intransigeantes ont permis de limiter l'installation de nouveaux venus dans la vallée. En contrepartie, elles ont fait grimper en flèche les prix de l'immobilier, interdisant à certains natifs d'accéder à la propriété.

De même, si la jet-set sert de locomotive à l'activité touristique locale (comme en

témoignent les nombreux jets privés stationnés à Aspen Airport et les fabuleuses propriétés de **Starwood**, la zone résidentielle située sur un plateau à l'ouest de la ville), elle traîne aussi dans son sillage une réputation de débauche et d'argent jeté par les fenêtres, qui a terni l'image de la station. Si cette réputation n'est pas totalement injustifiée, il faut aussi reconnaître qu'elle a souvent été colportée par la presse à scandale.

Toutefois, Aspen a largement profité de cette manne. Ce n'est pas pour rien que l'on a vu successivement un magazine *glamour*, une marque de soda et un modèle de voiture baptisés Aspen...

DURANGO

Porte des San Juan Mountains, Durango s'étend de part et d'autre du **Rio de las Animas Perdidas** (le fleuve des Ames égarées).Véritable creuset ethnique, cette ville possède un riche patrimoine culturel qui attire chaque année près de 1,5 million de visiteurs.

Durango n'a pas connu le destin ordinaire des cités minières du Colorado. En 1880, elle fut créée *ex nihilo* par William Bell et Alexander Hunt, directeurs du Denver and Rio Grande Western Railroad, qui se portèrent acquéreurs pour cinq cents dollars d'un terrain de 65 ha niché dans une boucle de la rivière.

En septembre 1881, Charles Perrin posa les fondations de la ville, et celle-ci comptait déjà trois mille habitants lorsque le premier train entra en gare trois mois plus tard. Pendant soixante-dix ans, Durango fut ainsi un important nœud ferroviaire ; et lorsque, vers 1950, certaines lignes fermèrent, beaucoup prédirent le déclin de la « Reine de l'Ouest ». Mais c'est alors qu'arrivèrent les premiers touristes.

Aujourd'hui, ils viennent voir, entre autres, les vestiges de la **Silverton Narrow Gauge Railroad**, une ligne à voie étroite qui reliait Durango aux mines de Silverton. Chaque année, cent cinquante mille touristes en mal d'émotions empruntent cette ligne spectaculaire. Le train tracté par une locomotive à vapeur part de Durango (479, Main Street) et parcourt quelque 75 km en trois heures. Précipices, ponts enjambant les canyons et paysages panoramiques se succèdent au fil de cette longue promenade.

Ces voies à écartement réduit *(narrow gauge)* furent inventées par le général W. J. Palmer, de Denver. Le faible écartement des rails (90 cm au lieu des 140 cm traditionnels) permit de réaliser d'importantes économies lors du percement des voies en terrain difficile. Durango se trouva ainsi au centre d'un réseau secondaire desservant toutes les principales cités minières des San Juan Mountains.

Pages précédentes : vue panoramique des San Juan Mountains. A gauche, cow-boy le Durango.

En pays indien

Cependant, Durango n'était pas la plus ancienne localité de la région. Quatre ans plus tôt avait été fondée Animas City, à quelques kilomètres au nord (cette bourgade fait aujourd'hui partie intégrante de Durango). Encore plus au nord, Silverton, près des sources de l'Animas, était une ville minière en plein boom. Tandis qu'au sud-est, Ignacio, aujourd'hui siège du Southern Ute Tourist Center, était déjà desservie par le chemin de fer, Farmington, au Nouveau-Mexique, servait depuis longtemps de comptoir d'échanges aux Navajos et aux paysans d'origine espagnole.

Des siècles auparavant, les Anasazis avaient aussi vécu dans la région, habitant quelques sites célèbres comme Mesa Verde, à 72 km à l'ouest de Durango, ou Aztec et Chaco au Nouveau-Mexique, respectivement à 58 km et 154 km de Durango. Tout porte d'ailleurs à croire que cette région était alors plus peuplée qu'aujourd'hui.

Des voies de communication reliaient cette région au cœur de l'Empire toltèque, à une centaine de kilomètres au nord de l'actuelle Mexico. Puis, brusquement, au cours du XIVᵉ siècle, les Anasazis disparurent mystérieusement. Aujourd'hui, les vestiges de cette civilisation attirent en grand nombre les touristes dans cette région du Colorado. A moins d'une heure de route de Durango, les ruines de Mesa Verde ont d'ailleurs été déclarées patrimoine de l'Humanité par l'Unesco.

Nous avons déjà évoqué les origines de ce site, il nous faut néanmoins souligner l'intérêt d'une visite du **Mesa Verde National Park**. Ce plateau calcaire qui domine les contreforts des Rocheuses abrite en effet un ensemble incomparable de ruines troglodytiques, qui permet d'imaginer assez précisément la vie des Indiens au début de notre ère. Le parc se divise en deux parties, **Wetherill Mesa** et **Chapin Mesa**, dotées chacune de sentiers balisés. Le second circuit — le plus intéressant — débute par la visite du **Chapin Mesa Museum**, véritable introduction archéologique et anthropologique aux deux principaux sites de **Spruce Tree House** et de **Cliff Palace**, deux villages regroupant respectivement cent vingt et deux cent quarante habitations et dissimulés au fond de gigantesques grottes naturelles. Pour accomplir un merveilleux voyage dans le temps, il suffit de s'asseoir là et d'imaginer la vie de ces Indiens qui ignoraient l'usage du cheval et du métal.

C'est ainsi que Durango naquit de la rencontre des Indiens et des Espagnols, avant que ne s'y installent les Anglais, les Scandinaves, les Italiens, les Allemands et les Irlandais, qui en firent un grand centre de la métallurgie (argent, or, cuivre, fer).

De Silver Smelter à Uranium Mill

Le train à voie étroite qu'empruntent les touristes jusqu'à Silverton servait autrefois au transport des mineurs et à leur approvisionnement ; puis, après que la première fonderie se fut ouverte à Durango, à rapporter de Silverton pour son traitement le minerai d'argent et d'or.

Cette activité de fonderie prit un nouveau tour en 1942, quand l'United States Vadium Corporation fit construire la centrale où fut produit l'uranium enrichi nécessaire au Manhattan Project, autrement dit à la fabrication de la première bombe atomique. En 1963, le « secret défense » couvrant la centrale fut levé, mais depuis lors l'Agence pour la protection de l'environnement s'emploie à traiter les déchets, faiblement radioactifs, amoncelés durant plusieurs décennies.

Durango se souvient encore de son passé héroïque, lorsque les conflits entre vachers et bergers se réglaient par des batailles rangées ou des duels au revolver. Il fallut attendre l'élection d'un premier conseil municipal et d'un shérif, en 1881, pour que l'ordre règne enfin sur la ville.

L'antique train qui relie Durango à Silverton.

Promenade
à travers l'Histoire

Comme de nombreuses villes de l'Ouest construites en bois, Durango fut ravagée par un terrible incendie en 1889. Dès lors se multiplièrent les édifices de pierre et de brique.

De ce passé, Durango a conservé de nombreux vestiges architecturaux aujourd'hui soigneusement restaurés. Ainsi, l'un des angles de la morgue municipale s'orne d'une tourelle ronde où s'assemblent les familles pour l'office funèbre. Mais qui sait que cette tour eut autrefois une tout autre fonction? Selon la légende, c'est là que se retrouvaient les premiers joueurs de poker pour des parties enfiévrées...

Le **Newman Building**, élégant édifice de trois étages à l'angle de 8th Street et de Main Avenue, est l'ancien siège de la Smelter National Bank. On peut encore visiter une partie de la salle des coffres, qui occupait autrefois deux étages.

Juste à côté, à l'angle de 7th Street et de Main Avenue, le **Strater Hotel** abrite des notabilités depuis 1887 et cache derrière sa belle façade victorienne de beaux meubles patiemment collectés depuis un siècle. Les serveuses en tenue légère, bas résille et chapeau à aigrettes du bar de l'hôtel, le **Diamond Bell**, semblent tout droit sorties d'un western. En été, le **Diamond Circle Theater**, situé dans ce même hôtel, et l'**Abbey Theater**, à un pâté de maisons de là, présentent tous les soirs un spectacle. Pièces tragiques, one-man show comiques, démonstrations de danse ou vaudevilles s'y succèdent pour le plus grand plaisir des touristes. Durango compte en effet trois troupes de théâtre amateur. En été, des représentations sont également données au **Fine Arts Auditorium** de Fort Lewis College ainsi que des spectacles lyriques organisés par le Four Corners Opera Association.

Comme nombre d'établissements scolaires américains, **Fort Lewis College** accueille également des confé-

Scène pastorale à Ridgeway, au pied des San Juan Mountains.

rences, des concerts et des pièces de théâtre. Cet établissement, qui mène trois mille cinq cents élèves jusqu'au baccalauréat, doit son nom à un ancien bastion militaire, reconverti en école d'apprentissage pour les Indiens à la fin du siècle dernier. L'établissement, qui jouxte un golf de dix-huit trous et les pistes de ski de Chapman Hill, dispose d'une piscine, d'un stade et de plusieurs terrains de sport.

Les plaisirs plus épicuriens ne sont pas négligés à Durango. On est toujours assuré de passer un bon moment dans les pubs irlandais comme **Clancy** et **Father Murphy**, dans les *cantinas* mexicaines comme **Don Juan** et **Francisco**, ou, si l'on est amateur de cuisine internationale, au **Palace** ou chez **Sweeney**.

Durango, ville d'art

Tout comme les restaurants, les galeries sont nombreuses à Durango. La **Gallerie Marguerite** est spécialisée dans la peinture western ; **Kathleen** **Warner Fine Arts** expose des toiles et des sculptures, et **Noble Galleries** est ouverte à de nombreux artisans, potiers, souffleurs de verre, peintres, sculpteurs et créateurs de bijoux.

Néanmoins, la plus remarquable de toutes est certainement la **Toh-Atin Gallery**, sise au 145, 9th Street, renommée pour présenter les plus belles pièces d'art et d'artisanat indiens. Les murs de cette galerie sont ornés de tapisseries navajos tissées à la main, et l'on peut admirer de somptueuses boîtes en argent et des bijoux en or rehaussés de turquoise, d'écaille, de corail ou de jais, réalisés par des artistes comme Andy Kirk, Jimmie King Jr., Preston Monogye, Mary Marie, Jimmie Harrison ou Ben Nighthorse Campbell.

Jackson Clark, propriétaire de la galerie et fervent collectionneur de tissages navajos, est aujourd'hui l'un des plus grands experts en la matière. Sa collection, qui orne les salons de l'**United Bank of Durango**, compte parmi les plus riches du monde. Elle

Studio de Durango, où l'on peut se faire prendre en photo en costume 1900.

couvre trois siècles de tissage et toutes les pièces sont précisément datées et légendées.

Le premier alcool importé à Durango arriva, dit-on, par chariots entiers de Santa Fe, au Nouveau-Mexique. Comme dans la plupart des agglomérations peuplées par des travailleurs de force, les saloons se multiplièrent rapidement, la plupart servant de façade à des maisons closes ou à des tripots. Mais après les lieux de débauche se propagèrent les églises.

Natif du Texas et joueur repenti, C. M. Hogue fut le premier révérend de la ville. Une nuit, il entra dans un saloon, sauta sur une table et se mit à exhorter les hommes à la prière. Puis il redescendit de sa chaire improvisée et empocha les mises, qui servirent à l'édification de la première église. Ce sanctuaire, la **Saint Mark's Episcopal**, qui ouvrit ses portes le 1er février 1881, célèbre encore des offices. Un an plus tard, des sœurs catholiques ouvrirent une école, la **Saint Columba School** et un hôpital, le **Mercy Medical Center**.

Rue de Silverton.

Un plateau de cinéma

Durango servit de décor à plus de quarante-cinq films et feuilletons télévisés. Le premier fut *A Small Town Vamp* de Jim Jarvis. Puis *Le Tour du monde en quatre-vingts jours* de Michael Anderson (1956) emprunta le fameux chemin de fer de Silverton. Mais le plus connu est certainement *Butch Cassidy et le Kid* de G. Roy Hill (1968). La célèbre scène où l'on voit Robert Redford et Paul Newman sauter dans un fleuve fut tournée au pont de Trimble Lane, sur l'Animas River.

Festivals, foires et fiestas

Durango accueille deux grandes manifestations annuelles : le Snowdown, qui se tient traditionnellement lors du dernier week-end de janvier, et la Navajo Trail Fiesta, fin juillet ou début août. Le **Snowdown** comprend de multiples épreuves plus ou moins sérieuses, de la course de garçons de café aux compétitions de ski de fond et de descente alpine. La **Navajo Trail Fiesta**, quant à elle, lancée en 1935, mêle défilés, courses de chevaux et rodéos qui attirent les champions du dressage.

Le second week-end de juillet, le **Summer Art Fair**, qui se tient dans Old High School Park, sur Main Avenue, est l'occasion pour de nombreux artisans des États du Sud-Ouest d'exposer leurs créations.

Le visiteur arrivant par hasard à Durango au moment d'Halloween (en novembre) pourrait se croire dans un conte de fées. Le centre de la ville est interdit à la circulation et plus de cinq mille personnes — soit la moitié de la population locale — défilent le soir dans des costumes on ne peut plus inventifs. Il n'est pas rare que certains participants travaillent à leur tenue pendant toute une année.

Mais ces festivités citadines ne doivent pas faire oublier que, dans les environs de Durango, tous les amoureux de la nature pourront se livrer aux joies du kayak, de l'escalade, de la randonnée, de la chasse, de la pêche ou du ski.

LES CANYONS DU COLORADO

La **Royal Gorge**, à 16 km à l'ouest de Cañon City, et le **Black Canyon of the Gunnison National Monument**, près de Montrose, à 275 km de là par la U. S. Highway 50, sont sans doute les deux principales attractions touristiques du Colorado. On trouvera plusieurs terrains de camping dans chacun de ces deux parcs, des plus sommaires aux plus confortables.

Ces deux canyons, qui ont mis plus de deux millions d'années à se former, témoignent avec éloquence de la puissance de l'érosion. La Royal Gorge a été creusée par l'Arkansas, l'un des plus longs fleuves du pays (2 250 km). Les eaux tourbillonnantes, qui ont charrié pendant des millénaires graviers et troncs d'arbres arrachés aux forêts, ont laissé une profonde cicatrice dans le granite.

Le Black Canyon, quant à lui, est l'œuvre de la Gunnison River. Ce fleuve, qui descend en cascade d'une vingtaine de mètres par kilomètre, a creusé un canyon de plus de 600 m de profondeur. Cette entaille géante, large de 330 m à son sommet, n'est qu'un étroit boyau d'une douzaine de mètres de large à sa base. Le soleil n'y pénètre presque jamais et cette anfractuosité porte bien son nom de « canyon noir ». La végétation y est rare, et il en va de même, bien sûr, de la faune. Seuls quelques lichens, mousses et fougères poussent sur les roches humides. Plus haut, des trembles et des pins de Douglas pointent vers le sommet des falaises.

Ceux qui possèdent un permis de pêche pourront taquiner les truites saumonées et arc-en-ciel, ainsi que quelques espèces locales, comme le *flannel-mouth sucker* et le *squaw-fish*, qui vivent dans la Gunnison River.

La Royal Gorge

La Royal Gorge, où vivaient des dinosaures il y a cent millions d'années, constitue l'un des plus riches gisements de fossiles d'Amérique du Nord. Comme l'usage des armes à feu est formellement interdit dans l'enceinte du Royal Gorge Park, quantité de chevreuils, d'écureuils et de tamias parfaitement apprivoisés viennent quémander des friandises auprès des visiteurs. Les chasseurs d'images pourront aussi se mettre à l'affût des porcs-épics, putois, coyotes, lynx, cougouars ou antilopes, qui ont élu domicile dans le parc.

Les touristes viennent aussi et surtout admirer le pont suspendu — le plus haut du monde — qui domine les flots de l'Arkansas de plus de 300 m. Sa construction débuta en 1929. Deux équipes de quarante ouvriers, postées sur chaque rive, coulèrent d'abord les blocs de béton qui étayent les piles métalliques du pont. Une fois ces dernières achevées, des câbles de suspension en acier furent jetés en travers du canyon et halés en position. Grâce à cette première jonction, on put transporter et installer les autres cordages métalliques, qui furent ensuite arrimés

à des colliers soutenant la structure des longerons. Sur ces poutrelles métalliques, on posa les 400 m de tablier du pont, soit treize mille planches rivées entre elles. Enfin, on installa des barrières de protection et des rampes d'accès, et le pont fut haubané pour pouvoir résister aux vents violents qui s'engouffrent dans le canyon. Malgré la difficulté de l'ouvrage, ce chantier fut achevé en cinq mois sans qu'on eût à déplorer aucune perte humaine.

La voie ferrée la plus abrupte du monde

Peu après l'achèvement du pont, les visiteurs se firent de plus en plus nombreux à vouloir explorer les gorges. On décida alors d'installer un funiculaire leur permettant de descendre au fond du canyon. Ces rails atteignent l'extraordinaire déclivité de 45°, et des treuils et dispositifs automatiques de sécurité particuliers permettent de faire descendre et de hisser les wagons, spécialement conçus. La ligne inaugurée en 1931 a connu depuis de nombreuses améliorations.

Autre merveille technique du parc, une télécabine, qui part du Visitor's Center, permet de « survoler » le canyon. Les trente-cinq passagers parcourent ainsi 670 m, à 360 m au-dessus du lit de la rivière, dans un décor à couper le souffle. La construction de cette benne, en 1969, coûta la bagatelle de trois cent cinquante mille dollars.

La guerre du rail

A la fin du siècle dernier, la Royal Gorge fut le théâtre d'une véritable guerre entre deux géants du rail, la Denver Railroad et la Rio Grande and Santa Fe Railroad. Pour répondre à la demande générée par la découverte des filons aurifères de Leadville, les deux compagnies souhaitaient prolonger leurs lignes respectives vers l'ouest en empruntant ce défilé. Or, le canyon était trop étroit pour permettre l'installation de deux voies. Pendant plusieurs jours, les ouvriers luttèrent contre la montre pour poser des rails

et, la nuit, aller dynamiter les installations de l'équipe concurrente. Des coups de feu furent échangés, et la police dut intervenir et procéder à des arrestations.

Pour trouver une issue à ce conflit, il fallut recourir à l'arbitrage des tribunaux. Le jugement, rendu le 20 décembre 1879, interdit à la Santa Fe de desservir Denver et Leadville pendant dix ans, et condamna la Rio Grande à payer une indemnité de 1,4 million de dollars à son adversaire pour pouvoir utiliser les installations de la Royal Gorge. Peu après, la ligne fut achevée. Le premier train entra en gare de Leadville en juillet 1880 et l'Ouest se trouva relié à la civilisation.

C'est le premier week-end de mai qu'il faut visiter la Royal Gorge. Tous les cerisiers et pommiers de la vallée sont alors en fleur et Cañon City organise un **Blossom and Music Festival**. C'est aussi au printemps que les eaux de l'Arkansas sont au plus haut et que la descente du fleuve en raft est la plus passionnante.

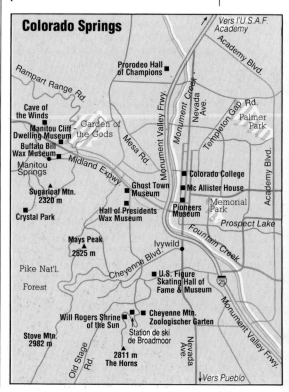

On peut également emprunter le **Royal Gorge Scenic Narrow Gauge Railroad**, un chemin de fer à voie étroite qui longe le bord de la falaise sur 5 km. Cette promenade commentée d'une demi-heure permet d'observer la nature et ménage d'agréables points de vue sur le canyon et sur le pont suspendu.

Non loin de là, **Buckskin Joe** est une authentique *wild west town* qui servit de décor à de nombreux westerns. On s'y rend en diligence ou à cheval pour assister à des duels au pistolet. On peut se restaurer au **Silver Dollar Saloon** au son d'un orchestre country et assister à l'un des nombreux spectacles qu'organise le **Lincoln Theatre**.

Black Canyon

Si la Royal Gorge étonne par ses aménagements techniques, le Black Canyon est un véritable paradis pour les géologues et les naturalistes. Cette gorge sauvage et austère de 64 km de long est l'une des plus spectaculaires

Devant la Matchless Mine, près de Leadville.

des États-Unis. Ce fut aussi longtemps l'une des plus difficiles d'accès, et il fallut attendre 1901 pour qu'une troupe d'aventuriers osât s'y risquer en radeau pneumatique.

La visite de site, géré par le National Park Service, débute à **Tomichi Point**. De là part une route panoramique qui longe le bord méridional du canyon sur 21 km. Le **Gunnison Point Overlook**, près du Visitor's Center, offre un beau point de vue sur des veines de pegmatite datant d'un milliard d'années. Cette roche granitique a mieux résisté à l'érosion que les schistes environnants et forme saillie sur le canyon. De là, on domine la Gunnison River de 610 m et l'on peut détailler les strates diversement colorées de la roche, où les fines rayures roses des pegmatites tranchent sur la noirceur des gneiss et des schistes. On retrouve là des roches qui ont entre 1,75 et 1,1 milliard d'années et constituent le socle des Rocheuses.

Les collines qui surplombent la rive nord de la Gunnison sont constituées de roches sédimentaires comparables aux grès du Dakota. Au nord-est se dressent les **West Elk Mountains**. On peut aussi se rendre à **Rock Point**, un promontoire en pegmatite qui jouxte **Echo Canyon**.

Les trois principales curiosités au sud du canyon sont Lion's Spring, Cedar Point et High Point. **Lion's Spring**, l'une des rares sources de la région, doit son nom au Lion's Club de Montrose, qui contribua à son aménagement. C'est un excellent observatoire pour admirer les cerfs à l'aube et au crépuscule.

Cedar Point marque le départ d'un intéressant sentier balisé ménageant une belle vue sur le Painted Wall, une paroi de pegmatite de 732 m qui constitue la plus haute falaise du Colorado.

High Point, enfin, est un superbe point de vue donnant sur les San Juan Mountains au sud, **Grand Mesa** au nord, les **West Elks** à l'est et l'**Uncompahgre Plateau** à l'ouest (en ute : «la terre où la lumière rouge scintille sur l'eau»).

LES TERRES VIERGES DU WYOMING

Pages précédentes : ruisseau de montagne au moment de la fonte des neiges. A gauche, enseigne typique de l'Ouest américain ; ci-dessous, randonneurs au sommet du Fremont Peak, dans le Wyoming.

Cimes encapuchonnées de neiges éternelles, lacs cristallins, cascades bruissantes cachées dans de profondes forêts de conifères, pâturages vert tendre, tels sont les paysages grandioses du Wyoming. En été, les géraniums sauvages, reines-marguerites, marjolaines et pieds-d'alouette parsèment les champs de touches impressionnistes ; à l'automne, c'est l'or et le feu qui font scintiller les tremblaies brunissantes.

Pour préserver cette nature sauvage, le National Forest Service a créé sept immenses zones protégées où l'usage de la hache est interdit et où nulle habitation ne vient déparer le paysage. Ces réserves forestières préservées du tourisme de masse constituent aujourd'hui l'ultime « frontière » américaine.

Dans cette nature vierge, le grand gibier, l'aigle, la truite ou la perche prolifèrent comme au temps des premiers Indiens. Le tétras, ou coq de bruyère, le perdreau, le faisan, le dindon sauvage, le canard et l'oie du Canada s'ébattent en liberté.

Les voies de communication sont rares dans ces contrées sauvages. Le plus simple est de se rendre par ses propres moyens à pied d'œuvre et de partir ensuite à l'aventure, à pied ou à cheval, comme à l'époque de Lewis et de Clark.

De telles randonnées nécessitent des préparatifs minutieux. Il est indispensable de se munir de cartes topographiques, de dépliants de la Wyoming Travel Association mentionnant gîtes et points de ravitaillement, d'un ou de plusieurs guides spécialisés (pour pouvoir identifier la faune ou la flore, par exemple) ainsi que des brochures éditées par le National Parks et National Forest Service. Il faut également prévoir du matériel de camping, des vivres ainsi que des vêtements chauds et confortables.

Medicine Bow

La **Medicine Bow Range and National Forest** est l'une des régions les plus sauvages des Rocheuses. Rêve ultime de tout amoureux de la nature, ce territoire situé dans l'extrême sud-est du Wyoming est d'un accès relativement facile et offre d'infinies possibilités de randonnée, d'escalade, d'équitation, de chasse, de pêche ou de camping. La State 130, qui part de Laramie, offre des points de vue incomparables sur les pics de la Medicine Bow Range (également nommée **Snowy Range**).

La Medicine Bow National Forest, instituée par le président Theodore Roosevelt en 1902, suit le massif et s'étend de la frontière du Wyoming et du Colorado jusqu'aux Grandes Plaines, sur 1,2 million d'hectares. Sur les basses pentes de la Snowy Range croissent des trembles ainsi que diverses essences de pin et de sapin. A l'étage supérieur, la montagne est constellée de lacs d'origine glaciaire où abondent les truites.

Autrefois, diverses tribus indiennes venaient collecter dans les vallées de Medicine Bow l'acajou nécessaire à la confection des arcs. A cette occasion, les chasseurs s'assemblaient en de grands pow-wows pour invoquer la protection des divinités *(make medicine)*. C'est ainsi que l'arc *(bow)* et le chamanisme ont donné leur nom à la région.

Les premiers trappeurs arrivèrent ici en 1810, et Medicine Bow devint bientôt célèbre grâce au *Virginien*, roman d'Owen Wister pour qui le calme, la pureté de l'air et la limpidité des cieux de cette région «évoquent le premier matin du monde». En été, les neiges laissées par les tempêtes de l'hiver précédent scintillent sur les pics de la chaîne, qui culmine à 3 660 m. Les étranges formations rocheuses de la **Middle Crow Creek** ont reçu des noms évocateurs, tels Devil's Playground (le jardin du Diable) et Turtle Rock (le rocher de la Tortue). Nul besoin de trop s'écarter des routes pour trouver des terrains de camping ou des aires de pique-nique, pour pouvoir pêcher, faire de l'escalade, des randonnées pédestres ou équestres, et, en hiver, du ski de fond ou de descente. Les forêts sont peuplées d'élans, de cerfs, d'antilopes et de mouflons. Des ours noirs et des cougouars ont été aperçus dans les parages. Mais les animaux les plus «nuisibles» sont encore l'écureuil et le tamia, deux rongeurs effrontés qui n'hésitent pas à chaparder les provisions des campeurs insouciants.

La Flaming Gorge National Recreation Area

En prenant l'Interstate 80, qui relie Laramie à **Green River**, puis la State 530, on parvient au paisible parc de loisirs de la Flaming Gorge, dont le vaste plan d'eau est le paradis des pêcheurs de truite et de saumon.

La découverte de nombreux pétroglyphes et de vestiges divers a montré que les Indiens chassaient dans le Red Canyon de la Green River il y a bien des siècles. Les premiers trappeurs, en

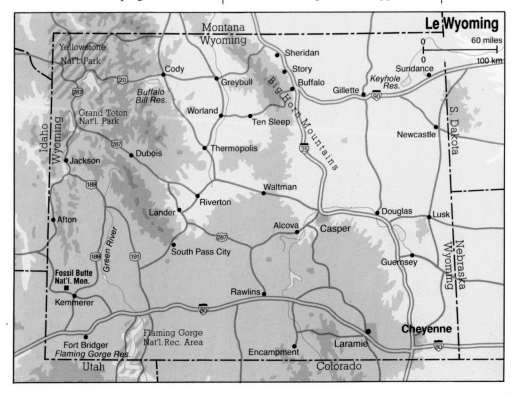

quête de peaux de castor, arrivèrent dans la région au début du siècle dernier. Puis, en 1825, le Red Canyon fut exploré par le major John Wesley Powell, qui descendit le cours de la Green River jusqu'au confluent du Colorado et traversa le Grand Canyon. Vers 1870, les premiers éleveurs tentèrent de s'installer dans la région, mais l'aridité du sol les découragea, et ces vallées désertiques ne servirent bientôt plus que de refuge temporaire aux hors-la-loi comme Butch Cassidy.

Il fallut attendre 1964 et l'édification du **Flaming Gorge Dam** pour que la région s'anime. Aujourd'hui, ce barrage qui régularise le cours de la Green River alimente en eau et en électricité de nombreuses villes de l'Utah, du Wyoming et du Colorado, et les 170 km² du lac de retenue offrent de multiples possibilités de loisirs aux touristes.

Les visiteurs sont nombreux à venir admirer les roches rouges du Red Canyon et savourer l'âpre beauté du désert. La Flaming Gorge offre des paysages contrastés : elle traverse les montagnes du nord-est de l'Utah, entaillées de canyons et couvertes de forêts, et, d'autre part, les étendues désertiques du Wyoming, marquées par des alternances de collines et de mauvaises terres argileuses où ne poussent que des broussailles.

La descente en raft de la Green River ainsi que la navigation et le ski nautique sur le **Flaming Gorge Reservoir** (150 km de long) sont les principales attractions sportives de cette *recreation area*. Dans le lac de retenue, la pêche est ouverte toute l'année. De nombreux terrains de camping — des plus sommaires aux plus luxueux — sont à la disposition des visiteurs.

Les grandes aires de randonnées

Les principales voies d'escalade furent ouvertes au lendemain de la Seconde Guerre mondiale par la 10ᵉ division alpine des Vétérans de l'University of Wyoming. Mais dans cette partie des Rocheuses, on trouve de nombreux terrains d'exercices et murs d'escalade à proximité immédiate des campings.

Les principaux sites du Wyoming où l'on peut pratiquer l'escalade et la randonnée pédestre sont la **Snake River Range**, la Gros Ventre Range, la **Shoshone National Forest** et la **Big Horn National Forest** ainsi que la **Salt River Range** et la **Wyoming Range**. Ces deux dernières chaînes couvrent la moitié occidentale de la **Bridger National Forest** et sont encore partiellement inexplorées.

La **Gros Ventre Range**, ancien terrain de chasse des Arapahoes et des trappeurs canadiens, s'élève sur le flanc oriental de la cuvette de Jackson Hole et jouxte la chaîne des Tetons.

La **Wind River Range**, qui dessine un fer à cheval à l'est de la Bridger National Forest, fut surnommée par les Indiens *Shining Mountains* (« Pics Étincelants »), car ses sommets de granite polis par les glaciers brillent sous le soleil d'été. La Bridger Wilderness, au nord-est de Pinedale, compte plus de mille trois cents lacs, tous poisson-

Randonnée en traîneau dans les forêts du Wyoming.

neux. En 1973, la Bridger Wilderness fut rattachée à la Teton Bridger National Forest pour constituer la **Bridger-Teton National Forest**. Cette réserve, qui inclut aussi la Wind River Range, couvre 1,4 million d'ha et constitue la plus grande forêt des États-Unis (l'Alaska exceptée). La faune y est particulièrement abondante et les hordes de wapitis (plus de dix mille têtes) descendent des montagnes à la saison froide pour hiverner dans le **National Elk Refuge**, au nord de Jackson. Les cinq accès principaux de cette réserve forestière sont **Green River Lakes**, **New Fort Lake**, **Elkhart Park**, **Big Sandy Reservoir** et **Boulder Lake**.

La terre des Shoshones

Sept des plus grands glaciers des États-Unis se trouvent dans la Wind River Range. Dans la partie méridionale de la chaîne, le basculement de ces glaciers a laissé d'abruptes falaises, comme la majestueuse formation rocheuse de **Pinedale Buttes**, qui se détache au sommet de la Wind River Valley, au nord de la U. S. 26, qui relie Moran Junction à Riverton.

La seule réserve indienne du Wyoming, la **Wind River Reservation** (750 000 ha), est le fief des Shoshones orientaux et des Arapahoes septentrionaux. Le chef shoshone Washakie (1804-1900) baptisa la Wind River Valley « vallée des Vents chauds » en raison des fréquentes bourrasques qui balayaient la région en soulevant des nuages de sable. Washakie se montra particulièrement avisé en réclamant que ces terres restent propriété des Shoshones « aussi longtemps que poussera l'herbe et que couleront les rivières ». Dès que les premiers Blancs s'installèrent dans les Rocheuses, il y vit la menace d'une invasion. « Quand nous avions des arcs, les Blancs avaient des revolvers ; quand nous avons eu des revolvers, ils ont eu des fusils ; et quand nous nous sommes procuré des fusils, ils ont eu des mitrailleuses », constatait ce vieux chef

La fonte des neiges à Medicine Bow.

philosophe. Les Shoshones servirent longtemps d'éclaireurs aux troupes de l'U. S. Army et se tinrent sagement à l'écart des guerres indiennes. Un traité fut signé à Fort Bridger en 1868, qui leur concéda la réserve de la Wind River, sans effusion de sang. Sacagawea, la célèbre guide shoshone de l'expédition de Lewis et de Clark *(voir pp. 48-49)*, repose dans l'enceinte de la réserve, non loin de Fort Washakie. Le chef Washakie, quant à lui, décédé à l'âge de quatre-vingt-seize ans, fut inhumé dans l'ancien cimetière militaire, au bord de la Wind River.

La Big Horn Canyon Recreational Area

La Big Horn Canyon Recreational Area, qui s'étend du **Big Horn Lake** jusqu'au **barrage de Yellowtail**, dans le Montana, offre de beaux paysages et abrite quelques sites historiques. Le Visitor's Center, situé à l'est de Lovell, est desservi par l'U. S. 14A.

Les élans, les chevreuils, les ours bruns et les oies vivent en liberté dans le splendide cadre de la **Big Horn Mountain Range**, ancien territoire des Crows. Le Big Horn Lake et ses canyons encaissés sont les principales curiosités de ce parc de loisirs. A **Horseshoe Bend** on peut louer un bateau pour une partie de pêche ou une croisière sur le Big Horn Lake, au pied des canyons. On peut aussi faire le tour du lac (115 km de long) en voiture et observer les derniers mustangs sauvages qui s'ébattent en liberté dans la **Pryor Wild Horse Range**.

Pureté de l'air, silence des montagnes, majesté des déserts, myriades d'étoiles qui scintillent dans le ciel nocturne : voilà ce que vous réservent les terres vierges du Wyoming. Sachez quitter votre voiture pour faire de longues promenades dans la nature, suivre l'un de ces chemins qui grimpent vers des lacs azuréens ou longent des ruisseaux impétueux, et pour débusquer des écureuils ou cueillir des fleurs des champs.

Les wapitis paissent en liberté dans les Rocheuses.

LA VALLÉE DE JACKSON HOLE

C'est au début du XIXᵉ siècle que l'on baptisa Jackson's Hole (« la Cuvette de Jackson ») l'une des plus belles vallées des Rocheuses, qui s'étend de Jackson, au sud, au Grand Teton National Park, au nord.

La beauté de ses paysages et l'abondance de sa faune ont rendu justement célèbre cette vallée située à plus de 1 000 m d'altitude et protégée par les hautes chaînes environnantes : les Tetons à l'ouest, le Yellowstone au nord, les Abasarokas au nord-est, les Leidy Highlands à l'est, le Gros Ventre au sud-est et le Hoback au sud.

La Teton Range est relativement jeune, comparée à l'ensemble des Rocheuses, vieilles de plus de cent millions d'années. Selon les géologues, c'est l'intense activité volcanique qui donna naissance à cette chaîne, il y a environ dix millions d'années, qui entraîna parallèlement l'affaissement de la cuvette de Jackson Hole.

Les merveilles de l'Ouest

Le trappeur John Colter fut, dit-on, le premier Blanc à s'aventurer dans cette contrée en 1807. Mais le lieu ne reçut son appellation que quelques années plus tard, lorsque deux coureurs de bois, William Sublette et David Jackson, s'y installèrent pour chasser le castor et pratiquer le commerce des peaux avec les Indiens (les trappeurs nommaient alors *holes* les vallées des Rocheuses).

Pendant plusieurs décennies, cette vallée de 20 km de large sur 80 km de long ne fut connue que des trappeurs et des aventuriers qui s'y sentaient en sécurité, à l'abri des ardeurs belliqueuses des Indiens. Mais, vers 1840, le commerce des peaux déclina et les grandes sociétés de pelleterie, comme celle de Sublette, Jackson et Jedediah Smith, fermèrent leurs portes. Jackson Hole retomba dans l'oubli et redevint le territoire de chasse des seules tribus indigènes.

Les premiers trappeurs n'avaient cessé de colporter des récits incroyables sur les merveilles naturelles de Jackson Hole. Il fallut néanmoins attendre 1870 et la venue d'expéditions scientifiques, comme celle de Hayden, pour que soient confirmés l'intérêt géologique de la région et la richesse de sa faune. Ces premiers rapports attirèrent l'attention d'un vaste public.

Pourtant, dans les années qui suivirent la guerre de Sécession, la Teton Range séduisit surtout une foule de hors-la-loi. Butch Cassidy en fit son repaire et, pendant un quart de siècle, Jackson Hole devint la cachette favorite de tous les voleurs de bétail ou de chevaux, des pilleurs de trains ou de banques qui pouvaient aisément y dissimuler leur butin en attendant des jours meilleurs.

Enfin, au début de ce siècle, la vallée devint célèbre pour ses parties de chasse. Les éleveurs de bétail de la région se mirent à offrir le gîte et le couvert aux chasseurs et à leur servir

Pages précédentes : colverts barbotant sur un paisible lac glaciaire. À gauche, promeneurs sur les berges du Jenny Lake, dans le Grand Teton National Park ; à droite, skieur matinal sur une piste de Jackson Hole.

de guides. Les premiers *dude ranches* apparurent et le tourisme s'affirma bientôt comme la principale ressource économique de la région.

Jackson Hole est entrée dans la légende de l'Ouest. La vallée inspira Owen Wister pour son roman *Le Virginien*, et servit de décor au film *Shane* de George Stevens (1953), qui passe encore régulièrement dans les cinémas de Jackson.

Jackson, aujourd'hui telle qu'hier

La ville de Jackson se trouve à 8 km de l'entrée du Grand Teton National Park auquel a été rattaché, en 1950, le **Jackson Hole National Monument**. Vous trouverez un centre d'informations à l'entrée nord de Jackson.

Les arcs de triomphe, constitués de milliers de ramures d'élans et de cerfs enchevêtrées qui s'élèvent aux abords de Town Square, soulignent l'ambiance rustique de cette cité fondée en 1897. La plupart des édifices qui bordent la grand-place datent du siècle dernier, et de nombreux bars, comme le **Silver Bar**, ont conservé leur cachet *Old West* : orchestre country, vieilles pièces d'argent incrustées dans le comptoir et tabourets en forme de selle de cheval. Les trottoirs en planches, les diligences qui s'offrent aux promeneurs, les passants portant jeans, bottes et Stetson, les chevaux harnachés à l'ancienne et rangés à l'attache dans Main Street : tout contribue à l'évocation nostalgique d'un siècle révolu. Jusqu'au duel au pistolet qui, depuis trente ans, se déroule sur la place chaque soir à 19 h, pour la plus grande joie des touristes...

On pourra admirer les reliques des premiers trappeurs exposées au **Jackson Hole Museum** et au **Teton County Historical Center**, visiter les boutiques d'artisanat et les galeries d'art de la ville. De nombreux artistes présentent leurs créations à l'occasion des fêtes locales. En été, Jackson organise un Fine Arts Festival, des représentations théâtrales et des concerts de musique symphonique.

On peut se promener dans Jackson en diligence, comme au bon vieux temps !

Le paradis des animaux

Il arrive que l'on signale la présence de quelques bisons près de Moran Junction, sur les berges de la Snake River. Mais il faut suivre les sentes de montagne pour pouvoir observer des daims et des cerfs, plus farouches. L'été, ces animaux descendent dans la plaine, tandis qu'à l'automne ils émigrent vers leurs terrains d'hivernage, au sud de Jackson.

Au printemps, les élans descendent se nourrir dans les marais et on les voit souvent dans les **Willow Flats**, non loin de la **Jackson Lake Lodge**. L'été venu, ils s'enfoncent dans les sapinières et les forêts de peupliers qui bordent les rivières. Ce n'est qu'à l'automne et en hiver, lorsqu'ils s'aventurent en terrain découvert, que l'on peut plus facilement les observer. Comme ces ruminants ont souvent des réactions imprévisibles, il convient de les approcher avec prudence et de se tenir à bonne distance des femelles accompagnées de leurs petits.

Les wapitis, ou cerfs canadiens, sont plus farouches. Ils se réfugient généralement dans les forêts et n'en sortent guère qu'à l'aube ou au crépuscule.

Le **National Elk Refuge**, l'une des six grandes réserves animalières du Wyoming, est l'endroit idéal où observer la vie sauvage. Cette réserve fut créée en 1912, lorsque près de vingt mille élans et wapitis manquèrent de succomber aux rigueurs de l'hiver. Les habitants de la vallée et l'État du Wyoming réunirent six mille dollars pour leur acheter du fourrage. Puis le Congrès fit don de 405 ha destinés à les abriter chaque hiver. Depuis, un legs de l'Izaak Walton League de 680 ha, ainsi que d'importants achats de terres réalisés par le gouvernement fédéral ont permis d'agrandir considérablement cette réserve.

Les ruminants arrivent dans le National Elk Refuge en octobre ou en novembre et en repartent généralement début mai. De Noël au 1er avril, des visites en traîneau sont organisées entre 10 h et 16 h.

Touristes posant sous un curieux arc de triomphe en bois de cerfs et d'élans, à Jackson.

La **Bridger Teton National Forest** couvre la majeure partie de la vallée de Jackson Hole. Le principal poste de garde de cette réserve forestière de 1,4 million d'ha se trouve à Jackson.

Jackson est également située à proximité du Yellowstone National Park et du Grand Teton National Park — où les ruminants sont si nombreux qu'on l'a parfois surnommé le *museum of the hoof* (le musée du Sabot). Le **Moose Visitor's Center**, à l'entrée méridionale du Grand Teton National Park, ne se trouve qu'à quelques kilomètres au nord de Jackson.

La vie au grand air

Le camping reste la meilleure façon de découvrir les charmes de Jackson Hole. Les terrains aménagés à l'intention des campeurs ne manquent pas dans le Teton County, le Grand Teton National Park ou la Bridger Teton National Forest. N'oubliez pas de vous munir d'un insecticide. A certaines

époques, il semble en effet que le Wyoming attire tous les moustiques et taons de la création.

Jackson Hole attire, en toute saison, de nombreux sportifs. En hiver, on peut survoler la région en hélicoptère ou en montgolfière, faire du ski de fond, du ski alpin, du scooter des neiges ou de la luge dans les trois grands domaines skiables de **Grand Targhee**, de Jackson Hole et de **Snow King**.

L'été, on peut, au choix, pagayer dans les eaux cristallines des lacs glaciaires ou descendre les rapides de la Snake River en raft, pêcher dans les eaux de Jenny Lake, de Leigh Lake ou de Jackson Lake pour tenter d'attraper une de ces truites de Mackinaw qui dépassent parfois les vingt kilos, ou lancer sa ligne dans le **Hoback**, le **Buffalo** ou les petits affluents de la Snake River.

En automne, les chasseurs du monde entier se retrouvent à Jackson Hole pour traquer des élans, des wapitis, des cerfs, des mouflons et même des ours.

Mais, pour beaucoup de touristes, la simple observation de la faune se révèle tout aussi passionnante. Il suffit d'une paire de jumelles, d'une relative connaissance des mœurs des animaux et de beaucoup de patience. Les canards, les oies sauvages et de nombreuses espèces d'oiseaux fréquentent les étangs et les berges de la Snake River. Les pélicans blancs migrateurs font halte dans la région, et les cygnes à trompette ne quittent **Christian Pond**, à l'est de la Jackson Lake Lodge, qu'en hiver. Les ours bruns se laissent occasionnellement entrevoir sur les sentiers de montagne, à moins qu'ils ne viennent rôder à proximité des campings (ne jamais oublier qu'il s'agit de dangereux carnassiers). Les antilopes ne fréquentent la région qu'en été, car elles hivernent plus au sud. Enfin, on peut observer des mouflons dans le Grand Teton National Park, généralement sur les pistes du **Mount Hunt Divide**, entre Open et Granite Canyons, ou plus communément dans les environs de **Gros Ventre Slide**, dans l'est du parc.

A gauche, pittoresque prairie de Jackson Hole ; à droite, l'hiver, on peut visiter en traîneau le National Elk Refuge, près de Jackson.

CODY, CITÉ DE BUFFALO BILL

Le Yellowstone, le plus ancien et le plus visité des parcs américains, offre le spectacle d'une faune aussi riche que variée au sein d'une nature vierge. Cet immense parc abrite tant de lacs, de vastes forêts, de rivières poissonneuses et de curiosités géologiques qu'il y a, semble-t-il, toujours un nouveau spectacle à découvrir.

La Wapiti Valley et la Shoshone National Forest

Parmi les zones les moins connues de cette région figure l'**East Yellowstone**, également appelé Wapiti Valley, qui s'étire sur 80 km de l'entrée orientale du parc à la ville de Cody, dans le Wyoming. La U.S. 20 qui mène à Cody ménage de nombreux points de vue sur l'immense **Shoshone National Forest**. Des aigles planent sur les cimes environnantes. Des troupeaux paissent dans les vallées, et les profondes forêts de sapins abritent toute une population de cerfs, d'élans et d'ours.

La U.S. 20 suit le cours tantôt paisible tantôt impétueux de la Shoshone River. Par endroits, on peut voir des truites sauter hors de l'eau et des castors s'affairer sur leurs barrages. La route quitte bientôt la forêt, et la vallée s'élargit. Les formes tourmentées de ses falaises rougeoyantes ont stimulé les imaginations : les arêtes de Holy City (la Ville sainte), Laughing Pig (le Cochon qui rit), Elephant Rock et Ptarmigan dominent les pins.

De Yellowstone à Cody, tout invite les automobilistes à s'arrêter pour se ressourcer au sein de cette nature miraculeusement préservée. Des terrains de camping isolés, des *lodges* et des *guest ranches* proposent un confort rustique allié aux charmes de l'Ouest traditionnel. Ces gîtes souvent retirés sont généralement signalés par des panneaux sur les principaux axes routiers.

Partager la vie d'un ranch

Rien de mieux qu'un séjour dans un ranch des environs de Cody pour oublier la vie trépidante et la pollution des villes. Dans cette vallée du Wyoming aux cieux limpides, l'eau est si pure que l'on peut boire à tous les ruisseaux, et, la nuit venue, la voûte étoilée où brillent les galaxies lointaines invite au rêve...

La vie quotidienne dans ces ranches n'a guère changé depuis le siècle dernier. Ici, d'authentiques cow-boys et cow-girls œuvrent de l'aube au crépuscule pour soigner les chevaux et le bétail, retaper les clôtures ou les corps de ferme. Le soir venu, les cow-boys descendent en ville pour refaire le monde autour d'un verre chez **Cassie's**, au **Silver Saddle Lounge** ou au **Proud Cut Saloon**, comme au temps des pionniers.

Sur Cody plane encore l'ombre de son fondateur, William F. « Buffalo Bill » Cody, l'un des héros légendaires de l'Ouest américain.

Pages précédentes : l'Old Trail Town près de Cody Wyoming). À gauche, la statue de Buffalo Bill à l'entrée de Cody. A droite, affiche du Wild West Show exposée au Buffalo Bill Historical Center de Cody.

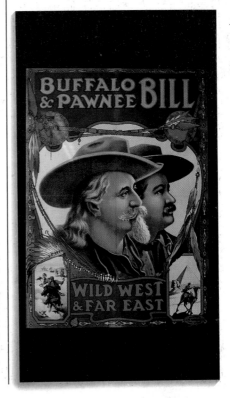

L'épopée de Buffalo Bill

William Frederick Cody naquit en 1846 dans l'Iowa et entra dans la légende dès l'âge de quatorze ans. La célèbre compagnie du Pony Express recrutait alors des cavaliers pour transporter le courrier du Missouri en Californie à travers des contrées infestées d'Indiens et de bandits. Le jeune Cody aurait accompli l'exploit de couvrir 500 km en vingt-quatre heures !

Lorsqu'au bout d'un an et demi d'activité le Pony Express céda la place au télégraphe, Cody fut engagé par la Kansas Pacific Railroad. Chargé de ravitailler les ouvriers en viande de bison, il abattit près de quatre mille trois cents *buffaloes* (bisons) en une saison et gagna ainsi son célèbre surnom. La renommée dès lors s'attacha à ses pas. Cody fut aussi éclaireur de l'armée américaine avant de s'acheter un ranch mais, idéalisé par plus d'une centaine de romans du XIXe siècle, il devait rester à jamais le symbole de l'homme de l'Ouest américain.

En 1883, il résolut d'exploiter sa popularité en montant un spectacle extravagant, le Buffalo Bill's Wild West Show. Des diligences, un troupeau de bisons, plus de cinq cents chevaux et six cent quarante cow-boys et Indiens lui permettaient de brosser en quelques tableaux l'histoire de l'Ouest sous chapiteau. Le clou du *show* était une reconstitution de la bataille de Little Big Horn, la moitié des acteurs indiens — dont le célèbre grand chef sioux Sitting Bull — étant des rescapés de cet odieux massacre. Ce spectacle fit le tour des États-Unis (plus d'un million de spectateurs à New York en 1886), puis de l'Europe de 1888 à 1890.

Au cours de sa vie mouvementée, Buffalo Bill visita souvent la région, mais il ne fonda la ville de Cody qu'en 1895. Ainsi nommée pour mieux attirer les touristes, la cité connut un développement rapide, et Buffalo Bill lui-même y fit construire en 1902 l'**Irma Hotel**, dont il confia la direction à sa fille. On peut encore y séjourner

L'épopée des pionniers immortalisée par le peintre Charles Russell.

ou se contenter d'y admirer la tête de bison en pierre qui orne le seuil et les splendides boiseries en merisier du bar que Buffalo Bill fit importer à grands frais de France.

Le Buffalo Bill Historical Center

Après sa mort, en 1917, la ville eut à cœur d'honorer la mémoire de son héroïque fondateur. Gertrude Vanderbilt Whitney réalisa en 1924 un bronze grandeur nature représentant *The Scout*, c'est-à-dire Buffalo Bill à cheval, en costume d'éclaireur, une Winchester à la main. Cette statue, qui se dresse à l'entrée de la ville, fut la première contribution à ce conservatoire de la culture de l'Ouest qu'est le célèbre **Buffalo Bill Historical Center**.

Le visiteur est toujours surpris par la taille de ce centre, qui regroupe quatre musées. On est loin de l'ancienne cabane en rondins qui abrita les premières collections! Les quatre pavillons du Plains Indian Museum, de la Whitney Gallery of Western Art, du Winchester Arms Museum et du Buffalo Bill Museum (soit, au total, plus de 10 000 m² de surface d'exposition) constituent un important pôle d'attraction régional.

L'été, des touristes du monde entier viennent y admirer la plus extraordinaire collection de souvenirs de l'Ouest. La visite du centre requiert au moins trois heures mais les plus passionnés prétendent qu'il faut des journées entières pour tout admirer en détail.

Le **Plains Indian Museum** présente la culture et les traditions des vingt-sept tribus indiennes dites « des plaines ». Des armes, des bijoux et quantité d'objets de la vie quotidienne témoignent d'une culture riche et raffinée.

La **Whitney Gallery of Western Art** renferme la plus importante collection d'art « western » du monde. Parmi les nombreux tableaux et sculptures de Bierstadt, Miller, Moran, Catlin, Sharp, Remington ou Russell que l'on peut y admirer, figurent plusieurs

Costume sioux des années 1860 rebrodé de perles.

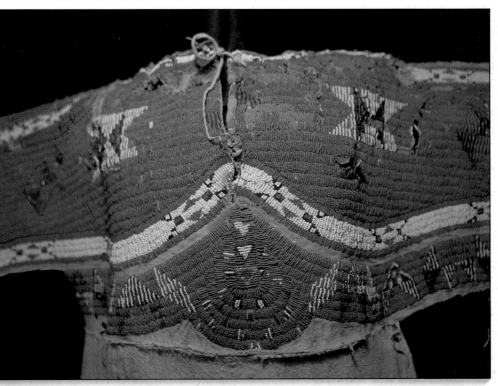

œuvres ayant appartenu à Buffalo Bill. On peut aussi y voir la reconstitution de l'atelier de W. H. Koerner, un peintre du siècle dernier.

Le **Winchester Arms Museum** rassemble plus de huit mille armes (dont plus de mille cinq cents armes à feu), des arbalètes aux armes automatiques les plus modernes. On peut y voir tous les Colt et les fusils à répétition collectionnés dès 1860 par Oliver Winchester.

Enfin, le **Buffalo Bill Museum**, reconstitution de la maison natale de William Cody, renferme de nombreux objets lui ayant appartenu, mais d'importantes sections sont aussi consacrées à la légende du Far West, d'Annie Oakley à Wild Bill Hickok.

Cody en fête

Cody n'est qu'une petite bourgade de sept mille habitants, perdue dans la montagne, mais elle attire chaque été des milliers de touristes car, outre ses musées, la bourgade se flatte d'être la capitale mondiale du rodéo. De nombreuses cités des Rocheuses se disputent ce titre, mais seul Cody offre en été un spectacle tous les soirs. On comprend qu'un tel programme attire, parfois de très loin, les meilleurs cowboys et dresseurs de chevaux !

Juin est le mois idéal pour visiter Cody. Sous un ciel habituellement radieux, le Buffalo Bill Historical Center organise de nombreuses festivités. Ainsi, à l'occasion du **Frontier Festival**, la foule envahit pendant deux jours les pelouses du centre pour participer aux ventes d'objets artisanaux traditionnels et dégustations de produits régionaux. De nombreux stands permettent de s'initier aux diverses techniques d'antan : filage de la laine, tissage, tannage des peaux, bourrellerie et sellerie, travail du bois et des perles à la mode indienne et préparation de plats typiques. Le festival est également l'occasion d'animations musicales et de compétitions diverses allant des courses de chevaux aux concours de maréchaux-ferrants.

Parure de plumes crow des années 1830.

C'est également en juin que se tient à Cody un grand pow-wow qui rassemble des Indiens en costume traditionnel, venus du Canada et du nord des États-Unis. Cette fête donne lieu à de nombreux concours de chant et de danses.

Le 4 juillet, Cody célèbre les fêtes de l'Indépendance à sa manière. Le **Stampede Day** débute par une grande parade dans les rues de la ville, puis l'après-midi se déroulent de nombreuses compétitions de rodéo. Enfin, le soir venu, la foule se rassemble pour assister à un grand feu d'artifice qui illumine toute la ville.

Old Trail Town

En été, Cody propose diverses activités, comme la descente de la Shoshone River, ou la visite du **Buffalo Bill Village** et surtout de la célèbre Old Trail Town, une *ghost town* située à 2 km de la sortie ouest de la ville. Ce rendez-vous obligatoire des touristes est une curieuse ville-musée.

En effet, dans les Rocheuses, il faut souvent faire la distinction entre les villes fantômes véritablement retournées à l'abandon, et celles qui ont été soigneusement « restaurées » à l'intention des touristes. Old Trail Town entre dans cette seconde catégorie : tous les bâtiments sont authentiques mais ont été transférés de différents sites afin de reconstituer une ville du siècle dernier, avec ses maisons de bois, son saloon, sa forge, son *general store* (bazar) et son ameublement d'époque. Cette *ghost town* abrite en outre un **Museum of the Old West**, qui retrace plusieurs siècles de l'histoire de l'Ouest américain.

Tous ceux qu'attire la légende de l'Ouest aimeront Cody et sa région. Dans les ranches de la Wapiti Valley, les cow-boys mènent la rude vie de leurs pères, tandis que les commerces de Cody sont souvent tenus par la même famille depuis deux ou trois générations, et nombre d'entre eux ne voudraient pour rien au monde aller s'installer ailleurs.

Buffalo Bill posant entre ses amis, Red Cloud (Nuage rouge) et American Horse (Cheval indien).

CHEYENNE

DE CHEYENNE A LARAMIE

Il suffit d'énoncer deux chiffres pour saisir la réalité physique du Wyoming. Avec une superficie de 250 000 km², ce territoire est, par ordre de taille, le neuvième des États-Unis, tandis que sa population d'un demi-million d'habitants en fait la lanterne rouge du classement démographique des États de l'Union.

La population d'une grosse ville de province française disséminée sur un territoire grand comme la moitié de l'Espagne : on comprend que le Wyoming (« les grandes plaines » en langue delaware) est quasi désertique. Les paysages présentent une interminable succession de montagnes et de plateaux nus et arides « qui ne valent pas un centime, une région de sauvages, de bêtes fauves, de tempêtes de sable, de poussière et de chiens de prairie », comme l'écrivait Daniel Webster au siècle dernier.

C'est en 1867, lorsque l'Union Pacific Railroad posa des rails dans la prairie, en direction de la côte ouest, que fut fondée dans ces plaines écrasées de soleil, au pied des montagnes, la cité de Cheyenne. L'actuelle capitale du Wyoming doit son nom à la tribu des *Shey-ah-nah*, qui occupait alors ces terres et vit aujourd'hui dans le sud-ouest de l'État. Dès 1868, la bourgade — qui comptait alors quatre mille habitants et soixante saloons — rassembla toutes les têtes brûlées de la région, trappeurs, ouvriers, joueurs professionnels ou chasseurs de prime, qui cohabitaient, souvent difficilement, avec les Sioux, les Pawnees et les Cheyennes.

Des rails dans la prairie

Dans les campements qui se déplaçaient au fur et à mesure de l'avancement des voies ferrées, l'alcool coulait à flots, l'argent changeait de mains en moins de temps qu'il ne faut pour le dire et la seule loi connue était celle du plus fort. Dans la communauté de Cheyenne, surnommée *Hell on Wheels* (« l'Enfer sur roues ») l'ordre était assuré par une bande de tueurs qui se baptisait pompeusement « Comité de vigilance ». Lynchage était alors synonyme de justice.

Le site de la ville fut choisi par un inspecteur des chemins de fer, Grenville Dodge, qui installa un premier campement à Crow Creek, à l'ouest de la cité actuelle. Ce campement, situé à la croisée de plusieurs grands axes, servit bientôt de quartier général aux soldats venus pacifier la région. On sortait à peine de la guerre de Sécession ; et ce territoire, déchiré entre les Indiens en colère et les colons devenus, par inclination ou par nécessité, vifs de la gâchette, ressemblait à un champ de bataille. Du saloon au cimetière, il n'y avait souvent qu'un pas. Mais l'armée et les autorités civiles prirent rapidement la situation en main, n'hésitant pas à prononcer douze condamnations à mort dès la première année.

Pages précédentes : la capture d'un veau au lasso requiert une grande habileté. A gauche, cow-boy chevauchant un taureau à cru ; à droite, grande parade des Cheyenne Frontier Days.

Puis le chemin de fer continua sa route vers le Pacifique, emportant avec lui les fauteurs de troubles, et Cheyenne s'affirma progressivement comme une paisible bourgade commerçante.

La corde du pendu

Devenue la plaque tournante des grands troupeaux transhumant vers le nord, Cheyenne connut rapidement une remarquable expansion économique grâce à l'élevage industriel et au commerce de la viande. Lors de la guerre franco-allemande de 1870, c'est de Cheyenne que partait la viande de bœuf destinée à ravitailler les troupes. A une époque, la Cheyenne-Dreadwood Stage Line dut même engager des centaines d'hommes pour faire circuler quotidiennement deux cents wagons de viande.

Le revenu moyen *per capita* atteignit des records et une riche bourgeoisie d'éleveurs occupa bientôt le haut du pavé. Ce fut l'âge d'or du Cheyenne Club où, dans un luxueux cadre anglais, les barons du bœuf avaient l'habitude de se retrouver pour discuter de politique tout en dégustant des plats raffinés concoctés par un chef français et arrosés des meilleurs crus étrangers importés à grands frais. Ces riches gourmets passaient l'été dans le Wyoming et l'hiver en Europe.

Mais les plantureux pâturages qui avaient fait la richesse de la région attirèrent bientôt des éleveurs d'ovins. A partir de 1890, les bergers commencèrent à se heurter aux cow-boys et le conflit dégénéra rapidement en guerre ouverte.

L'histoire de Tom Horn, qui fut pendu en 1903 à l'Old Court House, illustre bien l'esprit de cette époque.

Horn était un détective — ou plutôt un homme de main — engagé par les riches *cattlemen* pour les débarrasser des voleurs de bétail et autres malfrats, en d'autres termes des éleveurs d'ovins. Horn était déjà soupçonné de nombreux meurtres lorsqu'il fut incul-

La fanfare du Anoka High School posant devant le Capitole de Cheyenne.

pé pour l'assassinat de Willie Nickell, un garçon de treize ans. En fait, l'instruction montra que Horn avait reçu cinq cents dollars pour «liquider» le père de Willie et que l'enfant était mort accidentellement dans la bagarre.

Horn fut emprisonné, jugé et condamné à mort. Mais bientôt se répandit le bruit selon lequel les *cattlemen* allaient «s'arranger» pour faire évader leur homme avant le jour fatal.

C'est là que le mystère s'épaissit... Car Horn fut, dit-on, bel et bien pendu. Mais lorsque Nickell et les bergers, voulant en avoir le cœur net, exigèrent de voir le corps, l'autorisation leur fut refusée par le procureur, sous prétexte que la manifestation risquait de tourner à l'émeute. Aussi l'opinion publique fut-elle persuadée que les juges avaient été achetés, et, comme souvent lorsqu'il s'agit de mythiques hors-la-loi de l'Ouest, de nombreux témoins signalèrent la présence de Horn dans diverses villes bien longtemps après qu'il eut été pendu.

Démonstration de square dance lors des Cheyenne Frontier Days.

Toutefois, avec les ans, le conflit s'apaisa et les bergers supplantèrent progressivement les vachers. De nos jours, la viande de mouton constitue, avec l'industrie de la laine, l'une des principales ressources de l'État.

« La merveilleuse cité des plaines »

Cheyenne fut aussi atteinte de la fièvre de l'or lorsque l'on découvrit en 1875 des filons aurifères dans les Black Hills. Pendant des années, on vit de longues cohortes de prospecteurs et de mineurs traverser la ville, chargés d'un équipement hétéroclite.

La diversité de ses activités et le dynamisme de sa population valurent à Cheyenne de connaître une vie sociale intense. L'**Opera House** accueillit la plupart des troupes de Broadway en tournée (mais aussi Sarah Bernhardt). Des bals somptueux, des représentations théâtrales, concerts ou expositions de peinture rythmaient la vie locale. Cette voca-

tion culturelle se perpétue de nos jours. Cheyenne dispose de nombreux musées, galeries d'art, salles de spectacle et de concert qui attirent notamment la population estudiantine de l'université d'État de Fort Laramie (à 80 km de là).

Mais l'*Old West* n'est pas oublié pour autant. Tout l'été (dimanches exceptés), les fines gâchettes se retrouvent au centre de la ville, sur l'**Old Town Plaza**, le temps d'un duel au pistolet « à l'ancienne ». De même, l'**Atlas Theater** donne chaque soir deux représentations qui mêlent divers mélodrames et légendes du Far West.

Les Cheyenne Frontier Days

Toutefois, l'événement de l'année, ce sont les Cheyenne Frontier Days, qui se tiennent pendant la dernière semaine de juillet, ce depuis 1897. Toute la ville revêt alors sa tenue western (bottes, Stetson, blue-jeans et chemise cow-boy). Les Indiens, en costume tra-ditionnel, arrivent de toutes parts pour participer au festival de danses folkloriques qui se tient à l'Indian Village. Tout le Wyoming a à cœur de perpétuer le souvenir du bon vieux temps.

Les festivités débutent toujours par une immense parade. C'est ainsi qu'en 1898 on vit défiler Buffalo Bill, accompagné de sa troupe du Wild West Show au grand complet. Puis, en 1925, pour donner un nouveau lustre à la fête, le Frontier Commitee décida d'imposer un thème unique : l'histoire des transports.

Cette initiative connut un tel succès qu'elle a été maintenue depuis. L'immense procession qui retrace les progrès des transports américains depuis 1860 attire des milliers de touristes. C'est l'occasion de détailler la plus grande collection au monde d'engins tirés par des chevaux : diligences, chariots *(prairie schooners)*, tombereaux, fourgons, berlines, malles-poste, cabriolets et buggies, qui escortent d'autres véhicules plus incongrus, traîneaux à chiens, trains

La vieille gare de l'Union Pacific, à Cheyenne.

miniatures, voitures de course ou vieux tacots. Le cortège comprend également des orchestres, des cavaliers, des majorettes, des danseurs indiens et des « reines du Rodéo ».

Mais surtout, pendant neuf jours, la ville se livre aux plaisirs du rodéo en plein air. Le Cheyenne Frontier Days Rodeo a la réputation d'attirer les meilleurs professionnels du pays, car tous les cow-boys convoitent ardemment la célèbre ceinture-trophée et surtout le demi-million de dollars offert en récompense. Chaque après-midi, des dizaines de milliers de fans se rassemblent pour voir les cow-boys et cow-girls, professionnels ou amateurs, affronter les gigantesques et féroces taureaux *brahma bulls*. Dans l'arène, l'atmosphère est électrique. L'action passe en un instant du drame au burlesque lorsqu'un cow-boy ou un photographe s'élance à toutes jambes vers les barrières pour échapper à une charge impétueuse.

Le rodéo comporte de nombreuses épreuves qui ont toutes leurs adeptes et leurs spécialistes. Le *bull riding* consiste à monter un taureau à cru ; le *calf roping* ou *steer roping*, à capturer au lasso et à entraver un bouvillon ; le *steer wrestling*, à lutter à mains nues contre un jeune bœuf que l'on saisit par les cornes pour lui faire mordre la poussière. Il y a également des combats de taureaux, des épreuves d'adresse à cheval et de nombreuses courses, de diligences, de poneys ou de mustangs, souvent entrecoupées de divers intermèdes comiques.

Mais les Frontier Days, c'est aussi un gigantesque champ de foire et un parc d'attractions où, pendant neuf jours, on peut s'amuser, acheter divers « souvenirs » (bijoux de turquoise, chapeaux et ceintures de cow-boy, etc.) et déguster des spécialités régionales.

Tous les soirs, au son d'un orchestre country, on peut s'initier aux figures des *square dances*. L'Old West Museum, le Governor's Art Show (exposition artistique) et les ventes de l'Indian Village complètent ce festival.

Combat de bisons dans la prairie.

Du Railroad Depot au State Capitol

L'**Union Pacific Railroad Depot**, dans le centre de la ville, témoin baroque de l'épopée du chemin de fer, mérite une visite. A l'autre extrémité de la rue se dresse le dôme couvert de feuilles d'or du **State Capitol**. Cet édifice de style corinthien fut achevé en avril 1890, trois mois avant que le Wyoming n'intègre l'Union. En été, des visites sont organisées toutes les demi-heures pour permettre aux touristes d'admirer les boiseries sculptées de ce palais, ainsi que les vitraux et fresques illustrant l'histoire de l'État.

La **Historic Governor's Mansion**, non loin de là, rappelle au visiteur que le Wyoming fut, en 1925, le premier État de l'Union à élire une femme, Mrs. Nellis Taylor Ross, au poste de gouverneur. En face du Capitole se dresse la statue d'Esther Hobart Morris, première femme à exercer les fonctions de juge de paix aux États-Unis.

Parcs et attractions

Aux environs de Cheyenne vous attendent de nombreux parcs. Dans le **Holiday Park** est exposée la plus grande locomotive du monde, *Old Number 4004 Big Boy*, qui, jusqu'en 1956, servit à tracter dans la montagne les wagons chargés de minerai. Cette locomotive à vapeur transportait 28 tonnes de charbon et 1 125 hl d'eau.

Le **National First Day Cover Museum** abrite une inestimable collection de timbres et d'enveloppes premier jour. La visite, elle, est gratuite.

On peut également visiter la **F.E. Warren Air Force Base**, construite sur le site d'une ancienne caserne de la cavalerie, à l'ouest de la ville. Cette base de l'armée de l'air américaine abrite des missiles balistiques intercontinentaux.

Enfin, on pourra visiter, sur rendez-vous, le **Hereford Ranch**, situé à 8 km à l'est de Cheyenne. Ce ranch, en activité depuis 1883, se consacre à l'élevage des meilleures races bovines.

Image immuable du vacher guidant son troupeau.

Cheyenne dispose de nombreux motels, hôtels, restaurants et bars, mais il convient de réserver sa chambre longtemps à l'avance si l'on prévoit de séjourner dans la capitale du Wyoming lors des Frontier Days. La Wyoming Travel Commission, sur l'Interstate 25, fournit gracieusement toute information, carte et brochure sur la région.

Laramie, le « Joyau des Plaines »

A 50 km de Cheyenne, sur la route de Laramie, les **Vedauwoo Rocks** de Pole Mountain sont le rendez-vous des amateurs d'escalade. Le nom de ces curieuses formations signifie « nées de la terre » en langue cheyenne.

Plus loin, à 80 km de Cheyenne, Laramie commémore le souvenir d'un trappeur canadien français, Jacques La Ramie. Ce personnage quasi légendaire — on sait seulement qu'il fut tué non loin de là par des Indiens, en 1820 — a également laissé son nom à un fort, à une chaîne de montagnes, à un pic, à une rivière et à un *county* des Rocheuses.

Comme Cheyenne, Laramie (fondée en 1868) fut d'abord une étape de l'Union Pacific Railroad. En outre, la *Gem City of the Plains* (« Le Joyau des Plaines ») partagea le zèle féministe de la capitale du Wyoming. La première femme juré du monde y prêta serment en 1870 et, la même année, « grandma » Louiza Swain fut la première femme au monde à prendre part à une élection au suffrage universel.

Le Wyoming joua en effet un rôle de pionnier. Dès 1869, le gouvernement de l'État accorda le droit de vote aux femmes et assura l'égalité des salaires dans l'enseignement. Comme le reconnut alors Susan Anthony, une suffragette de Laramie : « S'il est un endroit sur terre où la liberté des femmes et l'égalité des sexes ne sont pas de vains mots, c'est bien le Wyoming ».

Dès 1870, un peu plus d'un millier de femmes eurent ainsi le privilège de prendre le chemin des urnes. Mais l'adhésion du Wyoming à l'Union, en 1889, fit craindre l'abolition de ce droit. Les femmes se mobilisèrent et entreprirent le siège du Capitole de Cheyenne, sous la conduite d'une certaine Theresa Jenkins. Le soir même, la loi était reconduite et Mrs. Jenkins, rentrée chez elle, accouchait d'une petite fille !

Troisième ville du Wyoming (avec cinquante mille habitants), Laramie est le siège de l'université d'État. Les principales curiosités locales sont le **Geological Museum** (qui abrite notamment le squelette d'un brontosaure), les expositions de peinture du **Fine Arts Center** et le **Rocky Mountain Herbarium**, un musée botanique installé au troisième étage de l'Aven Nelson Building, qui renferme plus de trois cent mille spécimens de la flore des Rocheuses. A voir également, le **Laramie Plains Museum** et l'**Overland Trail Art Gallery** (603, Ivinson Avenue) ainsi que **Fort Sanders**, à 5 km de la ville. Enfin Laramie accueille un rodéo en juillet, un festival de *square dance* et une grande foire en août.

Cow-boy du Wyoming s'apprêtant à monter en selle.

BOZEMAN ET LE MONTANA

Avec une superficie de 380 000 km² (soit les trois quarts du territoire français) et moins de un million d'habitants, le Montana fait partie de ces immenses États du nord-est américain où la nature est reine. Cette contrée encore partiellement inexplorée, surnommée *The Big Sky Contry*, est le domaine des forêts insondables et de formidables montagnes, enneigées la majeure partie de l'année.

Le Montana est également l'un des États où, de défaites en victoires éphémères, les Indiens ont été parqués par les Blancs. Aujourd'hui, sept réserves, situées pour la plupart dans le nord de l'État, abritent les survivants des Crows, des Cheyennes, des Blackfeet, des Assiniboines et des Sioux.

Pour les Américains d'aujourd'hui, le Montana est le pays du sapin, puisqu'il fournit chaque année près de cinq millions d'arbres de Noël... Mais pour les prospecteurs d'hier, cette contrée était avant tout le domaine de l'or, de l'argent et du cuivre.

En témoignent les nombreuses villes fantômes disséminées dans le sud-ouest du l'État. A **Butte**, une ancienne cité minière, on peut visiter un remarquable **World Museum of Mining**. Les nombreux bâtiments en ruine de **Nevada City** et de **Virginia City**, à proximité de la State 287, rappellent que ces villes abritèrent jusqu'à dix mille prospecteurs. Ces deux *ghost towns*, ainsi que celles de **Mammoth** et de **Rochester**, au sud de Three Forks, ont été entièrement restaurées et offrent un agréable accueil aux touristes. Le visiteur aura plus de mal à gagner **Granite**, **Elkhorn** et **Castle**, un peu plus au nord, dans la région de **Helena** (capitale du Montana), qui demeurent à l'écart des grands axes.

Cependant, ces villes permettent d'imaginer comment vivaient les prospecteurs à la fin du siècle dernier, lorsque aux journées harassantes succédaient de folles nuits passées dans les maisons de plaisir ou dans les saloons à consommer du *wiskey rye* — et rien d'autre —, et à jouer au poker. Pourtant les cités du Montana ne sont pas toutes d'anciens campements de mineurs. Les étés sont courts dans le Montana et les mineurs, occupés tout le jour à rechercher d'hypothétiques filons, n'avaient guère le temps de cultiver la terre. C'est ainsi que de petites communautés agricoles assirent leur prospérité sur le ravitaillement des camps de chercheurs d'or. En fait, la plupart des grandes fortunes des Rocheuses ont été bâties par des pionniers qui surent se faire éleveurs, agriculteurs, commerçants ou transporteurs. Alors que les mineurs repartaient souvent bredouilles, ces pionniers, une fois enrichis, choisissaient de demeurer sur place.

Un pionnier avisé

Telle est la leçon apprise — à la sueur de son front — par John Bozeman. Cet homme arriva dans le Montana en 1862, en qualité de chercheur d'or,

Pages précédentes : les majorettes ouvrent Sweet Pea Festival, Bozeman. A gauche, la Lone Mountain par un matin de printemps ; à droite, grand duc sur son rocher perché.

mais, désespérant de trouver le filon tant convoité, il s'associa à un certain John M. Jacobs pour ouvrir une nouvelle voie entre Fort Laramie et les mines du Montana.

C'est ainsi que, le 9 août 1864, John Bozeman conduisit dans la fertile **Gallatin Valley** une colonne de pionniers, qui décida d'y fonder une communauté agricole destinée à ravitailler les prospecteurs travaillant dans les montagnes du Nord et de l'Est. Il y eut un vote et les colons décidèrent de donner à la cité le nom de l'initiateur du projet : Bozeman.

Pendant quelques années, John Bozeman, devenu négociant, emprunta régulièrement cette piste. Mais la Bozeman Road, plus longue et plus dangereuse que l'itinéraire précédemment tracé par Jim Bridger, présentait de nombreuses difficultés : les points d'eau y étaient rares, et surtout, elle traversait les meilleurs terrains de chasse des Sioux. Ces derniers, déjà repoussés vers l'Ouest par les premiers colons, étaient farouchement déterminés à défendre leur territoire. Sous la conduite de Red Cloud, ils prirent les armes et, à l'issue d'une guerre sanglante, obtinrent gain de cause. L'armée fit fermer cette piste, que d'ailleurs Bozeman n'exploitait plus.

Ce dernier se retira dans « sa » cité, cultivant ses champs et exerçant occasionnellement les fonctions de juge de paix. Mais, en 1867, alors qu'il était parti dans l'est du Montana négocier un contrat de ravitaillement avec la cavalerie, il fut tué par une troupe de Blackfeet.

Un détachement de cavalerie s'installa à Fort Ellis et vint prêter main-forte à la petite communauté contre les attaques indiennes. En 1880, Bozeman abritait trois mille huit cents âmes et, trois ans plus tard, l'arrivée de la Northern Pacific Railroad la relia à la côte Est. Son développement économique pâtit quelque peu de la fermeture des mines et la cité ne compte plus que vingt-deux mille habitants, dont les dix mille étudiants de la **Montana State University**.

Mur peint de Bozeman, illustrant l'histoire de son fondateur, John Bozeman.

De l'université au musée

A ses débuts, en 1893, cette université n'était qu'un modeste collège agricole de huit élèves. Mais la *Moo U*, comme la surnomment les anciens, se développa rapidement en se spécialisant dans la recherche agronomique et vétérinaire.

Son campus abrite un **Museum of the Rockies**, qui retrace l'histoire du nord des Rocheuses, de la préhistoire à nos jours. Ce musée, qui organise de nombreuses campagnes de fouilles paléontologiques, abrite une intéressante collection de fossiles et d'œufs de dinosaures. Mais l'histoire récente n'est pas oubliée, puisqu'on peut y admirer des objets artisanaux indiens ainsi qu'un tipee, une cabane de trappeur et une maison des années 1930 entièrement meublés. Plusieurs expositions temporaires, comme le Western Art Show, qui se tient de la fin juin à la mi-juillet, complètent ce programme.

Comme de nombreuses agglomérations des Rocheuses, Bozeman se dota, en 1890, d'un Opera House, qui accueillit Sarah Bernhardt et l'artiste de music-hall Al Jolson. Mais la ville — tradition oblige — fut aussi célèbre pour son quartier « chaud » et ses six maisons closes qui, jusqu'en 1912, payaient chaque mois une amende pour avoir enfreint la loi. Aujourd'hui, l'Opera House, comme les maisons closes, a disparu.

Bozeman possède cependant son quartier ancien ; le **South Willson Historic District** et les façades de plusieurs dizaines de bâtiments en brique de Main Street, principale artère commerçante de la ville, ont été restaurées dans les années 1970. Bozeman compte également une quinzaine de galeries en tout genre : artisanat, photographie, peinture et bijouterie.

La fête des Pois de senteur

Chaque année, lors de la seconde semaine d'août, le **Sweet Pea Arts and Crafts Festival** est l'occasion d'une grande kermesse avec ventes, dégustations, orchestres et représentations théâtrales. Cette fête des Pois de senteur, inaugurée en 1906, rappelle que la mise en conserve de petits pois et la production de graines de pois de senteur furent longtemps les principales sources de revenu locales. Si ces industries ont aujourd'hui déserté Bozeman, à la belle saison, de délicats pois de senteur fleurissent encore dans de nombreux jardins.

La ville célèbre également la mémoire des cow-boys. Plusieurs galeries exposent des peintures de style western, paysages et scènes de genre d'hier et d'aujourd'hui. Au son des orchestres de *country music*, les bars et les restaurants typiques proposent de plantureux repas propres à rassasier les garçons de ferme les plus affamés, tandis que de nombreuses boutiques permettent de s'acheter une tenue complète de *rancher*.

En juin, Bozeman accueille le **National Intercollegiate Rodeo Association Finals**, un rodéo qui regroupe les meilleurs élèves finalistes de deux cents collèges des États-Unis. Cette manifestation, qui a lieu en nocturne pendant une semaine, s'accompagne d'un tournoi de golf, d'une exposition artistique et d'un défilé présidé par « Miss College Rodeo ».

Les environs de Bozeman

Bozeman ne disposant d'aucun service de transports en commun, les touristes doivent louer une voiture pour visiter la région.

Dans la Bridger Range, au nord de la ville, le **Crosscut Ranch** accueille des hôtes toute l'année, et met à leur disposition, en hiver, 20 km de pistes de ski de fond. Non loin de là s'étendent les pistes de descente de **Bridger Bowl**.

A l'ouest de Bozeman, sur l'Interstate 90, le **Madison Buffalo Jump** présente de manière didactique les méthodes de chasse des Indiens quand ils ne possédaient pas encore de chevaux. La tribu rabattait les troupeaux de bisons vers le sommet d'une falaise où les bêtes, acculées, se précipitaient dans le vide. Au pied du ravin, le reste de la tribu procédait alors au dépeçage et à la préparation des dépouilles. Tout était utilisé: les peaux, la viande, les nerfs, les os et même la vessie qui, une fois gonflée, servait de ballon aux enfants. Les fouilles archéologiques réalisées sur ce site, déjà en activité en 2000 av. J.-C., permettent d'expliquer en détail le fonctionnement du camp de chasse.

Non loin de là, toujours sur l'Interstate 90, on pourra visiter le **Headwaters State Park**, où les rivières Jefferson, Madison et Gallatin convergent pour donner naissance au Missouri. C'est là que, le 27 juin 1805, le capitaine Meriwether Lewis nota dans son journal de bord: « Arrivés à 9 heures au confluent du Missouri. Le paysage s'ouvre brusquement sur des plaines et des prairies immenses cernées de hautes montagnes... »

Ce site enchanteur mit fin à un rêve. En effet, l'exploration des territoires acquis à l'issue du Louisiana Purchase avait pour principal objectif de découvrir un débouché fluvial vers le Pacifique. Hélas, ce *Northwest Passage*, que Lewis et Clark espéraient trouver en remontant le cours du Missouri, n'existait pas. La découverte des sources du fleuve en apporta cruellement la preuve.

Au sud de Bozeman s'étend le **Gallatin Canyon**, l'une des voies d'accès au Yellowstone National Park. Cette vallée baignée de petits ruisseaux, aux pics densément boisés, constitue un endroit idéal pour chasser, pêcher ou se livrer aux joies de la randonnée. On y trouvera plusieurs ranches et *lodges* ouverts toute l'année.

Glacier National Park

Le Glacier National Park, qui s'étend jusqu'à la frontière canadienne et rejoint le Waterton Park, dans la province d'Alberta, se trouve à une journée de route au nord de Bozeman. Le parc abrite une cinquantaine de glaciers, deux cents lacs, des cascades, des cirques, moraines et hautes vallées sculptées par l'érosion glaciaire.

La Absaroka Range vue de la Red Lodge Road, dans le sud du Montana.

La **Going-to-the-Sun Highway**, qui traverse le parc du sud-ouest au nord-est, est une voie fort étroite, taillée à flanc de montagne, et s'ouvre sur des précipices impressionnants. Elle part de la ville de **West Glacier**, longe la rive du **Lake MacDonald**, franchit le Continental Divide à Logan Pass (2 027 m), avant de redescendre vers **St. Mary** et le lac du même nom. Lorsqu'elle longe le Garden Wall, la route semble plonger vers le soleil et ménage des panoramas grandioses. Une autre route, la **Blackfeet's Highway**, longe le flanc oriental du parc.

A la fin du printemps et au début de l'été, les hautes vallées du parc s'habillent d'un tapis de fleurs sauvages. Plus haut encore, les neiges éternelles permettent de se livrer aux joies du ski de fond même sous l'éclatant soleil estival.

En hiver, quelques rares zones demeurent ouvertes aux skieurs de fond, mais la Going-to-the-Sun Highway est bloquée par les congères, parfois dès la fin octobre, et ne rouvre à la circulation qu'à partir de juin.

Une telle région abrite, bien sûr, une faune fort variée : castors, mouflons, écureuils, etc. Les visiteurs apprécient surtout le spectacle des pygargues, une espèce protégée. A la saison du frai, quand ces rapaces se nourrissent des saumons *kokanee* qui remontent les cours d'eau, il est possible d'approcher les nids. Des observatoires bien situés permettent d'admirer des centaines d'autres oiseaux. Il est toutefois recommandé de se munir de jumelles.

La randonnée reste le meilleur moyen de visiter le parc, sillonné de nombreuses pistes et sentiers pédestres. On trouve des gîtes rustiques et des terrains de camping organisés le long des principaux itinéraires, mais il est également possible de planter sa tente en pleine nature. Toutefois, comme le parc est avant tout le territoire des ours noirs et des grizzlis, les rangers ferment parfois les pistes et les camps lorsque des plantigrades sont signalés à proximité.

Lac d'altitude, dans la Custer National Forest.

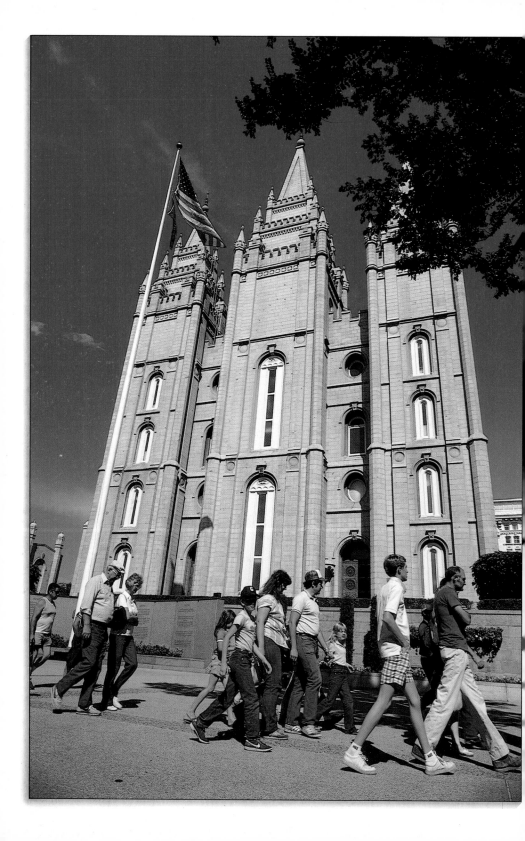

SALT LAKE CITY, CAPITALE DE L'UTAH

Salt Lake City avait naguère la réputation de n'être qu'une grosse bourgade de province un peu « collet monté ». Seul le fait qu'elle fut le siège de l'Église de Jésus-Christ des saints des derniers jours sauvait cette métropole de l'indifférence. Pour la plupart des Gentils (les non-mormons), Salt Lake City apparaissait en effet comme une terre étrangère en territoire américain. Le visiteur se rendait immédiatement compte que l'austère tradition mormone avait modelé l'histoire, l'architecture de la cité et le mode de vie de ses habitants. Seul autre attrait de Salt Lake City, son cadre incomparable. La ville, qui s'étend non loin des eaux bleutées du Grand Lac Salé (Great Salt Lake, d'où son nom), est dominée par les hauts pics enneigés des monts Wasatch à l'est, et les Oquirrh Mountains, aux riches mines de cuivre, à l'ouest.

Cependant Salt Lake City, simple étape sur la route des Rocheuses, n'attirait guère les touristes. Les rares visiteurs se lassaient vite de ces points de vue panoramique et de ce lac si salé qu'il semblait impossible aux peaux délicates de s'y baigner. Après avoir observé les mormons en les suspectant tous de polygamie, le voyager était rapidement gagné par l'ennui et navré de constater que la capitale de l'Utah souffrait d'un manque d'animation endémique.

Mais aujourd'hui, tout a changé ! Salt Lake City s'affirme désormais comme une véritable oasis urbaine au sein d'une région en pleine expansion. Depuis deux décennies, Salt Lake City a connu bien des changements. Grâce au développement de l'activité bancaire, des industries électroniques, chimiques, agro-alimentaires, des raffineries de pétrole, et surtout grâce à l'afflux des touristes attirés par les stations de sports d'hiver de la Wasatch Range (à quelques kilomètres seulement du centre de la ville), Salt Lake City est résolument entrée dans la modernité. C'est une ville animée, où moralité n'est plus forcément synonyme d'austérité. Cette prospérité nouvelle a engendré quelques tensions entre les « Élus » et les « Gentils ». Mais la ville a su spontanément trouver son équilibre. Aujourd'hui, Salt Lake City est une « terre promise » pour tous.

Temple Square

Dans la journée, toute l'animation se concentre au cœur de la cité, sur les 4 ha cernés d'un mur de brique de Temple Square. C'est par là que l'on se doit de commencer toute visite de Salt Lake City.

Peu après son arrivée en 1847, Brigham Young, le bâton de pèlerin en main, consacra ce site pris en écharpe entre deux bras du City Creek afin d'y bâtir le Temple de Jésus-Christ des saints des derniers jours. Puis, pendant quarante ans (1853-1893), des chariots tirés par des bœufs se relayèrent pour apporter des monts Wasatch les blocs de granite qui servirent à l'édification de ce majestueux édifice de style néo-gothique, surmonté de six flèches. Au sommet de l'ensemble, une statue dorée à la feuille représente l'ange Moroni embouchant sa trompe pour annoncer le Second Avènement du Christ.

L'accès du Temple, qui sert au culte, aux ordinations, aux baptêmes, mariages et autres bénédictions, est réservé aux mormons munis d'une « recommandation » de leur évêque. Le public des Gentils peut toutefois déambuler librement dans l'enceinte de Temple Square, et visiter les expositions présentées dans les deux Visitor's Centers qui retracent l'histoire des mormons.

Dans cette enceinte, on remarquera l'**Assembly Hall** (1882), vaste lieu de culte et de réunions, et le **Sea Gull Monument** (1913) qui commémore le « miracle des mouettes » qui sauvèrent la première récolte des mormons d'une invasion de sauterelles. On peut également visiter le **Tabernacle** (1867), une immense salle dotée d'une excellente acoustique, où trône un gigan-

Pages précédentes : statue du grand chef indien Massasolt, devant le capitole de Salt Lake City. A gauche, le célèbre Temple mormon de Salt Lake City.

tesque orgue de onze mille tuyaux. Chaque soir, en saison, la magnifique Chorale des mormons (plus de trois cent cinquante choristes) donne un concert gratuit.

De nombreux autres monuments mormons se dressent non loin de Temple Square. Ainsi, par la porte ouest, on gagne le **Museum of Church History and Art**, où sont exposés de nombreux souvenirs de la grande migration mormone. A l'est de Temple Square, les bâtiments administratifs de l'Église occupent tout un pâté de maisons. En quittant Temple Square par la porte sud et en remontant South Temple Street vers l'est, on arrive au pied du **Brigham Young Monument**, un bronze représentant le prophète entouré du trappeur Jim Bridger et du chef shoshone Washakie. Un peu plus loin s'élève l'**Hotel Utah**, belle construction du début du siècle, agrémentée de pelouses fleuries, que jouxte un ensemble de bâtiments appartenant à l'Église des saints des derniers jours.

La plus grand bibliothèque généalogique du monde

Dominant ce vaste complexe de ses vingt-huit étages, le **Church Office Building** abrite la plus grande bibliothèque généalogique du monde. En effet, la doctrine mormone permet de baptiser rétroactivement tout ancêtre que l'on souhaite intégrer au «peuple élu». Les mormons se sont donc donné mission de collecter et de microfilmer à travers le monde tous les documents d'état civil afin d'y trouver trace de leurs ancêtres. A ce jour, le centre détient une copie d'environ un tiers des archives françaises. La consultation est libre ; aussi, n'hésitez pas à demander de l'aide aux nombreux archivistes polyglottes afin de retrouver vos aïeux parmi les millions de noms fichés sur ordinateur.

Quand vous serez lassé de la lecture des microfilms, vous pourrez monter au 26e étage pour jouir d'un splendide panorama sur Temple Square, la ville et ses environs.

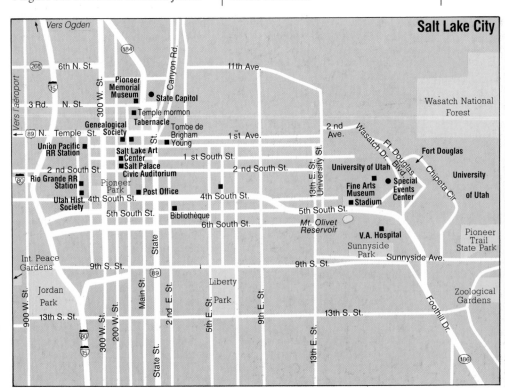

Salt Lake City

La Ruche de Brigham Young

Les anciennes résidences de Brigham Young et de dix-neuf de ses vingt-sept épouses sont situées à l'angle de South Temple Street et de State Street. Construite en 1853-1854, la **Beehive House** (la Ruche) était la résidence officielle de Brigham Young. Ce dernier y recevait ses hôtes de marque en tant que président des mormons et gouverneur civil de l'Utah. Ce charmant édifice de style néo-classique, désormais classé monument historique, tire son nom d'une sculpture en forme de ruche qui orne sa coupole. Ce symbole, qui exprimait le zèle industrieux des mormons, se retrouve sur le blason de l'Utah, parfois surnommé le *Beehive State*.

A côté, la **Lion House**, édifiée en 1856 et gardée par un lion de pierre, abritait dix-neuf épouses du maître et ses cinquante-six enfants. Les femmes de Brigham Young avaient chacune leur appartement au rez-de-chaussée, tandis que les vingt aînés logeaient dans les mansardes qui se détachent sur la façade. La Lion House, qui abrite à présent le bureau des bonnes œuvres, est fermée au public. Mais en remontant North Main Street, on découvrira d'autres souvenirs des premiers mormons, telle la **McCune Mansion**, élégante demeure d'un mineur devenu millionnaire, et de l'autre côté de la rue, le **Daughters of Utah Pioneers'**, également appelé **Pioneer Memorial Museum**. Ce musée, géré par des bénévoles, renferme d'innombrables souvenirs des premiers pionniers.

Le Capitole

A l'extrémité de North State Street, on débouche sur les jardins de **Capitol Hill**, au centre desquels s'élève le State Capitol, siège des hautes instances législatives et judiciaires de l'Utah. Ce majestueux édifice de style Renaissance est couronné d'un dôme de cuivre de 87 m de haut, qui domine symboliquement Temple Square et l'ensemble de la vallée. Une vaste rotonde ornée de colonnes de marbre de style corinthien, une salle de réception dorée à la feuille, des fresques murales, une salle d'exposition présentant l'histoire et les richesses économiques de l'Utah et un immense escalier de marbre menant aux bureaux du gouvernement, constituent quelques-uns des attraits de ce riche édifice.

Alentour, divers bâtiments sont disséminés dans un parc de 16 ha : le **Council Hall** (siège de la première assemblée territoriale), la **White Memorial Chapel** (une ancienne chapelle mormone de style gothique), le **Memory Grove** (monument aux morts) et le petit parc de **City Creek Canyon**, où de nombreux citadins viennent pique-niquer sur les rives du City Creek.

Autour de Capitol Hill s'étendent deux quartiers résidentiels anciens : le **Marmalade Historic District**, dont toutes les rues portent des noms de fruit et où habitèrent les premiers colons anglais et scandinaves ; et l'**Avenues Historic District**, à l'est du

Vitrail exposé au Pioneer Museum de Salt Lake City, représentant une mormone et ses enfants.

City Creek Canyon, qui abrite encore quantité de belles demeures victoriennes.

De nombreux édifices de ce quartier situé à faible distance de Temple Square méritent le détour. Mentionnons **The Madeleine**, une cathédrale catholique de style gothique (1909) ornée de remarquables vitraux, **Keith-Brown Mansion** et **Thomas Kearns Mansion**, somptueuses demeures que firent construire à la fin du siècle dernier deux magnats de l'argent, propriétaires des Silver King Mines de Park City. La seconde est devenue la résidence du gouverneur de l'Utah.

Une cité commerçante

Pour rejoindre Temple Square et le quartier des grands hôtels, on peut faire un détour par les nombreuses artères commerçantes du centre-ville.

Salt Lake City dispose de plusieurs centres commerciaux abondamment approvisionnés, comme **Crossroads Plaza**, au 50, South Main Street. Cet immense *shopping mall* regroupe plus de cent boutiques, trois cinémas, vingt-deux restaurants et bars ainsi qu'une salle de sports. En face, de l'autre côté de Main Street, le **ZCMI Center**, géré par les mormons, regroupe soixante boutiques et restaurants. Enfin, en empruntant un vieux tramway du début du siècle, on pourra gagner **Triad Center** et le **Devereaux Plaza**. Ce complexe résidentiel et commercial de 12 ha abrite une patinoire, de nombreuses boutiques, clubs et restaurants de luxe, ainsi que la **Devereaux Mansion**, une ancienne résidence superbement restaurée.

Au croisement de 5th East Street et de 5th South Street s'étend le centre commercial de **Trolley Square**, sans doute le plus animé de la ville. Construit dans un ancien dépôt de trolleybus, il regroupe des salles de spectacle, des boutiques et des restaurants.

La vitalité du quartier commerçant de Salt Lake City témoigne de la

La Chorale mormone chante tous les dimanches matin dans le Tabernacle.

volonté de changement qui s'est récemment emparée de la ville. Chaque jour, de nouveaux chantiers sont lancés ; des bars, des cinémas, des restaurants ou night-clubs ouvrent leurs portes. Désormais les Gentils sont assurés de trouver des distractions nocturnes à Salt Lake City !

Certes, on n'oubliera pas que l'Utah est l'un des derniers États où la prohibition soit en vigueur, mais les Gentils et les *Jacks* (les mormons non pratiquants) ont tous appris à contourner la loi. Il suffit pour cela d'être membre d'un club privé, seul type d'établissement autorisé à servir de l'alcool — la plupart des restaurants et des bars s'empressent de délivrer une *membership card* à toute personne qui la demande ! Enfin, si la vente d'alcool est interdite dans certains établissements, la consommation y est, en revanche, autorisée. Rien n'empêche donc d'apporter sa propre bouteille. Comme par hasard, la plupart des bars qui ne servent pas d'alcool jouxtent un *liquor store...*

Le bâtiment de l'Assembly Hall à Temple Square.

Salt Palace Convention Center

C'est en été qu'il faut visiter Salt Lake City car la municipalité organise alors de nombreuses manifestations culturelles ou sportives. Le **stade** du Salt Palace Convention Center (14 000 places) accueille des spectacles en tout genre, concerts de rock, rodéos, spectacles de cirque ou tournois-exhibitions des Jazz, la grande équipe locale de basket-ball.

Les amateurs de musique classique, de théâtre ou de danse trouveront également à se distraire dans ce complexe qui se veut être une « oasis culturelle ». L'**Orchestre symphonique de l'Utah** se produit au **Symphony Hall**, une belle salle de concerts dotée d'une excellente acoustique. Le **Salt Lake Art Gallery** accueille de nombreuses expositions d'art plastique. Enfin, c'est au **Capitol Theatre** que se produisent l'**Utah Opera Company** et le **Ballet West**, deux compagnies de danseurs qui n'ont guère d'équivalent dans les Rocheuses.

Musées et parcs

On trouve maintes autres distractions à courte distance du centre de Salt Lake City. Ainsi, à l'est de la ville, près de l'entrée d'**Emigration Canyon**, a été aménagé un **Emigration Visitors District** qui regroupe une aire de loisirs et diverses attractions culturelles. Au nord-est s'étend le vaste campus de l'**University of Utah**, dont le centre hospitalier est célèbre pour avoir réalisé la première greffe d'un cœur artificiel. Après s'être promené dans ses jardins qui offrent une splendide vue panoramique sur la vallée, on pourra visiter le **Museum of Fine Arts** (tissages navajos, art asiatique) et le **Museum of Natural History** (collections de géologie, de paléontologie et d'anthropologie). Non loin de là, **Fort Douglas**, classé monument historique, fut érigé en 1862 pour protéger les convois postaux transcontinentaux. Mais, lors de la guerre de Sécession, les troupes nordistes durent tourner leurs canons contre les mormons pour s'assurer de la fidélité de l'Utah à l'Union.

Situé à 3 km au sud de Fort Douglas, le **Hogle Zoo** abrite plus d'un millier d'animaux exotiques. De l'autre côté de Sunnyside Avenue s'étend le **Pioneer Trail State Park**, qui abrite un campement mormon reconstitué, avec ses échoppes, son atelier d'artisanat et sa salle de réunion, la **Brigham Young's Forest Farm House**. A côté, le «**This is the place**» **Monument** s'élève à l'endroit où, sortant d'Emigration Canyon, Brigham Young décida d'établir la nouvelle Sion dans la vallée.

En revenant vers le centre de la ville, on pourra faire une halte dans **Liberty Park**, sur 7th East Street, pour se promener sur ses pelouses ombragées de pins, ou se baigner dans l'un de ses lacs. Ce parc abrite l'**Isaak Chase Home and Mill**, un vieux moulin d'adobe au mobilier de style, et une grande volière, le **Tracy Aviary**, qui permet d'admirer quelques cygnes à trompette ou des condors des Andes, ainsi que des centaines de spécimens plus rares.

L'**Other Side of the Tracks District** (le «quartier de l'autre côté des rails») se trouve au sud-ouest de la ville, en deçà de la ligne de fer, comme son nom l'indique. Les passionnés d'Histoire pourront y visiter l'**Union Pacific Depot** (fresques murales et vitraux illustrant l'épopée de l'Ouest) ou le **Rio Grande Depot**, qui abrite à présent l'**Utah State History Museum**. Plus à l'ouest, on pourra visiter les **International Peace Gardens**, où des fleurs de dix-huit pays symbolisent la paix entre les nations, faire une promenade en barque sur la **Jordan River** ou se rendre aux **Utah State Fair Grounds**, qui accueillent une grande foire western à la mi-septembre.

Autour du Grand Lac Salé

Il faut avoir vu le Great Salt Lake, à 30 km à l'ouest de la ville, même si ses plages, recouvertes d'une croûte de sel, ne sont guère attrayantes. Ce plan d'eau de 55 km de large sur 110 km de long est le plus grand lac intérieur de

Couple de skieurs sur une piste de Snowbird.

l'Ouest américain. Pourquoi ne pas consacrer une journée à la découverte du **Great Salt Lake Desert** et des **Oquirrh Mountains** ? On pourra faire une première halte au **Great Salt Lake Park** (aires de pique-nique et de baignade), d'où l'on accède par une chaussée à l'île d'**Antelope** et à sa réserve de bisons (se renseigner préalablement sur l'accessibilité de l'île).

Au sud-ouest du lac s'élèvent les Oquirrh Mountains. De Tooele (à 25 km au sud du lac), on gagne aisément la **Bingham Copper Mine**, sur le versant oriental du massif, la plus grande mine de cuivre à ciel ouvert des États-Unis. Depuis près d'un siècle, on creuse le flanc des monts Oquirrh pour en extraire le minerai, et l'excavation atteint à présent 3 km de diamètre et 900 m de profondeur.

Plus au sud, vers l'Utah Lake, vous attendent quelques pittoresques cités minières désormais abandonnées, comme **Gold Hill**, **Ophir** et **Mercur**, qui immortalisent l'épopée du Far West.

Enfin, peut-être serez-vous tenté de visiter le **Bonneville Speedway** (à 160 km à l'ouest de Salt Lake City), une vaste étendue plane, recouverte d'une croûte de sel, où se disputent régulièrement des courses automobiles et où s'établissent des records de vitesse mondiaux.

L'Alpine Loop Tour

Après les environs arides du Grand Lac Salé, l'Alpine Loop Tour, à 45 mn de route au sud de Salt Lake City, constitue une agréable promenade qui permet de découvrir de ravissants paysages.

L'itinéraire débute, au choix, par la visite des **Osmond Studios** à North Orem ou par l'exploration des grottes calcaires du **Timpanogos Cave National Monument**. On peut ensuite prendre, à **Heber City**, le petit train à vapeur (Heber Creeper) qui remonte le Provo Canyon et franchit de nombreux torrents pour atteindre les **Bridal Veil Falls**. Une halte à **Provo**,

Vue de Salt Lake City.

sur la berge de l'Utah Lake, vous permettra de visiter les divers musées du campus de la **Brigham Young University** (vingt-sept mille étudiants, la plus grande université privée des États-Unis). En été, on peut aller faire de la planche à voile sur le beau plan d'eau de **Deer Creek Reservoir**, ou simplement jouir des splendides paysages de la route panoramique (*scenic loop*) qui relie **Provo Canyon** à **American Fork Canyon**. En hiver, on peut aussi monter jusqu'à la station de ski de **Sundance**, fondée par l'acteur Robert Redford.

Les plaisirs du ski dans le massif des Wasatch

Quelle que soit la saison, le massif des Wasatch offre de nombreuses possibilités de loisirs. Toutefois le **Wasatch Country Canyon**, à quelques minutes de Salt Lake City, concentre à lui seul le meilleur de la région. Dans un périmètre relativement restreint, on trouve en effet sept stations de sports d'hiver, quatre sur les sommets de **Big Cottonwood Canyon** et de **Little Cottonwood Canyon**, sur le flanc occidental des Wasatch, et trois à proximité de **Park City**, sur le versant oriental de la chaîne. Selon les Américains, jamais avares de superlatifs, les skieurs y trouveront la meilleure neige du monde en hiver et les randonneurs d'inégalables circuits pédestres toute l'année.

Il est vrai qu'Alta et Snowbird, juchées au sommet du Little Cottonwood Canyon, bénéficient en hiver d'une excellente poudreuse. Avec un enneigement annuel moyen de 2 m et d'immenses domaines skiables pratiquement vierges, ces deux stations sont le gage de vacances réussies durant la longue saison de ski, qui dure ici de novembre à la mi-juin.

Ceux qui recherchent une station plus calme et une ambiance plus familiale préféreront **Solitude** ou **Brighton**, dans le Big Cottonwood Canyon. Si la saison prend fin début avril à Solitude, on peut skier en été à Brighton.

Ci-dessous, à gauche, le Brigham Young Monument ; à droite, l'une des vingt-sept épouses du prophète mormon.

Sur le versant oriental de la Wasatch Range, trois autres stations s'offrent aux sportifs : Park City, de classe internationale, Parkwest, un domaine encore partiellement sauvage, et la luxueuse station de Deer Valley.

Ces deux dernières ne sont distantes que de quelques kilomètres de **Park City** (2 103 m–3 048 m), une ancienne cité minière qui s'est attachée à préserver les vestiges de sa grande époque, dans les années 1870, lorsque ses gisements d'argent en avaient fait la plus grande ville de la région. Park City est aujourd'hui une station florissante qui regorge de boutiques, d'appartements de luxe, de restaurants gastronomiques et de night-clubs. Deux grandes manifestations culturelles, l'**United States Film Festival** et le **Park City Arts Festival**, s'y déroulent respectivement en janvier et en août.

Parkwest (2 072 m–2 743 m), non loin de là, est la station favorite des skieurs téméraires. Ses pentes fortement accidentées sont un véritable défi, comme en témoigne le nom de ses pistes — Bad Hombre (l'Outlaw), Slaughterhouse (l'Abattoir) ou Massacre (la Tuerie).

Randonnée, escalade, pêche...

Les canyons de la Wasatch Range ne sont pas le domaine des seuls skieurs. Du printemps à l'automne, ils se prêtent également à diverses activités de plein air. Big et Little Cottonwood Canyons, mais aussi **Millcreek Canyon**, **Neff Ferguson's** ou **Lamb's Canyons**, constituent autant de paradis pour les amateurs de marche ou les grimpeurs. De nombreux sentiers balisés permettent aux promeneurs d'explorer de splendides forêts de trembles ou de conifères, de pique-niquer dans des prairies parsemées de fleurs sauvages ou de pêcher dans les ruisseaux, les cascades et les lacs de haute montagne. Autant de merveilleux buts d'excursion situés, pour la plupart, à quelques minutes seulement du centre de Salt Lake City.

La Bingham Copper Mine.

Joseph Smith

(1805-1844)
"I teach the people
correct principles and
they govern themselves."

LES MORMONS, UN «PEUPLE ÉLU»

Il n'existe guère de culte plus typiquement américain que celui des mormons. Pourtant, l'Église de Jésus-Christ des saints des derniers jours, fondée par Joseph Smith (1805-1844), a souvent entretenu des rapports conflictuels avec le reste de la nation.

Pendant la première moitié de son histoire, soit près d'un siècle, l'église mormone a connu de nombreuses vicissitudes et fait l'objet d'une haine quasi générale. Considérés comme des sectateurs étranges, aux idées anti-américaines, les mormons ont même un temps envisagé de fonder une nation indépendante. Cependant, leur histoire est si intimement liée à la colonisation de l'Ouest américain qu'on ne peut guère imaginer cette secte sous d'autres cieux.

C'est autour du concept de «Nouvelle Frontière» que se sont forgés le caractère et l'identité de la nation américaine. De même, la culture mormone, née dans l'Ouest, doit beaucoup à l'«esprit de la Nouvelle Frontière» : elle emprunta au puritanisme le sentiment d'être investie d'une mission divine et une tentative d'explication biblique de l'origine des Indiens, à la franc-maçonnerie son goût du secret et son sens de la fraternité. Surtout, elle s'inscrit dans cette volonté d'expérimentation sociale, économique et religieuse qui s'empara de l'Amérique au début du XIXe siècle et suscita de nombreuses vocations utopistes.

Face à un continent sauvage, présumé dangereux et inhumain, les mormons, comme tous les pionniers, voulurent maîtriser la nature au nom d'un idéal d'ordre et de civilisation en bâtissant des communautés agricoles prospères et de grandes cités, projet stimulé par l'afflux sans cesse croissant de nouveaux immigrants. En ce sens l'idéologie américaine et la théologie mormone se retrouvent dans une même orthodoxie.

A gauche, Joseph Smith, fondateur de l'Église de Jésus-Christ des saints des derniers jours; à droite, son successeur Brigham Young, qui installa les mormons dans l'Utah.

Ce parallèle devint d'ailleurs encore plus évident au XXe siècle, lorsque les mormons se furent débarrassés de leurs «bizarreries» (la polygamie, la théocratie et le communalisme) pour adopter les valeurs de la classe moyenne américaine. Enfin, au cours de la dernière décennie, le soutien qu'une certaine avant-garde mormone a apporté aux conservateurs a encore accentué ce rapprochement.

Les mormons ont toujours fait preuve d'une volonté d'organisation originale. Être mormon aujourd'hui suppose le sentiment d'appartenir à un peuple différent, une stricte obéissance à des valeurs que

BRIGHAM YOUNG.—For sketch of life see Annex No. 25.

l'on pense menacées par l'évolution du monde moderne, et l'acceptation d'un cadre institutionnel et religieux qui dirige tous ses actes.

Le mormonisme a aujourd'hui dépassé le cadre national pour se hisser au rang des grandes religions de l'humanité. Bien sûr, les deux ou trois millions de fidèles semblent bien peu, comparés, par exemple, aux cinquante millions de catholiques américains. Mais leur influence excède leur nombre. Avec trente mille missionnaires qui propagent la foi de Joseph Smith dans le monde entier, l'Église des saints des derniers jours connaît une rapide croissance.

Un prophète nommé Joseph Smith

Au début du XIXᵉ siècle, l'État de New York fut le théâtre d'un important renouveau religieux ou *revivalism*. De nombreux prêcheurs itinérants cherchaient à gagner les âmes des mécréants et une intense ferveur s'empara des colons calvinistes. C'est dans ce contexte que fut élevé, à Palmyra, Joseph Smith, né en 1805 au sein d'une famille de fermiers du Vermont.

Dès son adolescence, le jeune Smith fut marqué par un certain mysticisme qui le poussa vers la prière. Dieu et ses anges lui apparurent dans une série de visions et il auraient ensuite exterminé leurs rivaux, dont Moroni était le dernier survivant. Smith fit des fouilles, trouva et traduisit ces textes qui constituent le *Livre de Mormon* (du nom du père de Moroni).

Smith fonda son église en 1830 et entreprit d'établir le royaume de Dieu sur terre en attendant le second avènement du Christ. Dès l'année suivante, il se retrouva confronté aux critiques de ses concitoyens qui le considéraient comme un charlatan. La jeune communauté mormone partit donc s'installer à Kirtland dans l'Ohio. Mais en 1837, en butte à l'hostilité générale, les « saints » durent émigrer à

déclara avoir eu la révélation d'un christianisme authentique dont l'humanité se serait écartée. De 1823 à 1827, il fut ainsi fréquemment visité par l'ange Moroni, dernier survivant d'un peuple élu qui aurait habité l'Amérique précolombienne.

L'ange lui indiqua où trouver deux tablettes d'or sur lesquelles était consignée l'histoire d'une des douze tribus d'Israël, que Dieu avait envoyée coloniser le Nouveau Monde après la désertion de la tour de Babel. Ce peuple fut bientôt divisé par des querelles entre Néphites, blancs et bons, et Lamanites, sauvages et cruels, que Dieu châtia en leur donnant une peau rouge. Ces « ancêtres » des Amérindiens

Independence, dans le Missouri. Là, les attaques se firent encore plus vives : il y eut des émeutes, dix-huit fidèles furent lynchés à Haun's Mill, et le gouverneur du Missouri ordonna que les mormons soient « exterminés ou chassés de l'État. »

En 1839, les mormons émigrèrent donc dans l'Illinois et fondèrent la communauté de Nauvoo, sur les berges du Mississippi. Une législation libérale permit à Smith et à son « conseil des Douze Apôtres » de gérer librement la colonie et de lever une armée de quatre mille hommes. En 1844, Nauvoo était devenue la première ville de l'Illinois (15 000 hab.), mais, une fois encore, cette prospérité suscita vite l'ire du voisinage.

La société puritaine admettait mal cette secte qui se présentait comme le peuple élu, pratiquait la polygamie, et qui, par sa puissance économique et militaire, semblait menacer l'ordre établi. Les ambitions politiques de Smith (qui avait annoncé sa candidature à la présidence des États-Unis) ne firent qu'aggraver le conflit. Lorsque Smith ordonna la fermeture d'un journal de Nauvoo qui se montrait particulièrement critique envers les mormons, son frère Hyrum et lui furent arrêtés et placés en détention à Carthage (Illinois). Le 27 juin 1844, la foule en colère envahit la prison et lyncha les deux hommes.

cinquante ou cent personnes, des points de ravitaillement préparés tout au long du chemin et des équipes spéciales chargées d'ouvrir des pistes et de bâtir des ponts. En 1846, mille deux cents colons traversèrent ainsi l'Iowa jusqu'à Winter Quarters, près de Council Bluffs. De là, Young prit la tête d'un premier détachement de cent quarante-huit fidèles et, au terme d'une pénible marche, atteignit en juillet 1847 les abords désertiques du Grand Lac Salé, où il avait décidé d'installer la colonie. A la fin de l'année, quelque mille huit cents « saints » étaient établis dans la vallée et les premiers champs ensemencés.

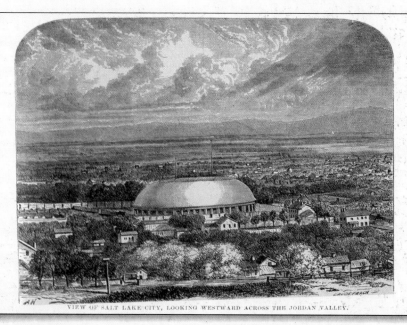

VIEW OF SALT LAKE CITY, LOOKING WESTWARD ACROSS THE JORDAN VALLEY.

Brigham Young, le nouveau prophète

Le conseil des Douze Apôtres désigna alors le plus âgé de ses membres, Brigham Young, comme successeur de Smith. En 1845, les autorités de l'Illinois sommèrent les mormons de quitter l'État avant le printemps suivant, et Young prépara aussitôt, méthodiquement, ce qui devait être le plus massif exode de l'histoire américaine. Les colons furent regroupés en convois de

A gauche, l'Institut des présidents mormons ; ci-dessus, vue de Salt Lake City au XIXe siècle avec, au premier plan, le Tabernacle.

Entre 1847 et 1869, année où le chemin de fer fit son entrée dans Salt Lake City, des convois ininterrompus de mormons arrivèrent de Winter Quarters, d'autres cités mormones et même d'Europe, où des missionnaires étaient à l'œuvre. Le voyage était souvent un enfer. Les Indiens, les pistes à peine tracées, les rigueurs du climat et les maladies eurent raison de plus d'un émigrant. Les fonds de l'Église de Jésus-Christ finançaient le voyage des plus démunis, sous réserve que ces élus remboursent leur dette après s'être installés.

Pendant ce temps, Young s'efforçait de bâtir le « royaume de Dieu sur terre » selon les vœux de Joseph Smith. Pour ce faire, il rêvait d'un empire géant — l'État de Deseret — qui devait englober l'ensemble de l'Utah, du Nevada et de l'Arizona, ainsi que des portions de l'Idaho, du Wyoming, du Colorado et de la Californie. Sur toutes ces terres, il lança des colons et, en 1855, les mormons occupaient déjà un vaste couloir s'étendant de Fort Lehmie, dans l'Idaho, à San Bernardino, en Californie. Après des années de persécutions, les « saints » pouvaient enfin mettre en pratique leur idéal social et religieux.

Une société théocratique

La société mormone se caractérisait par une structure patriarcale et par un clergé séculier fortement hiérarchisé. A la base, tous les hommes, dès l'âge de douze ans, pouvaient célébrer le culte. La communauté était divisée en paroisses, regroupées en diocèses. L'assemblée des évêques était soumise au conseil des Douze Apôtres, lui-même régi par un conseil supérieur dirigé par Brigham Young, président de l'Église et gouverneur du territoire. L'Utah était une théocratie où l'obéissance absolue au clergé était la règle.

Les épreuves endurées au cours de la grande migration avaient resserré les rangs des fidèles et le charisme de Young contribua à renforcer la loyauté et l'obéissance de ces hommes, déjà fortement unis par le sens de l'effort. Entraide et autosuffisance économique furent les premiers mots d'ordre de la communauté. Vivant aux abords d'un désert, les mormons durent d'abord créer un vaste réseau d'irrigation. Fruit d'un travail collectif, ces installations étaient gérées par les responsables ecclésiastiques. De la même manière, l'Église distribua les terres arables en fonction des besoins des familles. La plupart du temps, les champs étaient regroupés autour de petites communautés villageoises s'efforçant chacune de vivre en autarcie tout en s'intégrant à un système économique général. En 1865, quelque 1 700 km de canaux d'irrigation alimentaient 60 000 ha cultivés.

Brigham Young encouragea fortement la production domestique de tous les biens précédemment importés, et bientôt s'ouvrirent des forges, des moulins, des manufactures de vêtements, de mobilier, de textile ou des coopératives de produits laitiers.

Dans certains cas extrêmes de collectivisation, certains allèrent même jusqu'à faire don aux instances suprêmes de tous leurs biens, chacun ne conservant pour soi que quelques effets personnels. Mais ces expériences radicales, comme les United Orders, échouèrent généralement, en raison des échanges inévitables entre la Nouvelle Sion et le monde extérieur. Ainsi, à partir de 1849, l'Utah fut traversé par des cohortes de prospecteurs en route vers la Californie. Ceux-ci mirent un terme à l'autarcie des débuts mais leur passage constitua, en contrepartie, une véritable manne car ils se délestaient de nombreux

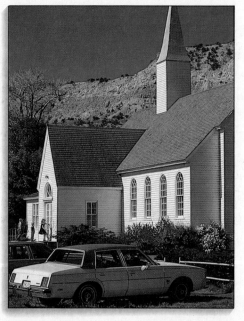

biens en échange de vivres et de bétail. Ce mouvement ne fit que s'accentuer en 1869 avec l'arrivée du chemin de fer.

La lutte contre la polygamie

La polygamie, cette importante pomme de discorde entre les mormons et les « gentils », avait été instituée en 1852, à Nauvoo, par Joseph Smith, qui contracta lui-même de très nombreuses unions (le chiffre exact n'est pas clairement établi, mais on lui prête souvent une trentaine d'épouses). Sur cette terre promise isolée du reste du monde, une minorité de mormons suffisamment aisés s'adonnaient donc à cette coutume qui allait à l'encontre de la morale américaine. Le parti républicain fit ouvertement campagne contre «les deux vestiges des temps barbares », l'esclavage et la polygamie, et, en 1849, le Deseret se vit refuser le statut d'État de l'Union. Il n'obtint, l'année suivante, que celui de Territoire, qui le privait de toute autonomie de décision.

Vers 1855, parce que leur organisation théocratique battait en brèche le pouvoir officiel, les mormons se trouvèrent frappés d'ostracisme. Deux ans plus tard, le président Buchanan, cherchant sans doute un exutoire au problème esclavagiste qui divi-

tales qui devait se montrer payante. Au printemps 1858, Buchanan accepta de revenir à de meilleurs sentiments. L'armée renonça à occuper Salt Lake City et s'établit à Camp Floyd, à 50 km au sud de la ville. En contrepartie, les mormons acceptèrent la nomination de Cumming, mais Brigham Young continua d'exercer l'autorité réelle sur l'État.

Pendant la guerre de Sécession, des troupes californiennes occupèrent Salt Lake City afin de s'assurer de la fidélité des mormons à l'Union. Le corps expéditionnaire était commandé par un officier violemment antimormon, le colonel

sait le Nord et le Sud, nomma Cumming, un non-mormon, gouverneur de l'Utah en remplacement de Brigham Young et chargea un contingent de deux mille cinq cents soldats d'imposer l'ordre républicain aux « rebelles ».

Brigham Young refusa d'obtempérer et annonça que les mormons étaient résolus à sacrifier leurs biens plutôt que de se soumettre. Il fit évacuer Salt Lake City et institua une politique de la terre brûlée et de harcèlement des troupes gouvernemen-

A gauche, temple mormon typique ; ci-dessus, match de football américain, dans le stade de la Brigham Young University.

Patrick Connor. Ce dernier poussa ses hommes à prospecter l'or dans la région, espérant découvrir des filons qui encourageraient une immigration massive des gentils en Utah. Son plan se révéla juste. De nombreuses mines furent ouvertes et des cités comme Alta, Park City et les camps de mineurs des Oquirrh Mountains devinrent autant de centres économiques non mormons dans l'État.

Une fois la guerre de Sécession terminée, le Congrès repartit en croisade contre la polygamie. Une loi interdisant la bigamie fut votée en 1861, et l'Edmunds-Tucker Act de 1882 priva les récidivistes de leurs droits civiques et confisqua leurs biens. Les fonds d'aide mormons furent dissous et la police donna la chasse aux responsables ecclésiastiques mormons, qui se virent contraints de prendre le maquis.

La question ne fut résolue qu'en 1890, treize ans après la mort de Brigham Young, lorsque le président mormon Wilford Woodruff somma ses ouailles «de renoncer aux mariages interdits par la législation fédérale» et donc de se soumettre aux lois des États-Unis. Ce manifeste marqua la fin des hostilités et, en 1896, après cinquante années d'attente, l'Utah fut enfin admis comme quarante-cinquième État de l'Union.

SIGN OF MORMON STORES.—SALT LAKE CITY.

Au début du XXᵉ siècle, les mormons renoncèrent peu à peu à leur idéal communautaire pour adopter les valeurs et le mode de vie de la classe moyenne américaine. Ils adhérèrent en nombre à peu près égal aux deux grands partis démocrate et républicain — bien que, depuis quelques années, ce dernier semble rallier majoritairement leurs faveurs. L'Église des saints des derniers jours retrouva progressivement sa prospérité et s'affirma même, au lendemain de la Seconde Guerre mondiale, comme une importante puissance économique, investissant massivement dans les assurances, l'immobilier et les communications.

Pourtant les «saints» n'ont pas renoncé à leur spécificité religieuse et à leur certitude d'appartenir à un peuple élu. En fait, si l'Eglise ne prétend plus diriger économiquement et politiquement ses fidèles, elle n'a pas renoncé aux grands principes communautaires de Joseph Smith. Elle encourage la prise de responsabilités, a développé un vaste programme d'action sociale pour venir en aide aux plus démunis, organise de nombreuses activités paroissiales (sportives, artistiques, etc.), et maintient un contact étroit avec les fidèles à travers un réseau très élaboré d'associations, d'écoles du dimanche, etc. Tous les mormons payent une dîme de 10% de leurs revenus, consacrent plusieurs années à la diffusion de leur foi, et contribuent également à de nombreux fonds missionnaires ou sociaux.

Quelques particularismes culturels

Les mormons ont d'autres traits distinctifs, comme l'abstinence totale d'alcool et de tabac ainsi que le port de sous-vêtements particuliers. Ils se passionnent pour la généalogie, l'éducation et les arts.

Mais c'est surtout leur attitude très conservatrice — comme celle de nombreux Américains — qui a attiré l'attention sur eux dans les années 1980. C'est dans l'Utah que le candidat Reagan obtint sa plus forte majorité aux élections présidentielles de 1981, et, en retour, il choisit de faire entrer dans son gouvernement d'importantes personnalités mormones. De même, les mormons ont démontré qu'ils pouvaient incarner l'image traditionnelle et la mentalité de l'Amérique profonde lorsque, en 1984, l'une d'entre eux, Sharlene Wells, fut élue Miss America.

Les mormons ne forment plus un bloc homogène, aux attitudes stéréotypées, et l'on a vu sortir de leurs rangs des personnalités originales. Mais dans leur ensemble, ils se conforment néanmoins aux mots d'ordre de leurs responsables ecclésiastiques. C'est en ce sens qu'ils continuent à former une culture originale au sein de la mosaïque américaine.

A gauche, enseigne d'un commerce mormon du XIXᵉ siècle ; à droite, portraits des responsables de l'Église mormone, avec, au centre, Brigham Young.

REPRESENTATIVE MORMONS.

1.—W. Woodruff. 2.—John Taylor. 3.—Mayor Daniel H. Wells. 4.—W. H. Hooper. 5.—President Brigham Young. 6.—Orson Pratt. 7.—John Sharp. 8.—George Q. Cannon. 9.—Orson Hyde.

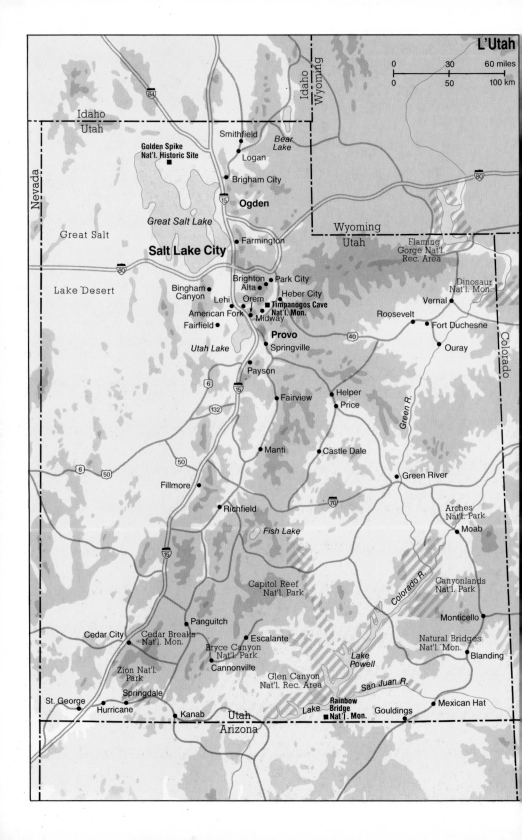

LA CACHE VALLEY ET LE NORD DE L'UTAH

Le nord de l'Utah semble garder la frontière entre deux mondes. On note une opposition flagrante entre les valeurs et le mode de vie des mormons, premiers colonisateurs de cette région désertique, et ceux des « Gentils », sans cesse plus nombreux à venir s'y installer.

Les paysages de la région sont également contrastés. De la rencontre de deux plaques tectoniques est née l'Overthrust Belt, l'une des plus riches régions pétrolières d'Amérique, aux frontières de l'Utah, de l'Idaho et du Wyoming. Au sud-ouest de cette « ceinture » s'étend le Great Basin et son Grand Lac Salé, vestige du lac de Bonneville, véritable mer intérieure qui s'étendait à l'origine sur 560 km de long et 230 km de large et qui a laissé son empreinte sur le flanc des montagnes du nord et de l'ouest de l'Utah.

Bain hivernal dans une piscine chauffée de Snowbird.

Au pied de ces montagnes abruptes, les lacs et les vallées encaissées de Cache, Weber, Ogden's, Bear River ou Bear Lake servirent d'abord de refuge aux Shoshones, puis aux Bannocks et aux Utes, qui disputaient leurs territoires de chasse aux Indiens des Plaines. Ce fut ensuite le point de ralliement hivernal des trappeurs, et enfin une « terre promise » pour les fermiers mormons, qui souhaitaient fonder en paix une nouvelle communauté, loin d'un monde hostile.

Puis l'avènement du chemin de fer permit de réunir les différentes cultures régionales de l'Amérique. D'ailleurs, symboliquement, c'est dans la **Promontory Range**, au nord du Grand Lac Salé, que s'opéra la jonction entre les deux lignes ferroviaires venant respectivement de l'ouest et de l'est. Aujourd'hui, on a encore le sentiment de pénétrer dans un autre monde quand on vient du Wyoming ou de l'Idaho. Les premières communautés agricoles de l'Utah que l'on traverse annoncent par des signes subtils le pays des mormons, même si l'ancien mode de vie rural s'efface progressivement pour laisser la place aux valeurs du monde moderne — le tourisme et les industries énergétiques jouent là le même rôle que le chemin de fer au siècle dernier.

De Wellsville à Hyrum

La Cache Valley, dernier foyer agricole de l'Utah, constitue un bon point de départ pour visiter la région qui s'étend au nord du Grand Lac Salé. Cette vallée verdoyante, arrosée par la Bear River et ses affluents, est cernée de hautes montagnes. Elle connaît des hivers rigoureux mais des étés agréables, et abrite les fermes les plus productives de l'Utah. Ce nom de « Cache » lui vient de ce que les premiers trappeurs y entreposaient leurs fourrures. Beaucoup y établissaient même leurs quartiers d'hiver, profitant de son abondant gibier.

Wellsville, au sud de Logan, est la plus ancienne colonie mormone de la Cache Valley. Brigham Young y envoya une mission exploratoire dès

1847, mais ce n'est qu'en 1856 qu'une communauté d'éleveurs mormons, dirigée par Peter Maughan, s'y fixa. La ville, qui conserva longtemps le nom de Maughan's Fort, abrite encore de nombreux bâtiments anciens. Elle est dominée par les **Wellsville Mountains**, qui comptent parmi les montagnes les plus abruptes des États-Unis.

A quelques kilomètres à l'est de Wellsville, sur la berge d'Hyrum Lake, s'élève **Hyrum**, autre pittoresque colonie mormone de la première heure. L'**Hyrum Lake State Recreation Area** attire campeurs et plaisanciers.

Peu de sites ont la beauté sereine de la **Bear River Range**, à l'est de la Cache Valley. De Hyrum, on se dirigera d'abord vers le **Blacksmith Fork Canyon**, qui offre de nombreuses possibilités de pique-nique et de parties de pêche. En hiver, il est possible d'assister au repas des élans dans la **Hardware Ranch Elk Preserve**. Cette réserve qui se visite en traîneau abrite plusieurs centaines de ruminants.

Le **Ronald V. Jensen Historical Farm & Man and his Bread Museum**, entre Wellsville et Logan, mérite le détour. Cet écomusée abrite de nombreux tracteurs à vapeur, moissonneuses, batteuses, chariots et autres machines agricoles d'autrefois en parfait état de marche.

La ferme Jensen n'est pas le seul conservatoire des traditions locales. Lorsque l'on remonte la Cache Valley du sud au nord, on traverse nombre de villages, comme **Mendon**, **Newton**, **Clarkston** ou **Richmond**, entourés de pâturages et de champs de luzerne, qui regroupent des centaines de petites fermes proprettes.

Logan

Sur le flanc oriental de la vallée, là où la Logan River surgit des montagnes, s'élève la petite cité de Logan. De loin, on croit distinguer un château perché sur l'une des terrasses laissées par l'ancien lac de Bonneville. Il s'agit en fait du **Logan Temple**, un imposant

Le temple mormon qui domine Logan.

édifice en grès de style néogothique, couronné de deux clochetons à coupole blanche. Ce sanctuaire, construit par des bénévoles entre 1877 à 1884, témoigne avec éloquence de la piété des mormons. L'accès en est réservé aux fidèles. En revanche, le **Mormon Tabernacle**, situé à deux pâtés de maisons à l'ouest de là, dans Main Street, est ouvert aux touristes. Ce bâtiment, dont la construction dura de 1865 à 1890, ressemble comme un jumeau au précédent. On pourra également visiter, non loin de là, la Chambre de commerce et son **Cache Country Relic Hall**. Ce musée géré par les Daughters of Utah Pioneers (les filles des pionniers de l'Utah) renferme de nombreux souvenirs de la vie des premiers colons (vêtements, outils, meubles, œuvres d'art). Logan abrite de nombreux bâtiments classés, comme le **Lyric Theatre** et l'imposant **David Eccles Home**, dans **Center Street**.

Sur les collines en gradins à l'est de la ville s'étale le campus de l'**Utah State University**, fondé en 1888. En juillet-août, le campus accueille le Festival of the American West, dont les nombreuses attractions — défilé en costumes traditionnels, foire, expositions, conférences et reconstitutions de scènes de l'Ouest — célèbrent le souvenir des pionniers.

De Logan à Red Rock Pass

La Cache Valley est renommée pour ses fromages. On pourra s'arrêter à **Almaga**, au nord de Logan, pour visiter la **Cache Valley Cheese Factory**, entreprise qui se flatte d'être « le plus gros producteur de fromage suisse au monde ». La vallée abrite cinq autres fromageries, qui emploient plus de quinze cents ouvriers, tandis que de nombreuses fermes assurent une importante production artisanale de fromage.

La Cache Valley s'étend jusque dans l'Idaho. A 8 km au nord de Preston, près des berges de la Bear River, le **Bear River Massacre Site** commémore le souvenir de deux cent vingt

Ranch à l'abandon dans une plaine aride de l'Utah.

Shoshones-Bannocks accusés de harceler les colonnes d'émigrants et massacrés sans pitié par la garnison de Fort Douglas, en janvier 1863.

C'est non loin de là, à **Red Rock Pass**, à l'extrémité de la Cache Valley, que les eaux du lac de Bonneville, après s'être élevées pendant plusieurs millénaires, atteignirent leur niveau maximal et se déversèrent brutalement dans la Snake River.

Logan Canyon

L'exploration du Logan Canyon constitue une agréable promenade de 48 km. La route part des berges rocailleuses de la **Logan River**, à la sortie de Logan, pour monter vers les forêts et le déversoir situé au sommet du canyon. En cours de route, on découvrira un sentier escarpé de 2 km qui conduit au **Jardine Juniper**, un gigantesque genévrier vieux de plus de trois mille ans. Plus loin, de nombreuses grottes s'offrent à la curiosité des plus aventureux. On peut pêcher la truite en divers endroits et se désaltérer de l'eau limpide de **Rick's Spring**. En été, les campeurs peuvent planter leur tente dans de nombreux sites pittoresques, comme **Tony Grove Lake**, et l'hiver, les skieurs apprécieront l'ambiance décontractée de la **Beaver Mountain Ski Area**.

Le Bear Lake en été

Du sommet du Logan Canyon, on jouit d'une vue panoramique sur le splendide plan d'eau de **Bear Lake**, agrémenté de plusieurs stations balnéaires, dont Sweetwater, la plus importante. L'été, les plaisanciers se retrouvent à la **Bear Lake State Park Marina**, dans l'Utah, tandis que les nageurs fréquentent plutôt l'**Idaho State Beach**, sur la rive nord, ou le **Rendezvous Beach State Park** sur la rive sud. Ce lac profond de 61 m abrite le *Bonneville cisco fish* et, dès janvier, on peut voir de nombreux pêcheurs briser la glace pour capturer ce poisson rare.

Vieille locomotive à charbon immortalisant la jonction des lignes de chemin de fer de l'Union Pacific et de la Central Pacific, à Promontory Point, le 10 mai 1869.

Quelques cités riveraines du lac, comme **Laketown** et **St-Charles**, ont conservé tout leur charme d'antan, mais Bear Lake souffre d'un trop grand afflux touristique. De trop nombreuses résidences secondaires déparent le paysage. De même, les eaux ont perdu leur clarté cristalline : alors que le lac se déversait autrefois dans la Bear River, les eaux du fleuve sont aujourd'hui pompées et rejetées dans le lac en période de crue, ce qui en altère progressivement l'écosystème.

Ogden's Valley

Pour profiter des paysages agrestes de l'Utah, il faut suivre la State Highway 30, puis la 16, au sud de Bear Lake, jusqu'aux bourgs isolés de **Randolph** et de **Woodruff**. De là, une montée apparemment interminable mène à **Monte Cristo**, une très belle aire de pique-nique à 2 740 m d'altitude. On redescend ensuite dans la **Ogden's Valley**, au fond de laquelle se niche **Pineview Reservoir**. Sur la berge du

lac s'élève **Huntsville**, patrie du célèbre prophète mormon David O. McKay. Non loin de là, les moines trappistes de l'**Abbey of Our Lady of the Holy Trinity** proposent leur production de pain et de miel aux touristes. De là on peut rejoindre plusieurs stations de sports d'hiver : **Snow Basin**, au sud, **Nordic Valley** et **Powder Mountains** au nord.

De Pineview Reservoir, l'**Ogden River** s'engouffre dans un canyon pour descendre vers **Ogden** (1 314 m), seconde ville de l'Utah, ainsi nommée en souvenir d'un trappeur anglais qui découvrit cette voie en 1820.

La cité fut fondée en 1846 par Miles Goodyear. Celui-ci fit venir des chevaux de Californie pour les revendre aux pionniers de passage. Après quelques années de négoce, Goodyear revendit tous ses biens aux mormons. Un parc de 24th Street, dans l'ouest de la ville, abrite le **Miles Goodyear Fort Buenaventura State Historical Monument**, reconstitution de son enclos en rondins. Mais sa cabane, la

Fonderie de cuivre près de Magnavox (Utah).

Goodyear Cabin, s'élève à côté du **Daughters of Utah Pioneers Museum**, dans le même pâté de maisons que l'**Ogden Tabernacle** et le nouveau temple mormon inauguré en 1972.

Avec l'arrivée du chemin de fer en 1869, la ville devint le principal centre d'échanges entre l'Utah et le reste des États-Unis. A l'angle de 25th Street et de Wall Avenue, dans le **Lower 25th Street Historic District**, l'ancien quartier commerçant d'Ogden, l'**Union Depot** (1924) rappelle la vocation commerçante de la ville. Ce bâtiment de style renaissance espagnole abrite à présent le **Railroad Hall of Fame Museum** (musée ferroviaire) et le **John M. Browning Firearms Museum** (collections d'armes à feu).

Brigham City et les environs du Grand Lac Salé

La route qui longe la rive nord-est du Great Salt Lake permet d'apprécier pleinement l'immensité et les paysages changeants du lac.

On emprunte d'abord la **Golden Spike Fruitway**, autoroute qui dessert **Willard**, où de nombreux stands proposent les produits des vergers environnants. Puis on traverse Brigham City, ville où, au siècle dernier, les mormons se livrèrent à une expérience réussie de vie communautaire. On pourra faire un détour par les immenses marais du **Bear River Migratory Bird Refuge**, à 25 km à l'ouest de la ville, où font halte, au printemps et à l'automne, les centaines d'oiseaux migrateurs qui survolent le Grand Lac Salé.

En mettant cap au nord-ouest, on rejoint **Corinne**, l'ancienne « capitale du péché » de l'Utah. Ce repaire de hors-la-loi, né avec le chemin de fer, est aujourd'hui une paisible communauté mormone. Un peu plus au nord, on longe la **Thiokol Wasatch Division Plant**, un immense complexe aérospatial spécialisé dans la construction de moteurs de fusées. Cette usine témoigne de l'importance des industries militaires dans l'économie de l'Utah (le gouvernement fédéral reste le principal employeur de l'État).

En continuant vers le sud, on parvient au **Golden Spike Historic Site**, qui commémore la jonction opérée le 10 mai 1869 entre les lignes de l'Union Pacific et de la Central Pacific. L'ultime rivet (le *golden spike*) utilisé pour assembler les deux voies est en or massif.

En longeant les Promontory Mountains vers le sud, on atteint **Promontory Point**, d'où l'on domine le Grand Lac Salé. De là, on découvre **Fremont**, **Antelope** et **Gunnison Islands** au sud. A l'ouest, on aperçoit distinctement le **Pilot Peak** qui servait autrefois de repère aux convois d'émigrants traversant le désert. A l'est, c'est le **Wasatch Front** et les grandes métropoles de l'Utah. Les basses terres marécageuses qui bordent le lac apparaissent au nord-ouest avec le **Locomotive Springs Waterfowl Management Area** et ses lacs d'un bleu intense. Enfin, tout au nord, se détachent les **Raft River Mountains**, dans lesquelles se nichent les villages les plus isolés de l'Utah.

Ci-dessous, épouse de rancher, radieuse malgré les ans et le dur labeur ; à droite, jeune garçon saluant le retour du printemps dans les Rocheuses.

INFORMATIONS PRATIQUES

PRÉPARATIFS ET FORMALITÉS DE DÉPART

PASSEPORT ET VISA

Depuis le 1er juillet 1989, les Français peuvent se rendre aux États-Unis avec un simple passeport en cours de validité s'ils désirent effectuer un voyage de tourisme ou d'affaires de moins de 90 jours. Il leur faudra toutefois remplir un formulaire de demande d'exemption de visa, remis par le consulat américain, leur compagnie de transports ou leur agence de voyages avant le départ (sont exemptés de cette formalité les voyageurs titulaires d'un visa et d'un passeport en cours de validité). Ils doivent également prouver qu'ils sont en possession d'un billet de retour.

Pout tout autre motif de séjour ou pour les touristes entrant aux États-Unis par la route, il est encore nécessaire d'obtenir un visa, délivré gratuitement par le consulat américain (ouvert du lundi au vendredi, sauf jours fériés américains et français).

● **France**
Paris
Ambassade
*2, avenue Gabriel, 75008 Paris,
tél. 42 96 12 02 ou 42 61 80 75.*
Consulat
*2, rue Saint-Florentin, 75001 Paris,
tél. 42 96 14 88.*
Bordeaux
*22, cours du Mal-Foch, 33000 Bordeaux,
tél. 56 52 65 95.*
Lyon
*7, quai Général-Sarrail, 69006 Lyon,
tél. 78 24 68 49.*
Marseille
*12, boulevard Paul-Peytral, 13286 Marseille
cedex 6, tél. 91 54 92 00.*

● **Belgique**
Ambassade
*27, boulevard Régent, Bruxelles 1000,
tél. (2) 513 38 30.*
Consulat
*25, boulevard Régent, Bruxelles 1000,
tél. (2) 513 38 30.*

● **Canada**
Consulats
*2, rue Élysée, place Bonaventure, Montréal,
tél. (514) 878 43 81.
1110, avenue des Laurentides, Québec,
tél. (418) 688 04 30.*

● **Suisse**
Ambassade et Service des visas
Jubilamstrasse 93, 3000 Berne, tél. (31) 43 70 11.

VACCINS

Aucun vaccin n'est exigé pour entrer aux États-Unis.

VÊTEMENTS À EMPORTER

L'été, un pantalon léger, un short, quelques chemises légères ou T-shirts suffiront dans la journée, mais une veste ou un lainage sont bienvenus en soirée ou dans les locaux climatisés. Un anorak à capuche, un survêtement chaud et des chaussures de tennis ou de marche constituent la tenue idéale pour une randonnée en montagne. En hiver, prévoyez des sous-vêtements chauds, un anorak ou une veste matelassée, des après-ski, des gants, un bonnet et une écharpe.

Dans certains restaurants chics, les hommes sont tenus de porter une veste et une cravate, tandis que les femmes doivent s'abstenir de porter des jeans. De même, une tenue habillée est de bon ton dans les salles de spectacle.

Enfin, n'oubliez pas votre maillot de bain. Vous pourrez vous baigner, même en hiver, dans des piscines chauffées ou dans des sources chaudes.

INFORMATIONS TOURISTIQUES

Avant votre départ, vous pourrez obtenir des renseignements d'ordre général :
– en écrivant à l'**Office du tourisme**, *ambassade des États-Unis, 75382 Paris cedex 08* (joindre 3 timbres pour la réponse),
– en téléphonant au 42 60 57 15 (du lundi au vendredi, de 13 h à 17 h),
– en consultant le Minitel, 36 15 code USA,
– en vous adressant au **consulat des États-Unis**, *2 rue Saint-Florentin, 75382 Paris cedex 08, tél. 42 96 14 88.*

ALLER DANS LES ROCHEUSES

PAR AVION

De nombreuses compagnies aériennes proposent des vols entre l'Europe et Boston, Chicago, Houston, Los Angeles, Miami, New York, San Francisco et Washington aux États-Unis. Des correspondances intérieures permettent ensuite de rallier Denver ou Salt Lake City, les deux principales villes des Rocheuses.

Air France propose ainsi des vols à destination de New York avec correspondance pour Denver et Salt Lake City, via une compagnie américaine *(renseignements Paris et banlieue : 45 35 61 61)*.

Font escale dans ces deux villes les compagnies America West, Continental, Delta, Eastern, TWA, United et Western, dont voici les adresses françaises :

American Airlines
109, rue du Fbg-Saint-Honoré, 75008 Paris, tél. 42 89 05 22.
America West
66, Champs-Élysées, 75008 Paris, tél. 43 59 00 34.
Continental Airlines
92, Champs-Élysées, 75008 Paris, tél. 42 25 31 81.
Delta Airlines
4, rue Scribe, 75009 Paris, tél. 47 68 92 92.
TWA
101, Champs-Élysées, 75008 Paris, tél. 47 20 62 11.
United Airlines
39, avenue de l'Opéra, 75002 Paris, tél. 48 97 82 82.

Toutes ces compagnies pratiquent des tarifs excursion, visite, APEX (valables pour des séjours de deux semaines à deux mois uniquement). Certaines proposent des « Pass » *(standby pass* ou *coupon air pass)* qui autorisent un certain nombre de voyages en avion pour un tarif forfaitaire. Il est donc conseillé de se renseigner auprès des agences de voyages ou des compagnies aériennes sur les différentes formules existantes. Certaines compagnies de charters desservent également ces villes.

Forum Voyages
67, avenue Poincaré, 75016 Paris, tél. 47 27 89 89.
Go Voyages
Tél. 49 23 26 86 ou dans les agences de voyages.
Nouvelles Frontières
87, boulevard de Grenelle, 75015 Paris, tél. 42 73 10 64.
Concil Travel Service
16, rue de Vaugirard, 75006 Paris, tél. 43 26 79 65.
Nouveau Monde
8, rue Mabillon, 75006 Paris, tél. 43 29 40 40.
Voyag'air
181, boulevard Pereire, 75017 Paris, tél. 40 53 07 11.

Americatours
23, rue Linois, 75015 Paris, tél. 40 59 41 41.
Camino
136, rue Championnet, 75018 Paris, tél. 44 92 80 00.
Plusieurs circuits accompagnés ou « en liberté » dans les Rocheuses (location d'un véhicule et réservations hôtelières sur un itinéraire déterminé).
Club Aventure
122, rue d'Assas, 75006 Paris, tél. 46 34 22 60.
Circuit sur les parcs de l'Ouest américain en minibus avec descentes en raft, randonnées pédestres, etc.
Discover America
85, avenue Émile-Zola, 75015 Paris, tél. 45 77 10 74.
Itinéraires à la carte, réservations hôtelières, locations de véhicules.
Flâneries américaines
19, rue du Mont-Thabor, 75005 Paris, tél. 44 77 30 40.
Voyages individuels à la carte.
Jumbo America
19, rue de Tourville, 75007 Paris, tél. 47 05 01 95.
Pacific Holidays
34, avenue du Général-Leclerc, 75014 Paris, tél. 45 41 52 58.
Voyages individuels à la carte.
Voyageurs aux États-Unis
5, place André-Malraux, 75001 Paris, tél. 42 60 32 51.

A L'ARRIVÉE

DOUANES

Vous pouvez emporter aux États-Unis, sans devoir acquitter de droits de douane : des objets personnels en quantité raisonnable (vêtements, bijoux, appareil photo, radio portative, jumelles, machine à écrire, etc.), 1 l de vin ou d'alcool, 200 cigarettes ou 50 cigares ou 2 kg de tabac, ou les trois en quantité proportionnelle, des cadeaux d'une valeur totale de 100 dollars (à condition de n'avoir pas bénéficié de cette franchise au cours des six mois précédents).

Si vous suivez un traitement médical comportant des produits narcotiques, il vous faudra présenter une ordonnance (en anglais si possible), ou un mot de votre médecin attestant de leur nécessité.

Aucune importation de plantes, de fruits ou de légumes ne peut se faire sans autorisation spéciale. Pour tout renseignement complémentaire, vous pouvez contacter :

U. S. Customs
1301 Constitution Avenue NW, Washington D. C., tél. (202) 566-8195.

FUSEAUX HORAIRES

Les États-Unis sont découpés en quatre fuseaux horaires, et le Colorado, l'Idaho, le Montana, l'Utah et le Wyoming sont compris dans la « Mountain Time Zone ». Lorsqu'il est midi à Denver, il est 11 h à Los Angeles, 14 h à Chicago, 15 h à New York et 23 h à Paris.

L'heure d'été est adoptée du dernier dimanche d'avril au dernier dimanche d'octobre en avançant les montres d'une heure.

MONNAIE ET CHANGE

L'unité monétaire américaine est le dollar (US$), divisée en 100 cents. Il existe des pièces de 1 cent (penny), de 5 cents (nickel), de 10 cents (dime), de 25 cents (quarter) et de 50 cents ; ainsi que des billets de 1, 2, 5, 10, 20, 50, 100, 500 et 1 000 dollars. Attention, les billets sont tous de la même couleur (verts) et du même format.

Vous pourrez changer votre argent en dollars dans les aéroports et dans les grandes banques (toutes n'acceptent pas de changer les devises étrangères). Prenez plutôt des chèques de voyage en dollars. Ils sont acceptés dans les banques, les hôtels, les restaurants et les grands magasins.

Les cartes de crédit (American Express, Diner's Club, Mastercard ou Eurocard et Visa) sont acceptées dans la plupart des hôtels, restaurants, grands magasins, agences de voyages, stations-service, etc. Elles servent de caution pour louer un véhicule ou pour réserver une chambre d'hôtel par téléphone. La Mastercard et la Visa permettent de retirer du liquide dans les banques.

A SAVOIR UNE FOIS SUR PLACE

CLIMAT

Les Rocheuses connaissent un climat de type continental (très froid en hiver, chaud en été) et de grandes amplitudes thermiques : il n'est pas rare de constater une différence de dix à quinze degrés d'un jour à l'autre. Les deux demi-saisons sont généralement fraîches et humides.

En hiver, il règne un froid sec. En été, on enregistre de grandes écarts entre les températures diurnes et nocturnes. Les régions de faible altitude, comme l'Utah, connaissent alors de fortes chaleurs. Ainsi, on enregistre jusqu'à 40 °C ou 45 °C dans le parc national d'Arches. Pourtant, non loin de là, le parc de Bryce Canyon connaît en juillet et août une moyenne de 27 °C le jour et de 7 °C la nuit. Aux mêmes dates, la température moyenne à Salt Lake City est de 25 °C (de - 3 °C à 0 °C, de décembre à février).

Denver connaît un climat très sec avec seulement 40 cm de précipitations et plus de 300 jours d'ensoleillement par an. En juillet et août, la température moyenne est de 23 °C, alors que de novembre à mars elle oscille entre - 2 °C et + 3 °C.

JOURS FÉRIÉS

New Year's Day : 1er janvier.
Martin Luther King's Birthday : 15 janvier.
President's Day : 18 février.
Easter Sunday : dimanche de Pâques.
Memorial Day : dernier lundi de mai.
Independence Day : 4 juillet.
Labor Day : premier lundi de septembre.
Columbus Day : deuxième lundi d'octobre.
Veterans' Day : 11 novembre.
Thanksgiving Day : quatrième jeudi de novembre.
Christmas Day (Noël) : 25 décembre.

HEURES D'OUVERTURE

Bureaux et magasins sont généralement ouverts de 9 ou 10 h à 17 ou 18 h, sans interruption. La plupart des banques sont ouvertes entre 10 h et 14 ou 15 h et ferment à 16 ou 17 h une fois par semaine. Le public a accès aux guichets le samedi matin. Les distributeurs de billets, qui fonctionnent 24 h/24, restent le service le plus pratique.

COURANT ÉLECTRIQUE

Le courant est de 110/115 volts et 60 périodes. Les prises de courant sont différentes (broches plates). Il est donc indispensable de se munir d'un adaptateur.

POIDS ET MESURES

Les États-Unis sont un des rares pays réfractaires au système métrique. Pour tous ceux qui ont quelques problèmes avec les *miles per gallon*, voici l'indispensable table de conversion :

Longueur

1 yard	91,4 cm
1 foot (ft)	30,5 cm (3ft = 1 yard)
1 inch (in)	2,54 cm (12 in = 1 ft)

Distance

1 mile	1, 609 km

Capacité

1 gallon	3,785 l
1 quart	0,9 l (4 quarts = 1 gallon)
1 pint	0,473 l

Poids

1 ounce (oz)	28,35 g
1 pound	454 g

Température

La conversion centigrade/Fahrenheit est assez complexe. Mais retenez que l'eau gèle à 32 °F, qu'une température moyenne (20 °C) équivaut à 68 °F et qu'on commence à avoir de la fièvre un peu en dessous de 100 °F.

POURBOIRES

Aux États-Unis, le service n'est pas compris dans le prix et pour beaucoup de petits métiers, très mal rémunérés, le pourboire constitue un plus substantiel. Pour vous conformer aux usages, il vous faudra donc abandonner 15 à 20 % de la note dans les taxis, restaurants, hôtels, salons de coiffure.

Les petits services (porteur, *bell boy*, chasseur appelant une voiture, etc.) se récompensent de 75 cents ou de 1 dollar. En cas de séjour prolongé dans un hôtel, il est d'usage de laisser 2 ou 3 dollars sur l'oreiller à l'attention de la femme de chambre.

En revanche, on ne laisse pas de pourboire dans les stations-service, les cinémas, les théâtres, les cafétérias et les fast-foods.

RÉGLEMENTATION SUR L'ALCOOL

La législation en matière d'alcool est complexe et varie selon les États. Cependant, à travers tout le pays, l'âge minimum requis pour l'achat et la consommation de boissons alcoolisées est de 21 ans.

POSTE ET TÉLÉCOMMUNICATIONS

● **Services postaux**

Les bureaux de poste sont ouverts de 9 h à 17 h, du lundi au vendredi ; certains ouvrent le samedi et, dans les grandes villes, 24 h sur 24. Vous pouvez vous faire adresser votre courrier en poste restante (*general delivery*) à la poste centrale *(main post office)* de n'importe quelle ville et le retirer en présentant une pièce d'identité.

Les bureaux de poste ainsi que quelques compagnies privées assurent également un service rapide de distribution *(express mail)*. Consultez les pages jaunes de l'annuaire à « Delivery Service ».

On peut acheter des timbres, ailleurs que dans les bureaux de poste, en utilisant les distributeurs automatiques installés dans les hôtels, les drugstores, les gares, les aéroports. Les hôtels se chargent généralement des envois courants comme lettres et cartes postales.

● **Télégramme et télex**

La **Western Union** *(tél. [800] 325 6000)* prendra vos télex et vos télégrammes par téléphone.

● **Téléphone**

Des téléphones publics sont installés un peu partout, dans le hall des hôtels, les magasins, les restaurants, les stations-service, etc. Un appel local coûte 25 cents. Il est également possible de demander un *oversea call* depuis une cabine (dans ce cas prévoyez de la monnaie en quantité ou demandez à imputer le paiement sur votre carte de crédit).

En cas de problème, il suffit de composer le *0* pour être en liaison avec une standardiste. Si cette dernière n'est pas en mesure de vous aider, elle vous mettra en communication avec la personne compétente. Composez le *411* pour obtenir les renseignements locaux et le *555 12 12* précédé de l'indicatif local pour obtenir les renseignements longue distance à l'intérieur des États-Unis (l'appel est gratuit).

Si vous désirez des renseignements sur les numéros gratuits (commençant par *800*), composez le *1 (800) 555 12 12*.

Les tarifs réduits pour les appels longue distance s'appliquent à partir de 17 h, tous les jours de la semaine. Pour appeler la France, composez le *0* et demandez un *oversea call*. Si vous désirez un PCV, précisez que vous voulez un *collect call* ou *reverse charge call*. Si vous êtes rattaché à l'automatique, vous obtiendrez directement la communication en composant le *011 33* suivi des huit chiffres de votre correspondant français.

Voici enfin l'indicatif des divers États des Rocheuses :

Colorado : *303* ou *567*.

Idaho : *208*.

Montana : *406*.

Utah : *801*.

Wyoming : *307*.

MÉDIAS

● **Télévision**

Les grandes villes des Rocheuses possèdent leurs stations locales qui émettent en direct ou relayent les grands réseaux nationaux (ABC, CBS, NBC et PBS, ou CNN, la célèbre chaîne d'information permanente).

La télévision est un élément fondamental de l'univers américain. Quelle que soit votre opinion sur ce média, il est toujours instructif d'y jeter un coup d'œil. Vous retrouverez ainsi en V.O. la plupart des feuilletons et des jeux aujourd'hui distribués en France et vous constaterez l'omniprésence de la publicité, qui transforme tous les spectacles en une succession de mini-séquences.

Tous les hôtels et motels sont désormais équipés de télévisions; et certains établissements sont abonnés au câble (Cable TV ou HBO).

● **Presse écrite**

Toutes les villes, petites ou grandes, publient leur propre journal. On y trouve toutes les informations utiles sur les événements locaux, spectacles, night-clubs, etc.

PHOTOGRAPHIE

Vous trouverez sur place tous types de films et pourrez faire développer vos pellicules en 24 heures, parfois moins, chez les photographes, dans les drugstores ou dans les kiosques à journaux portant un panonceau spécial.

SÉCURITÉ

Les Rocheuses sont une région généralement sûre. Évitez néanmoins de vous promener seul, surtout la nuit, dans les endroits déserts. Ne laissez pas vos bagages sans surveillance dans les aéroports ou les gares. Garez toujours votre véhicule dans un endroit éclairé la nuit, portières verrouillées, et ne laissez aucun objet de valeur en évidence sur les sièges ou sur la plage arrière.

Presque tous les hôtels disposent d'un coffre-fort *(safety box)*. N'hésitez pas à y déposer vos valeurs. Enfin, ne transportez jamais de sommes importantes en liquide sur vous.

SANTÉ

Aux États-Unis, les soins médicaux sont extrêmement onéreux et si vous désirez être soigné, vous devrez régler vos soins tout de suite, en liquide ou en chèques de voyage. Il est donc indispensable de contracter une assurance-maladie et assistance avant votre départ. Les deux plus célèbres organismes d'assurance-assistance sont **Europ Assistance** *(23-25, rue Chaptal, 75009 Paris, tél. 42 85 85 85)* et **Mondial Assistance** *(2, rue Fragonard, 75807 Paris cedex 17, tél. 40 25 52 04).* **A.V.A.** *(26, rue La Rochefoucauld, 75009 Paris, tél. 48 78 11 88)* est spécialiste de l'Amérique du Nord, mais de nombreuses autres compagnies offrent des services comparables.

Sur place, pour obtenir l'adresse d'un médecin, adressez-vous à la réception de votre hôtel ou consultez les pages jaunes de l'annuaire à la rubrique « physicians ».

Vous pouvez acheter des médicaments sans ordonnance dans les drugstores (Skaggs Drug Center, Wallgreens, King Copper, etc.).

Enfin, sachez que, sur présentation de factures, la Sécurité sociale rembourse les frais médicaux engagés aux États-Unis lors de congés payés.

NUMÉROS D'URGENCE

D'une manière générale, il existe deux numéros d'urgence. Le *911* met en contact avec la police, les pompiers ou les ambulances. Mais en cas de problème particulier, vous pouvez aussi composer le *0* pour obtenir l'opératrice. Celle-ci vous mettra alors en relation avec le service adéquat.

COMMENT SE DÉPLACER

Certains États des Rocheuses étant d'une superficie comparable à celle de la France, les déplacements posent parfois problème. Pour éviter la monotonie de trop longs parcours, on a tout intérêt à prendre l'avion pour se rendre d'une grande ville à une autre et à louer une voiture pour ensuite rayonner.

EN AVION

De nombreuses lignes de compagnies nationales ou locales relient les principales villes des Rocheuses et mettent la plupart des parcs nationaux à proximité immédiate d'un aéroport. Le prix des vols est souvent peu élevé et les formalités sont simples.

Parmi les compagnies locales, citons Rocky Mountain Airways, Aspen Airways, Trans-Colorado, Air Midwest, Horizon, Cascade, Trans-Western, Big Sky, Frontier, Northwest Orient, Alpine Aviation Inc.

En train

La compagnie Amtrack couvre l'ensemble des États-Unis et relie Denver à Los Angeles, Seattle, San Francisco et Chicago. Il est possible d'acheter (exclusivement à l'étranger) des forfaits en kilométrage illimité valables 45 jours (ensemble des États-Unis pour 299 dollars ou région du Far West pour 179 dollars). S'adresser à :

Amtrack C/O Wingate Travel
19 bis, rue du Mont-Thabor, 75001 Paris,
tél. 44 77 30 30.

Sur place, on pourra se renseigner en appelant le *1 (800) 872 7245* ou :
Colorado
Union Station, Denver,
tél. (303) 893 3911.
Utah
400 West South Temple, Salt Lake City,
tél. (801) 364 8562.

En voiture

Cependant, si l'on ne craint pas les longs trajets, la voiture est le moyen de transport idéal pour visiter les Rocheuses. Vérifiez toujours les distances et le niveau du réservoir d'essence. Dans les régions faiblement peuplées comme l'Idaho ou le Wyoming, il arrive fréquemment que deux villages (et donc les pompes à essence) soient distants de plus de 100 km.

Il est très facile de louer une voiture à l'arrivée, car les grandes sociétés de louage sont représentées dans la plupart des centres touristiques, dans les aéroports internationaux ou même nationaux. Comparez toutefois les services et les tarifs (dégressifs selon la durée de la location).

Voici les téléphones des principales sociétés (le premier numéro est aux États-Unis, le second indique le correspondant en France) :

Alamo	1 (800) 327 9633	42 93 00 12
American	1 (800) 527 0202	45 67 82 17
Avis	1 (800) 331 1212	46 09 92 12
Budget	1 (800) 527 0700	46 86 65 65
Dollar	1 (800) 421 6868	45 67 82 17
Hertz	1 (800) 654 3131	47 88 51 51
National	1 (800) 331 4200	43 30 82 82

En dehors des aéroports, de petites agences de location au nom éloquent (**Payless**, **Rent-a-Wreck**, **Thrifty Rent-a-Car** ou **Compacts Only**) pratiquent souvent des tarifs moins élevés et offrent de meilleures conditions.

La plupart des agences exigent du loueur qu'il soit âgé de 21 ans (parfois 25), en possession d'un permis de conduire national de plus d'un an (ou international) et qu'il puisse laisser une caution par carte de crédit (ou sinon 500 dollars en espèces). Vérifiez bien les conditions d'assurance ; la couverture étant souvent minimale, il est recommandé de prendre des assurances complémentaires : *collision damage waiver* (tierce collision), *personal accident insurance* (assurance individuelle) ou *full collision waiver* (assurance tous risques). Ces garanties supplémentaires coûtent une dizaine de dollars par jour.

Vérifiez également les conditions de retour. La formule peut être *round trip* (retour au point de départ) ou *one way* (voiture laissée dans une autre ville que celle de départ). Dans ce dernier cas, on doit parfois acquitter une *drop off charge* (supplément pour rapatriement du véhicule) qui peut être très onéreuse !

Enfin, nous conseillons aux automobilistes d'adhérer à l'American Automobile Association. En plus d'un service de dépannage d'urgence et d'information routière, la AAA fournit à ses membres cartes, guides et conseils sur les itinéraires, sites touristiques, hôtels, etc.

American Automobile Association
4100 E. Arkansas, Denver, CO 80222,
tél. (303) 753 8800.

● **Essence**
L'essence se vend au gallon (3,785 l) et l'huile de moteur en quart (env. 1 l). Les prix de l'essence varient selon la région et la saison. On trouve de l'essence ordinaire *(regular)* super *(hightest)* ou sans plomb *(unleaded)*.

● **Réglementation routière**
Soyez très attentif à la vitesse. Selon les États, elle est limitée à 55 ou 65 miles sur route (respectivement 90 et 105 km/heure) et 20 ou 25 miles en ville. Les contrôles sont très fréquents ; les amendes très élevées (minimum 1 dollar par mile supplémentaire) et doivent être réglées immédiatement en espèces ; en outre votre statut d'étranger ne vous vaudra pas la moindre indulgence !

Il est interdit de dépasser un car de ramassage scolaire tant qu'il a son clignotant. Les panneaux *stop* et *yield* indiquent qu'on doit céder la priorité. Sinon, la priorité à droite n'est valable que lorsque deux voitures arrivent en même temps à un croisement.

En ville, les feux rouges sont placés de l'autre côté du carrefour. Autrement dit, si vous vous arrêtez à côté du poteau, vous vous

306 INFORMATIONS PRATIQUES

retrouvez au milieu du passage ! Les croisements se font « à l'indonésienne », c'est-à-dire que les voitures tournent au plus court, sans contourner un rond-point imaginaire.

Il est interdit de stationner sur les trottoirs, devant les bouches d'incendie et les arrêts d'autobus.

Dernière recommandation : en cas de panne, accrochez un tissu blanc à l'antenne de radio de votre véhicule et ouvrez votre capot. Tous les Américains connaissent ce signal et un *patrolman* viendra vous aider.

● **Routes**

Le réseau routier américain est très dense et en bon état. Les *parkways* ou *expressways* sont des routes à quatre voies, payantes pour la plupart. Les *turnpikes* sont des autoroutes à péage. Les *national interstates highways* sont des autoroutes gratuites (sauf certaines portions) bien équipées (aires de repos notamment). Les routes secondaires sont désignées par l'abréviation *U. S.* suivie d'un numéro. Toutes les routes sont caractérisées par une abréviation, un numéro, et l'indication de la direction. Par exemple, l'Interstate 80 en direction de l'ouest sera signalée : I 80 W.

En auto-stop

L'auto-stop est illégal sur toutes les autoroutes (mais pas sur les bretelles d'accès) et les nationales ainsi que sur de nombreuses autres voies. C'est, de toute façon, le moyen de transport le plus risqué. De plus, il est rendu extrêmement aléatoire par la faible circulation dans le nord des Rocheuses.

Si vous décidez quand même de vous déplacer en auto-stop, tâchez de consulter les petites annonces dans les universités, sinon arborez un drapeau français. En général, les Américains aiment bien la France !

En autocar

C'est le moyen de transport le moins cher et le plus développé aux États-Unis. Les autocars américains sont de surcroît bien plus confortables que la majorité des autocars européens (air climatisé, toilettes). La célèbre compagnie **Greyhound** couvre l'ensemble des Rocheuses. Il est possible d'acheter en France des forfaits en kilométrage illimité (différentes formules allant de quatre jours pour 450 F à un mois pour 1 500 F). S'adresser à :

Greyhound, C/O Americom
208, avenue du Maine, 75014 Paris,
tél. 40 44 81 29.

Sur place, nous vous rappelons qu'il faut être prudent : les gares routières ne sont pas les endroits les mieux fréquentés du monde. On se renseignera sur les horaires, les tarifs et les itinéraires aux adresses suivantes :

Colorado
Greyhound, *1055 19th Street, Denver, CO 80203, tél. (303) 292 6111.*
Idaho
Greyhound, *1212 Bannock Street, Boise, ID 83706, tél. (208) 343 3681.*
Montana
Greyhound, *625 N. 7th Street, Bozeman, MT 59715, tél. (406) 587 3110.*
Utah
Greyhound, *160 West South Temple, Salt Lake City, tél. (801) 355 4684.*
Wyoming
Greyhound, *1503 Capitol Avenue Cheyenne, WY 82001, tél. (307) 634 7744.*

MUSÉES ET CURIOSITÉS TOURISTIQUES

Les Rocheuses sont restées fidèles à l'« esprit des pionniers », et des bourgades à peine centenaires vouent un véritable culte à leur passé. Cet attachement explique la prolifération de petits musées consacrés à l'histoire régionale. Si ces *pioneer museums* ne méritent souvent qu'un bref détour, ils n'en restent pas moins pleins de charme.

Colorado

● **Aspen**

The Aspen Art Museum
590 N. Mill Street.
Œuvres d'artistes américains et étrangers.
Aspen Historical Museum
620 W. Bleeker Street.
Histoire locale. Ouvert du mardi au dimanche, de 13 h à 16 h.
Aspen Mountain Gallery
555 E. Durant Avenue.
Peintures, dessins, sculpture et joaillerie.
Aspen Potters Guild
107 S. Mill Street.
Porcelaines et sculptures d'artistes locaux.
Bryne-Getz Gallery
520 E. Durant Avenue.
Art du Sud-Ouest, poteries, bijoux indiens.
Heather Gallery
555 E. Durant Avenue.
Art, artisanat et travail du bois.

Joanne Lyon Gallery
525 E. Cooper Avenue.
Galerie d'art.

● **Boulder**

Colorado Shakespeare Festival
University of Colorado.
Théâtre en plein air. Saison en juillet et en août. Renseignements au *(303) 492 8181.*
Friske Planetarium
University of Colorado, Boulder Campus,
tél. (303) 492 5001 pour connaître les horaires.
Pioneer Museum
1655 Broadway.
Ouvert tous les jours en été, de 14 h à 17 h. Week-ends seulement le reste de l'année.
University of Colorado Museum
Henderson Building, tél. (303) 492 6892.
La préhistoire des Plaines et du Sud-Ouest. Ouvert du lundi au vendredi, de 9 h à 17 h.

● **Cañon City**

Municipal Museum
612 Royal Gorge Boulevard, tél. (719) 269 9018.
Ouvert du lundi au samedi de 9 h à 17 h, et le dimanche de 13 h à 17 h. Entrée gratuite.
Robinson Mansion
12 Riverside Drive.
Demeure victorienne (1884) meublée. De mi-avril à mi-novembre, tous les jours sauf lundi, de 9 h à 18 h. Hors saison, seulement le week-end, de 13 h à 17 h.

● **Central City**

Central Gold Mine and Museum
126 Spring Street.
Ouverts de mai à septembre, tous les jours, de 9 h à 17 h. Visite guidée de la mine.
Opera House et **Teller House**
Eureka Street, tél. 571 4435.
Deux monuments historiques restaurés. L'Opera House donne des représentations en juillet et en août.

● **Colorado Springs**

Clock Museum
21st Street at Bott Avenue.
Collection de pendules. Ouvert en été, de 9 h au coucher du soleil.
Colorado Car Museum
137 Manitou Avenue.
Musée automobile. Ouvert de mai à septembre, du lundi au samedi, de 9 h à 17 h et, le dimanche, de 10 h 30 à 17 h. D'octobre à avril, les samedis et dimanches, de 13 h à 17 h.

Fine Arts Center
30 W. Dale Street, tél. (719) 634 5581.
Préhistoire de la région. Ouvert du mardi au samedi, de 9 h à 17 h ; le dimanche, de 13 h 30 à 17 h. Entrée gratuite.
Hall of Presidents
1050 S. 21st Street.
Musée de cire. Tous les jours, de 10 h à 17 h.
Manitou Cliff Dwellings Museum
US 24 Bypass, tél. (719) 685 4400.
En été, tous les jours sauf vendredi, de 9 h à 17 h. Fermé d'octobre à mi-mai.
May Natural History Museum of the Tropics
A 13 km au sud-ouest sur la SR 115.
Invertébrés des tropiques. De mai à septembre, ouvert tous les jours, de 8 h à 21 h.
National Carvers Museum
14960 Woodcarver Road, à 15 km au nord sur l'I-25.
Exposition et démonstration de sculpture sur bois. Ouvert du mardi au samedi, de 9 h à 17 h ; le dimanche, de 10 h 30 à 17 h.
Pioneers' Museum
25 W. Kiowa Street, tél. (719) 578 6650.
Histoire de la région de Pike's Peak. Ouvert du mardi au samedi, de 10 h à 17 h, et le dimanche, de 14 h à 17 h. Entrée gratuite.
El Pomar Carriage Museum
1 Lake Circle, tél. (719) 634 7711.
Véhicules, attelages et selles du siècle dernier. Ouvert du mardi au samedi, de 10 h à 17 h. Entrée gratuite.
U. S. Air Force Academy
A 16 km au nord sur l'I-25.
Films, expositions, visites guidées. Tous les jours, de 8 h à 17 h. Entrée gratuite.

● **Cripple Creek**

Cripple Creek District Museum
Sur la SR 67, tél. (719) 689 2634.
Histoire de la ville. De fin mai à début octobre, ouvert tous les jours, de 10 h à 17 h 30 ; les week-ends seulement hors saison.

● **Denver**

Art Museum
100 W. 14th Street, tél. (303) 575 2793.
Un bâtiment de dix étages, véritable chef-d'œuvre architectural, qui abrite la plus grande collection d'objets indiens au monde, ainsi que quelque 35 000 œuvres d'art du monde entier. Ouvert du mardi au samedi, de 9 h à 17 h (nocturne le mercredi jusqu'à 20 h), et le dimanche, de 12 h à 17 h. Entrée gratuite.
Arvada Center for the Arts and Humanities
6901 Wadsworth Boulevard, tél. (303) 422 8050.
Ballets, représentations théâtrales, concerts symphoniques, expositions artistiques, etc.

Botanic Gardens
1005 York Street.
Plus de 800 espèces de plantes. Ouverts de 9 h à 16 h 45. Entrée gratuite.

Celebrity Sports Center
888 S. Colorado Boulevard, tél. (303) 755 3312.
Parc d'attractions : bowling, piscine, toboggans, boutiques, restaurants, garde d'enfants gratuite.

Center for the Performing Arts
14th Street and Curtis, tél. (303) 893 4000.
Immense complexe (plus vaste que le Lincoln Center de New York) abritant la Denver Center Theatre Company, plus importante compagnie théâtrale de l'Ouest. Le Denver Center Cinema projette plus de 500 films par an et accueille en saison les danseurs du Colorado Ballet. Enfin, l'Auditorium Theater accueille les spectacles de Broadway en tournée. Visite guidée du centre, en semaine, à 12 h 15. Réservations pour les spectacles au *(303) 893 4100.*

The Children's Museum
2121 Crescent Drive, tél. (303) 571 5198.
Un musée moderne pour les enfants de tous âges. Entrée gratuite.

Civic Center Park
Jardin public en plein centre ville : fontaines, monuments, théâtre grec.

Colorado Historical Society
1300 Broadway, tél. (303) 866 3682.
L'épopée des Indiens, des chercheurs d'or et des premiers colons dans les Rocheuses. Présentation remarquable. Ouverte du mardi au samedi, de 10 h à 16 h 30, et le dimanche, de 12 h à 16 h 30. Entrée gratuite.

Colorado Railroad Museum,
17155 W. 44th., tél. (303) 279 4591.
Le plus grand musée ferroviaire des Rocheuses. Tous les jours, de 9 h à 17 h.

Colorado State Capitol
30 Broadway and E.Colfax, tél. (303) 866 2604.
Vue panoramique sur Denver. Visite guidée gratuite en semaine, de 9 h à 16 h.

Confluence Park
15th Street and South Platte River.
Site originel de Denver (1858), près d'une rivière artificielle.

Firefighters Museum and Restaurant
1326 Tremont Place, tél. (303) 892 1436.
Musée des Pompiers. Ouvert du lundi au vendredi, de 11 h à 14 h.

Forney Transportation Museum
1416 Platte (prendre l'I-25 jusqu'à la sortie 211, puis 5 blocs vers l'est), tél. (303) 433 3643.
Plus de 300 véhicules anciens, dont la célèbre locomotive « Big Boy ». Du lundi au samedi, de 10 h à 17 h, et le dimanche, de 11 h à 17 h 30. Entrée gratuite.

Four Miles Historic Park
715 S. Forest Street, tél. (303) 399 1859.
Reconstitution de la halte des diligences sur la Cherokee Trail.

Grant Humphrey's Mansion
770 Pennsylvania Street, tél. (303) 866 3507.
Ancienne demeure du gouverneur Grant. Ouverte du lundi au vendredi, de 9 h à 15 h. Entrée gratuite.

Larimer Square
1400 Larimer Street.
Le quartier historique de Denver : nombreuses demeures restaurées, boutiques, cafés, restaurants. Magasins ouverts tard en soirée.

Molly Brown House
1340 Pennsylvania Street, tél. (303) 832 1421.
Demeure victorienne ayant appartenu à une survivante du naufrage du *Titanic*. Fermée le lundi en hiver. Entrée gratuite.

Museum of Natural History
2001 Colorado Boulevard, tél. (303) 370 6300.
Septième plus grand musée des États-Unis et l'un des meilleurs du monde dans le domaine de l'histoire naturelle. Plus de 70 dioramas, des centaines d'expositions. Abrite l'**IMAX Theatre** (écran géant), ainsi que le **Charles C. Gates Planetarium** (nombreux spectacles). Ouvert tous les jours, de 9 h à 17 h.

Museum of Western Art
1727 Tremont Place, tél. (303) 296 1880.
Amenagé dans une ancienne maison close, ce musée abrite des toiles des principaux artistes « western » : Remington, Russell, Moran, Bierstadt. Du mardi au vendredi, de 10 h à 18 h ; le samedi, de 10 h à 17 h ; le dimanche et le lundi, de 13 h à 17 h. Entrée gratuite.

Sakura Square
19th Street and Lawrence.
Quartier oriental. Nombreux restaurants et boutiques dans un décor de jardins japonais.

Sixteenth Street Mall
16th Street, de Broadway à Market Street.
Boutiques, restaurants et cafés sur près de 2 km piétonniers. Navette gratuite.

Trianon Art Museum and Gallery
335 14th Street, tél. (303) 623 0739.
Quelques chefs-d'œuvre artistiques d'Europe et d'Asie. Ouvert du lundi au samedi, de 10 h à 16 h. Entrée gratuite.

United States Mint
320 W. Colfax, tél. (303) 844 6202.
Seconde réserve monétaire américaine après Fort Knox. Cinq milliards de pièces produites par an. Visite guidée gratuite. Ouvert de 8 h à 17 h en semaine, et de 9 h à 13 h le dimanche.

Pearce McAllister Cottage
1880 Gaylord Street.
Architecture coloniale de la fin du siècle dernier. Meubles d'époque.

Turner Museum
773 Downing Street, tél. (303) 832 0924.
Œuvres de J. M. W. Turner et de Thomas
Moran. Ouvert le dimanche de 13 h à 18 h, et
sur rendez-vous.
Denver's Zoo
City Park, près de 23rd Avenue.
Ouvert de 10 h à 17 h en hiver, et de 10 h à
18 h en été. Entrée gratuite.

● **Aux environs de Denver**

Buffalo Bill's Grave and Museum
*Au sommet du Mont Lookout, à la sortie 256
sur l'I-70 à l'ouest de Denver.*
Ouvert en été, de 8 h à 17 h, et en hiver, de 9 h
à 17 h. Fermé le lundi. Entrée gratuite.
Colorado Renaissance Festival
2660 S. Monaco, Denver, tél. (303) 756 1501.
Le week-end en juin et juillet.
Coors Brewery
*12th and East Street, Golden. A 20 km à
l'ouest de Denver.*
Une des plus grandes brasseries américaines.
Visite et dégustation gratuites.
Elitch Gardens Amusement Park
*W. 38th Avenue at Tennyson Street,
tél. (303) 455 4771.*
Jardins, manèges et montagnes russes. Ouvert
jusqu'à minuit, de juin à début septembre.
Red Rocks Amphitheater
*Au nord de Morrison sur Hogback Road, à
20 km à l'ouest de Denver.*
Amphithéâtre naturel de 8 000 places. Vue
panoramique. En été, concerts gratuits. Entrée
gratuite, sauf pendant les spectacles !

● **Durango**

Joy Cabin
23rd and Main Street, tél. (303) 247 0312.
La plus ancienne demeure de Durango. Visite
guidée sur rendez-vous.
Southwest Studies Center
Fort Lewis College, tél. (303) 247 7928.
Musée du Sud-Ouest. Ouvert du lundi au ven-
dredi, de 8 h à 17 h.
Top Atin Gallery
145 W. 9th Street.
Importantes collections d'art indien contem-
porain, bijoux, poteries et tissages navajos.

● **Fort Collins**

Pioneer Museum
219 Peterson Street.
Art et artisanat indien ancien et contempo-
rain, et histoire locale. Ouvert du mardi au
samedi, de 13 h à 16 h. Entrée gratuite.

● **Grand Junction**

**Historical Museum and Institute of Western
Colorado**
4th and Ute Street.
Ouvert de juin à novembre, du mardi au same-
di, de 10 h à 17 h. Le dimanche, de 14 h à 17 h.
Entrée gratuite.

● **Leadville**

Healy House and Dexter Cabin
912 Harrison Avenue, tél. (719) 486 0487.
Ouvert de juin à mi-octobre, tous les jours, de
9 h à 16 h 30. Entrée gratuite.
Heritage Museum and Gallery
102 E. 7th Street, tél. (719) 486 1878.
Collections géologiques, histoire de la ville et
de ses mines, dioramas, peintures « westerns ».
Ouvert de fin mai à début septembre, tous les
jours, de 10 h à 21 h.
Tabor Home
116 E. 5th Street, tél. (719) 486 0551.
Demeure de Horace Tabor. Ouverte de fin
mai à début septembre, tous les jours, de 8 h
30 à 20 h ; hors saison, de 9 h 30 à 17 h 30.
Tabor Opera House
308 Harrison Avenue, tél. (719) 486 1147.
Visite guidée. Ouverte de fin mai à octobre,
tous les jours sauf le samedi, de 9 h à 17 h 30.

● **Montrose**

Ute Indian Museum
A 3,5 km sur l'U. S. 550, tél. (303) 249 3098.
Photos, dioramas et objets d'art utes. Ouvert
de mai à mi-octobre, du lundi au samedi, de
10 h à 17 h, le dimanche, de 13 h à 17 h.

● **Pueblo**

El Pueblo State Historical Museum
905 S. Prairie Avenue, tél. (719) 564 5274.
Art anasazi, histoire locale, histoire de la sidé-
rurgie. Ouvert du mardi au vendredi, de 9 h à
17 h, et le dimanche, de 10 h à 17 h.
Rosemont Victorian House Museum
419 W. 14th Street, tél. (719) 545 5290.
Maison de trente-sept pièces, meublée (1893).
De juin à fin août, ouvert du mardi au samedi,
de 10 h à 16 h, et le dimanche, de 14 h à 16 h.
Hors saison, tous les jours, de 13 h à 16 h.

● **Snowmass**

Anderson Ranch Arts Museum
5623 Owl Creek Road.
Peintures, photos, céramiques. Ouvert du
lundi au samedi, de 9 h à 17 h.

● **Sterling**

Overland Trail Museum
A 2,4 km à l'est sur l'U. S. 6,
tél. (303) 522 3895.
La vie des pionniers. Ouvert de fin avril à fin septembre, du lundi au samedi, de 9 h 30 à 17 h, et le dimanche, de 10 h 30 à 17 h. Entrée gratuite.

● **Vail**

Colorado Ski Museum and Ski Hall of Fame
15 Vail Road.
Histoire du ski.

IDAHO

● **Boise**

Boise Art Gallery
Julia Davis Park.
Peintures et sculptures d'artistes régionaux et internationaux. Ouvert tous les jours, sauf le lundi, de 10 h à 17 h. Entrée gratuite.
Idaho State Capitol
8th and Jefferson Streets.
Expositions temporaires. Ouvert tous les jours, de 8 h à 18 h. Entrée gratuite.
Idaho State Historical Society
610 N. Julia Davis Drive.
La vie des Indiens et des pionniers. Exposition en plein air. Ouvert du lundi au vendredi, de 9 h à 17 h, et le dimanche, de 13 h à 17 h. Entrée gratuite.

● **Franklin**

Pioneer Relic Hall
2nd East and Main Street.
Machines et outils anciens. Ouvert du lundi au vendredi, de 9 h à 17 h. Entrée gratuite.

● **Idaho City**

Boise Basin Museum
Montgomery and Wall Streets,
tél. (208) 392 4550.
Petit musée de la ruée vers l'or. Ouvert de mai à septembre. Entrée gratuite.

● **Kellogg**

Catalado Mission
A 20 km à l'ouest sur l'U. S. 10.
(Mission du Sacré-Cœur fondée en 1848). Fresques et peintures indiennes. Autel en bois sculpté. Ouvert de mi-avril à septembre, de 9 h au coucher du soleil, ou sur rendez-vous.

● **Montpelier**

Daughters of Utah Pioneers Relic Hall
430 Clay Street, tél. (208) 847 1069.
Souvenirs des pionniers. Ouvert de juin à août, du lundi au samedi, de 16 h à 21 h. Entrée gratuite.

● **Moscow**

Appaloosa Horse Museum
Moscow-Pullman Highway, tél. (208) 882 5578.
Selles et tenues de cow-boy. Objets d'art et d'artisanat nez-percés. Ouvert du lundi au vendredi, de 8 h à 17 h. Entrée gratuite.
Latah County Museum
110 S. Adams Street, tél. (208) 882 1004.
Demeure victorienne (1880), dioramas, histoire locale. Ouvert le mercredi et le dimanche, de 14 h à 17 h, le samedi, de 10 h à 12 h.

● **Pocatello**

Bannock County Historical Society
Center Street and Garfield Avenue.
Art et artisanat shoshones, histoire du chemin de fer et des trappeurs. Ouvert du lundi au samedi, de 14 h à 17 h. Entrée gratuite.
Old Fort Hall Replica
Ross Park, à 5 km au sud.
Bâtiments historiques et boutiques dans l'enceinte du fort. Ouvert de juin à mi-septembre, tous les jours, de 9 h à 20 h. En avril et mai, ouvert du mercredi au dimanche, de 9 h à 13 h. Entrée gratuite.

● **Twin Falls**

Twin Falls County Historical Museum
A 5 km à l'ouest sur l'U. S. 30, tél. (208) 734 5547.
Musée consacré à la vie des pionniers. Ouvert du lundi au vendredi, de 10 h à 17 h, et le dimanche, de 14 h à 17 h.
Herret Museum
315 Falls Avenue, Campus du College of Southern Idaho, tél. (208) 733 9554.
Musée, planétarium et observatoire. Ouvert du lundi au samedi, de 9 h à 18 h, et le dimanche, de 13 h à 17 h. Entrée gratuite.

● **Wallace**

Wallace District Mining Museum
509 Bank Street, tél. (208) 753 7151.
Ouvert du lundi au vendredi, de 10 h à 16 h. (En été, du lundi au samedi, de 9 h à 18 h.) A côté du musée, inscription pour des visites organisées de la Sierra Silver Mine *(tél. [208] 752 5151)*.

● **Weiser**

Fiddlers' Hall of Fame
10 E. Idaho Street, tél. (208) 549 0450.
Instruments de musique anciens. Ouvert de juin à septembre, du jeudi au samedi, de 10 h à midi et de 13 h à 16 h. Entrée gratuite.

MONTANA

● **Billings**

Western Heritage Center
2822 Montana Avenue, tél. (406) 256 6809.
Histoire de l'Ouest et des Indiens. Ouvert du mardi au samedi, de 10 h 30 à 12 h et de 13 h à 17 h. Le dimanche, de 14 h à 17 h. Entrée gratuite.
Yellowstone County Museum
Sur la SR 3, près du Logan International Airport, tél. (406) 256 6811.
Souvenirs des Indiens et des pionniers. Dioramas, vieille locomotive.

● **Bozeman**

Museum of the Rockies
Montana State University, S. 7th Avenue and Kagy Boulevard, tél. (406) 994 2251.
Histoire et géographie des Rocheuses du Nord. Ouvert du mardi au samedi, de 9 h à 17 h. Le dimanche, de 13 h à 17 h.

● **Browning**

Blackfeet Indian Reservation Museum of the Plains Indian and Crafts Center
A 1 km à l'ouest au croisement de l'U. S. 2 et de la 89, tél. (406) 338 2230.
Art et artisanat blackfoot, sioux, crow, assiniboine, cheyenne, cree, flathead. Boutique.
Museum of Montana Wildlife
Même adresse.
Dioramas, peintures, sculptures. Ouvert de mai à septembre, tous les jours, de 9 h à 17 h.

● **Butte**

Copper King Mansion
219 W. Granite Street, tél. (406) 782 7580.
Demeure victorienne de trente pièces, meublée dans le style des années 1880.
World Museum of Mining
W. Park Street, tél. (406) 723 7211.
L'univers de la mine, reconstitution d'un camp, d'un saloon et de divers bâtiments. De juin à septembre, ouvert tous les jours de 9 h à 21 h. D'octobre à mai, de 10 h à 17 h, du mardi au dimanche. Entrée gratuite.

● **Dillon**

Beaverhead County Museum
15 S. Montana , tél. (406) 683 5027.
Souvenirs de la ruée vers l'Ouest. L'univers des colons et des Indiens. De mi-juin à août, ouvert tous les jours, de 9 h à 17 h. De septembre à mi-juin, du lundi au vendredi, de 9 h à 17 h.

● **Great Falls**

Charles M. Russell Museum
400 13th Street N., tél. (406) 727 8787.
Ancien atelier du célèbre « peintre-cowboy ». Nombreuses œuvres, souvenirs de la vie des pionniers. De mi-mai à mi-septembre, ouvert du lundi au samedi, de 9 h à 18 h, et le dimanche, de 13 h à 17 h. Le reste de l'année, ouvert du mardi au samedi, de 10 h à 17 h, et le dimanche, de 13 h à 17 h.

● **Helena**

Canyon Ferry Arms Museum
16 km à l'est par l'U. S. 12, puis 15 km au nord par la SR 284 jusqu'à Canyon Ferry Rec. Area.
Armes anciennes, objets indiens. De mai à mi-octobre, ouvert tous les jours, de 9 h à 21 h. Entrée gratuite.
Last Chance Train Tour
En été, dessert des principaux points d'intérêt de la ville.
Montana Historical Museum and C. M. Russell Gallery
225 N. Roberts Street, en face du Capitole, tél. (406) 444 2694.
L'histoire du Montana, de la préhistoire à nos jours. Œuvres de C. M. Russell. Bibliothèque historique. Ouvert du lundi au vendredi, de 8 h à 17 h (en été, de 8 h à 20 h). Le samedi et le dimanche, de 12 h à 17 h. Entrée gratuite.
Autres points d'intérêt en ville : **Reeder's Alley**, **Governor's Mansion**, **Northwestern Bank**, **Saint Helena Cathedral**, **Pioneer Cabin** et **Kluge House** ; dans les environs, la ville fantôme de **Marysville**.

● **Kalispell**

Conrad Mansion
Woodland Avenue, tél. (406) 755 2166.
Demeure victorienne de vingt-deux pièces, construite en 1895.
Hockaday Art Center
3rd Street and 2nd Avenue.
Musée des Transports. Ouvert du lundi au samedi, de 12 h à 17 h. Entrée gratuite.

● **Miles City**

Range Rider's Museum
*A l'ouest par l'U.S. 10 et l'U.S. 12,
tél. (406) 232 6146.*
Histoire locale. De juin à août, ouvert tous les jours, de 8 h à 20 h. En avril-mai et en septembre-octobre, ouvert de 8 h à 18 h.

● **Missoula**

Fort Missoula Historical Museum
*Fort Missoula Building, 332 South Avenue,
tél. (406) 728 3476.*
Histoire de l'industrie forestière. Souvenirs militaires. Entrée gratuite.
Missoula Museum of the Arts
335 N. Patte.

● **Red Lodge**

Carbon County Museum
Au sud de la ville sur l'U.S. 212.
Histoire locale. Collection d'armes. De juin à mi-septembre, ouvert tous les jours, de 8 h à 21 h. Entrée gratuite.

● **Virginia City**

Poplar Museum
A 35 km à l'est sur l'U.S. 2.
Ancien pénitencier. Collection d'objets indiens. Art et artisanat. De juin à août, ouvert tous les jours.
Thompson Hickman Memorial Museum
Wallace Street, tél. (406) 843 5346.
Souvenirs de la ruée vers l'or.
Virginia City-Madison County Historical Museum
Wallace Street.
Histoire locale (meubles, vêtements, outils, etc.). De mai à septembre, ouvert tous les jours, de 8 h à 18 h.
Wolf Point Historical Museum
220 S. 2nd Avenue.
Histoire locale. De mi-mai à septembre, ouvert du lundi au vendredi, de 10 h à 18 h. Entrée gratuite.

UTAH

● **Brigham City**

Golden Spike National Historic Site
48 km à l'ouest par la SR 83, puis direction de Promontory.
Expositions, films au Visitor's Center. De juin à août, ouvert tous les jours, de 8 h à 18 h. De septembre à mai, de 8 h à 16 h 30.

Railroad Museum
11 km à l'ouest par la SR 83 jusqu'à Corninne.
Musée ferroviaire, locomotives, wagons. Atelier de forgeron. De mai à septembre, ouvert du mardi au samedi, de 9 h à 17 h, et le dimanche, de 14 h à 17 h. Entrée gratuite.

● **Cedar City**

Museum of Southern Utah
A l'ouest de Main Street sur Center Street (Campus du College).
Histoire locale. Ouvert tous les jours (sauf le dimanche), de 9 h à 17 h.
Palmer Memorial Museum
75 N. 300 W.
Objets d'art et d'artisanat paiutes. Ouvert du lundi au vendredi, de 8 h à 17 h. Entrée gratuite.

● **Logan**

Daughters of Utah Pioneers Museum
52 W. 2nd North Street.
La vie des premiers mormons. De juin à septembre, ouvert du lundi au vendredi, de 13 h à 17 h, ou sur rendez-vous. Entrée gratuite.
Man and His Bread & Historical Farm
A 8 km au sud de Logan.
Le développement de l'agriculture. Ouvert tous les jours en été.

● **Ogden**

Daughters of Utah Pioneers Relic Hall
Tabernacle Square, 2150 Grant Avenue.
Meubles et souvenirs des pionniers. De juin à septembre, ouvert du lundi au vendredi, de 13 h à 16 h 30. Entrée gratuite.
John M. Browning Gun Collection
A 7 km au sud par l'U.S. 89, au 450 E. 5100 S.
Collection d'armes. Ouvert du lundi au samedi, de 8 h à 17 h. Entrée gratuite.

● **Price**

Prehistoric Museum
City Hall, Main and E. Streets.
De juin à août, du lundi au samedi de 8 h 30 à 21 h. De septembre à mai, du lundi au vendredi de 9 h à 17 h. Entrée gratuite.

● **Provo**

Pioneer Museum
500 N. 500 W.
Village de pionniers. Histoire locale. De juin à mi-septembre, ouvert tous les jours de 9 h à 17 h. Entrée gratuite.

● Salt Lake City

Art Center
West Temple Street.
Expositions temporaires (peinture, sculpture, photographie). Conférences, films. Ouvert du lundi au samedi, de 10 h à 17 h, et le dimanche, de 13 h à 17 h.

Beehive House
Main and State Streets.
Ancienne demeure officielle de Brigham Young. Monument historique magnifiquement restauré et meublé. Ouvert du lundi au samedi, de 9 h 30 à 16 h 30. Entrée gratuite.

Hansen Planetarium
15 State Street.
Un des plus beaux planétariums du monde. Musée et bibliothèque de la conquête spatiale. Ouvert du lundi au samedi.

Hogle Zoological Gardens
Un zoo abritant plus de mille espèces. Ouverture tous les jours à 9 h. Fermeture à 18 h en été et à 16 h 30 en hiver.

Latter-Day Saints Church Office Building
N. Temple Street, tél. (801) 531 2190.
Centre de recherches généalogiques. Ouvert le lundi de 7 h 30 à 18 h ; du mardi au vendredi, de 7 h 30 à 22 h ; et le samedi, de 7 h 30 à 17 h. Visite guidée gratuite du bâtiment.

Liberty Park
South Street & East Street.
Parc paysager, tennis, aires de jeu, manèges. Situé près de Chase Mill, de la maison de Brigham Young et de la **Tracy Aviary**, une volière contenant des centaines d'espèces. Ouvert tous les jours à 9 h 30. Fermeture à 20 h 30 en été, 18 h en demi-saison et 16 h 50 en hiver. Entrée gratuite.

Museum of Church History and Art
Peintures, sculptures, collections historiques. D'avril à décembre, ouvert tous les jours de 9 h à 21 h. Le reste de l'année, de 10 h à 19 h. Entrée gratuite.

Pioneer Memorial Museum
300, N. Main Street, tél. (801) 533 5759.
Tissages, poupées, meubles, nombreux souvenirs. Ouvert du lundi au samedi, de 9 h à 17 h, et le dimanche après-midi, de mai à octobre. Entrée gratuite.

Promised Valley Playhouse
132, 2nd South Street.
Ancien théâtre du XIXᵉ siècle restauré. De septembre à mai, nombreuses représentations théâtrales et musicales. L'été, spectacles familiaux. Gratuit du mardi au samedi à 19 h 30. Tickets à retirer au Visitor's Center de Temple Square. Réservations pour les spectacles au *(801) 364 5678.* Pour une visite du théâtre, appeler le *(801) 364 5697.*

Symphony Hall
Salle de concerts. Pour une visite gratuite, appeler le *(801) 533 5626.* Pour réserver une place de concert, appeler le *(801) 533 6407.*

Temple Square
Au centre de la ville, tél. (801) 240 2534.
Visite gratuite du **Tabernacle** et des **Visitor's Centers** nord et sud, toutes les 15 mn, de 8 h à 20 h 30 en été, et de 9 h à 19 h 30 en hiver. Répétition de la chorale le jeudi à 20 h. Retransmission télévisée du culte le dimanche à partir de 9 h 20.

Utah Museum of Fine Arts
University of Utah, tél. (801) 581 7332.
Important musée d'art. Belles collections de tissages navajos, de sculptures asiatiques, d'estampes et de paravents japonais. Ouvert du lundi au vendredi, de 10 h à 17 h ; le samedi et le dimanche, de 14 h à 17 h. Entrée gratuite.

Utah Museum of Natural History
University of Utah, tél. (801) 581 6827.
Collections de géologie et de sciences naturelles. Ouvert du lundi au samedi, de 9 h 30 à 17 h 30, et le dimanche, de 12 h à 17 h. Entrée gratuite.

Utah State Capitol
North Street, tél. (801) 533 5900.
Ouvert du lundi au vendredi, de 8 h 30 à 17 h, et le week-end, en été, de 9 h 30 à 18 h. Visite guidée. Entrée gratuite.

● Vernal

Utah Field House of Natural History
235 E. Main Street.
Collections paléontologiques et historiques. Ouverte tous les jours, de 9 h à 18 h. (En été, de 8 h à 21 h.) Entrée gratuite.

Thorne's Photo Studio
18 W. Main Street.
Collections d'outils préhistoriques. Ouvert du mardi au samedi, de 9 à 18 h. Entrée gratuite.

WYOMING

● Buffalo

J. Gatchelle Memorial Museum
110 Fort Street, tél. (307) 684 9331.
Dioramas sur la « guerre du Bétail » de 1892. Collections indiennes. De juin à septembre, ouvert de 9 h à 21 h. Entrée gratuite.

● Casper

Nicolaysen Art Museum
104 Rancho Road.
Ouvert du mardi au samedi, de 11 h 30 à 16 h 30.

Fort Caspar
*4001 Fort Caspar Road, en dehors de la ville.
tél. (307) 235 8462.*
Fort historique restauré. Musée contenant des objets d'art indiens, des souvenirs militaires, et évoquant le développement de la ville. Ouvert tous les jours de 10 h à 17 h. Entrée gratuite.

● **Cheyenne**

National First Day Cover Museum
702 Randall Boulevard, tél. (307) 634 5911.
Musée philatélique. Ouvert du lundi au samedi, de 8 h à 17 h. Entrée gratuite.
Warren Military Museum
*Building 210, F. E. Waren Air Force Base,
tél. (307) 775 2980.*
De juin à septembre, ouvert les lundi, mercredi, vendredi et dimanche, de 13 h à 16 h. Le reste de l'année, ouvert le dimanche, de 13 h à 16 h. Entrée gratuite.
Wyoming State Capitol
24th Street and Capitol Avenue, tél. (307) 777 7220.
Ouvert du lundi au samedi, de 8 h à 17 h. En été, visite guidée toutes les demi-heures. Entrée gratuite.
Wyoming State Museum
Barret Building, 24th Street and Central Avenue, tél. (307) 777 7024.
Collection d'objets d'art indien, évocation de l'épopée de la Frontière. Ouvert du lundi au vendredi, de 8 h 30 à 17 h ; le samedi, de 9 h à 17 h ; le dimanche, de 13 h à 17 h (horaires d'été). Entrée gratuite.

● **Cody**

Buffalo Bill Historical Center
720 Sheridan Avenue, tél. (307) 587 4771.
Souvenirs de Buffalo Bill et de l'épopée de l'Ouest. Musée des Indiens des Plaines. Musée d'art « western ». Collection d'armes. Ouvert de mars à novembre (horaires variables, mais de 7 h à 22 h, de juin à fin août).
Old West Trail Town
A 1,5 km à l'ouest de Cody.
Reconstitution d'un village de l'Ouest.

● **Douglas**

Wyoming Pioneer Memorial Museum
Wyoming State Fair Grounds, tél. (307) 358 9288.
Objets indiens, armes à feu et musée automobile. D'avril à novembre, ouvert du lundi au vendredi, de 9 h à 17 h, et le week-end, de 13 h à 17 h. Le reste de l'année, ouvert du lundi au vendredi, de 9 h à 17 h. Entrée gratuite.

● **Fort Bridger**

Fort Bridger State Historic Site
Tél. (307) 782 3842.
Souvenirs militaires et objets indiens. De mi-avril à mi-octobre, ouvert tous les jours, de 9 h à 17 h. Hors saison, ouvert le week-end, de 9 h à 16 h 30. Entrée gratuite.

● **Fort Laramie**

Fort Laramie National Historic Site
*A 3 km au sud-ouest de la ville, sur la 160,
tél. (307) 837 2221.*
15 000 souvenirs de la conquête. Musée militaire et indien. Bibliothèque spécialisée. De mai à fin août, ouvert de 8 h à 19 h. Le reste de l'année, de 8 h à 16 h 30. Entrée gratuite.

● **Jackson Hole**

Jackson Hole Historical Museum
105 N. Glenwood, tél. (307) 733 2414.
Collection d'objets indiens. Ouvert tous les jours, de 9 h à 21 h.

● **Laramie**

Laramie Plains Museum
603 Ivinson Avenue, tél. (307) 742 4448.
En été, ouvert de 9 h à 12 h, et de 13 h à 16 h. En hiver, de 14 h à 16 h.
Rocky Mountain Herbarium
University of Wyoming.
Trente-cinq mille spécimens de plantes. De juin à octobre, ouvert du lundi au vendredi, de 8 h à 17 h. Hors saison, ouvert du lundi au vendredi, de 7 h 30 à 16 h 30. Entrée gratuite.

● **Riverton**

Riverton Museum
700 East Park Street, tél. (307) 856 2665.
Art shoshone et arapahoe ; demeures de pionniers et ateliers d'artisans reconstitués. De juin à septembre, ouvert de 11 h à 18 h. D'octobre à mai, ouvert de 10 h à 16 h. Entrée gratuite.

● **Sheridan**

Medicine Wheel
Sur l'U. S. 14A, dans la Big Horn National Forest.
Étonnant cercle de mégalithes indiens de 20 m de diamètre, d'origine inconnue.
The Sheridan Inn
5th and Broadway Streets, tél. (307) 672 5825.
Hôtel ancien. Galerie d'art et d'antiquités. Ouvert tous les jours, de 10 h à 22 h. Entrée gratuite.

● **Sundance**

Crook County Museum
Histoire du Wyoming. Ouvert du lundi au vendredi, de 9 h à 17 h. Entrée gratuite.

● **Thermopolis**

Hot Springs County Museum
700 Broadway, tél. (309) 864 5183.
Fossiles, minéraux, objets d'art indiens. De juin à septembre, ouvert du lundi au samedi, de 10 h à 20 h, et le dimanche, de 13 à 17 h. Le reste de l'année, ouvert tous les jours, de 13 h à 17 h. Entrée gratuite.

RÉSERVES INDIENNES

Un voyage dans les Rocheuses ne saurait être complet sans une visite des anciens sites indiens (comme les habitations troglodytiques de **Mesa Verde**) ou des innombrables musées, qui témoignent de la longue histoire de ces peuples. On pourra également assister à l'une des nombreuses fêtes traditionnelles indiennes, ou *pow wows*, qui s'accompagnent de danses et de chants rituels.
A cet effet, voici la liste des réserves indiennes. Si l'on souhaite visiter l'une d'elles ou assister à un *pow wow* en été, il convient d'écrire aux *Tribal Headquarters* des différentes tribus afin d'obtenir toutes les informations désirées.

● **Colorado**

Southern Ute Reservation
Tribal Headquarters, Ignation, CO 81137.
(Tribus utes mouche et capote.)
Ute Mountain Reservation
Tribal Headquarters, Towaoc, CO 81334.
(Utes wiminuches.)

Idaho
Cœur d'Alene Reservation
Tribal Headquarters, Plummer, ID 83851.
(Indiens cœur-d'alène.)
Fort Hall Reservation
Tribal Headquarters, Fort Hall, ID 83203.
(Indiens shoshones et bannocks.)
Kootenai Reservation
Tribal Headquarters, Bonners Ferry, ID 83805.
(Indiens kootenais.)
Nez Perce Reservation
Tribal Headquarters, Lapwai, ID 83540.
(Indiens nez-percés.)

● **Montana**

Blackfeet Reservation
Tribal Headquarters, Browning, MT 59417.
(Indiens blackfeet.)
Crow Reservation
Tribal Headquarters, Crow Agency, MT 59002.
(Indiens crows.)
Flathead Reservation
Tribal Headquarters, Dixon, MT 59831.
(Indiens salish et kootenais.)
Fort Belknap Reservation
Tribal Headquarters, Harlem, MT 59526.
(Indiens gros-ventre et assiboines.)
Fort Peck Reservation
Tribal Headquarters, Poplar, MT 59225.
(Indiens sioux et assiboines.)
Northern Cheyenne Reservation
Tribal Headquarters, Lame Deer, MT 59043.
(Indiens cheyennes du Nord).
Rocky Boy's Reservation
Tribal Headquarters, Box Elder, MT 59521.
(Indiens chippawa-crees.)

● **Utah**

Goshute Reservation
Tribal Headquarters, Ibapah, UT 83034.
(Indiens goshutes.)
Skull Valley Reservation
Tribal Headquarters, Grantsville, UT 84209.
(Indiens goshutes.)
Southern Painte Reservation
Tribal Headquarters, Cedar City, UT 84270.
(Indiens paiutes du Sud.)
Uintah and Ouray Reservation
Tribal Headquarters, Fort Duchesne, UT 84206.
(Indiens utes.)

● **Wyoming**

Wind River Reservation
Tribal Headquarters, Riverton, WY 82501.
(Indiens shoshones et arapahoes).

PARCS NATIONAUX ET BASES DE LOISIRS

On trouve dans les Rocheuses dix parcs nationaux qui constituent d'agréables zones de loisirs. Le droit d'entrée va de 50 cents par personne à 3 ou 4 dollars par véhicule. Les touristes qui comptent visiter plusieurs parcs ont donc intérêt à se procurer un *golden eagle passport*, qui, pour 25 dollars, leur donne libre accès à tous les National Parks pendant un an (en vente dans toutes les guérites d'accès).

Les camping-cars ne peuvent séjourner que dans les *camp-trailers*. L'emplacement coûte de 5 à 10 dollars par nuit et il est généralement impossible de réserver (premier arrivé, premier servi). En été ou en période d'affluence, il faut donc arriver tôt le matin pour trouver une place. A l'entrée, aux guérites de péage, les rangers sont à même de renseigner les visiteurs sur les disponibilités dans les terrains de camping. En hiver, les parcs ne sont que très partiellement ouverts et certains ne sont plus approvisionnés en eau.

Les terrains de camping dans les parcs sont habituellement bien aménagés (épiceries, aires de pique-nique avec barbecues, aires de jeux, machines à laver, douches, sanitaires, etc.)

Le camping sauvage est généralement autorisé, mais il faut préalablement retirer un permis (gratuit) auprès des rangers. Certains parcs, où les permis sont contingentés, exigent une réservation.

Dans ces zones protégées, le visiteur doit se plier à quelques règles évidentes. La navigation de plaisance sur les lacs et rivières est soumise à la législation en vigueur dans l'État, et l'usage des bateaux à moteur est interdit sur certains plans d'eau. De même, les voitures tout-terrain ne doivent pas s'écarter des pistes aménagées pour les 4x4.

La faune et la flore sont totalement protégées dans l'enceinte des parcs. La pêche, la chasse et la cueillette sont interdites (sauf autorisation spéciale), et toute contravention est passible d'amende. Enfin, la plupart des parcs exigent que les animaux domestiques soient tenus en laisse. N'oubliez jamais qu'un ours ou un bison, en dépit de son air placide, demeure un animal dangereux !

PARCS NATIONAUX

● **Colorado**

Mesa Verde National Park
CO 81330, tél. (303) 529 4465.
Accès : sur la route 160, à 20 km à l'est de Cortez. Service d'autocars depuis Cortez et Durango (70 km).
Caractéristiques : superficie : 207 km². Créé en 1906. Sites troglodytiques précolombiens.
Saison : le parc et le musée sont ouverts toute l'année mais épiceries, pompes à essence et centres d'hébergement ne sont ouverts que de mi-mai à mi-octobre. La plupart des ruines ne se visitent que de mi-juin à début septembre.
Hébergement : un hôtel, un *guest ranch*. Réservations : *Mesa Verde CO, P. O. Box 227, Mancos, CO 81329, tél. (303) 529 4421.*
Camping : le **Morefield Campground** accueille les groupes aussi bien que les campeurs individuels. Quelques emplacements spécialement aménagés pour les handicapés. Nombreux autres terrains privés aux abords du parc.
Commodités et activités : visites guidées ou libres des ruines, sentiers de randonnée balisés, aires de pique-nique, épicerie. Musée.
A voir : **Park Point** (panorama à plus de 2 600 m), **Fair View Visitor's Center** (musée consacré aux Utes et aux Navajos), **Chapin Mesa Museum** (musée consacré aux Anasazis), **Spruce Tree House** et **Cliff Palace** (les deux principaux ensembles d'habitations troglodytiques).

Rocky Mountain National Park
Estes Park, CO 80517, tél. (303) 586 0080.
Accès : deux entrées : Estes Park, à l'est, et Grand Lake, à l'ouest. Dessertes d'autocar depuis Denver.
Caractéristiques : superficie : 1 050 km². Créé en 1915. Hautes montagnes de formation glaciaire, neiges éternelles sur les sommets, cirques glaciaires, forêts, lacs, rivières.
Saison : ouvert toute l'année, mais la Trail Ridge Road est fermée de mi-octobre à fin mai.
Hébergement : nombreux hôtels, motels et *lodges* à Estes Park et Grand Lake.
Camping : les 4 terrains de camping du parc sont tous situés à plus de 2 500 m d'altitude.
– Moraine Park Campground
A 5 km à l'ouest du Headquarters Visitor's Center, sur la Bear Lake Road.
250 places, station de rangers, sanitaires, téléphones, amphithéâtre. Réservations possibles.
– Glacier Basin Campground
A 15 km à l'ouest d'Estes Park, sur la Bear Lake Road.
152 emplacements individuels et 18 collectifs, station de rangers, sanitaires, téléphones, conférences organisées autour de feux de camps (en été). Réservations possibles.
– Longs Peak Campground
A 18 km au sud d'Estes Park.
30 emplacements (tentes seulement), station de rangers, sanitaires. Pas de réservations.
– Timber Creek Campground
A 16 km au nord de Grand Lake, sur la Trail Ridge Road.
100 places, station de rangers, conférences organisées autour de feux de camps (en été). Pas de réservations.
Commodités et activités : visites organisées ou indépendantes, 575 km de pistes balisées, aires de pique-nique, possibilité de camping sauvage, escalade, randonnée pédestre, équitation, pêche, et, en hiver, scooter des neiges, ski de fond et patinage. Restaurant.

A voir : la **Trail Ridge Road** et la **Bear Lake Road** (axes traversant le parc, nombreux observatoires), **Bear Lake** (lac de montagne) et **Rock Cut**.

● **Montana**

Glacier National Park
West Glacier, MT 59936, tél. (406) 888 5441.
Accès : trains (Amtrack) et autocars jusqu'à East et West Glacier. Le parc est également desservi par les *highways* 2, 89 et 93, ou, depuis le Canada, par les *highways* 2, 5 ou 6.
Caractéristiques : superficie : 4 100 km². Créé en 1910. Parc de haute montagne : plus de 50 glaciers, 200 lacs, luxuriantes forêts, faune et flore variées.
Saison : ouvert toute l'année. Meilleure saison : mai à septembre.
Hébergement : deux hôtels, deux *lodges*, deux *motor inns* et de nombreuses cabanes à louer. Terrains de camping de 6 à 200 places. Réservations : *Glacier Park Inc., East Glacier, MT 59434, tél. (406) 226 5551.*
Commodités et activités : restaurant, épiceries. Visites organisées ou indépendantes (possibilité de location de cassettes audio), aires de pique-nique, possibilité de camping sauvage, de randonnée pédestre (plus de 1 000 km de sentiers), d'escalade, d'équitation, location de bateaux, navigation, pêche, ski de fond en hiver.
A voir : la **Going-to-the-Sun Road** (itinéraire traversant le parc d'est en ouest), **Lake McDonald** (un lac de 16 km de long sur 2,5 km de large), **Logan Pass** (col à 2 030 m), **Many Glacier Area** (glaciers et cascades).

● **Utah**

Arches National Park
446 S. Main Street, Moab, UT 84532, tél. (801) 834 5322.
Accès : à 8 km au nord de Moab par l'U. S. 191. Voiture indispensable.
Caractéristiques : superficie : 296 km². Créé en 1971. Désert de pierre rouge. Quelque 500 arches naturelles et formations rocheuses aux formes curieuses. Parcours en voiture : 2 heures.
Saison : ouvert toute l'année. Meilleures saisons : printemps et automne.
Hébergement : nombreux hôtels et motels à Moab.
Camping : le **Devil's Garden Campground** est situé à l'intérieur du parc, à 33 km du Visitor's Center.
Commodités et activités : visites organisées ou indépendantes, zones de pique-nique, possibi-

lité de camping sauvage (permis), de randonnée pédestre, d'escalade. Musée.
A voir : **Park Avenue** (un impressionnant défilé), **Balanced Rock** (un rocher en équilibre précaire), **Double Arch**, **Delicate Arch** et **Landscape Arch** (arches de pierre), et le **Devil's Garden**.

Bryce Canyon National Park
Bryce Canyon, UT 84717. Tél. (801) 834 5322.
Accès : service d'autocars depuis Cedar de mi-mai à octobre.
Caractéristiques : superficie : 146 km². Créé en 1928. Un plateau creusé de nombreux cirques abritant des formations rocheuses hors du commun. Un des parcs les plus «photogéniques» des États-Unis. Parcours en voiture : 3 heures.
Saison : toute l'année.
Hébergement : plusieurs hôtels dans l'enceinte du parc. Réservations : *TWRS, 451 Main Street, P.O. Box 400, Cedar City, UT 84720, tél. (801) 586 7686.*
Camping : accessible toute l'année mais approvisionné en eau seulement l'été.
Commodités et activités : restaurant, épiceries, visites organisées *(ranger naturalist talks)*, aires de pique-nique, possibilité de camping sauvage (permis), de randonnée pédestre ou équestre, pistes de ski de fond, survols en avion au départ de Moab.
A voir : la **Rim Drive** (route de corniche traversant le parc), la **Navajo Loop Trail** (sentier balisé descendant au pied du cirque) ainsi que **Bryce Ampitheater** et **Bryce Point** (points de vue grandioses sur les formations rocheuses de **Tower Bridge**, **Chinese Wall** ou **Fairy Castle**).

Canyonlands National Park
446 S. Main Street, Moab, UT 84532, tél. (801) 259 7164.
Accès : à 56 km de Moab par l'U. S. 191 et l'U-221.
Caractéristiques : superficie : 1 366 km². Créé en 1964. Un fantastique plateau rocheux profondément érodé par les eaux du Colorado et de la Green River. Parcours en voiture : 3 heures pour visiter Needles District. Mais rien ne vaut la marche à pied, une promenade en bateau sur le Colorado ou la Green River, ou un survol en avion du parc pour en apprécier la beauté.
Saison : ouvert toute l'année.
Hébergement : dans les villes voisines de Moab et de Monticello (80 km).
Camping : quelques terrains sommairement aménagés dans des zones difficilement accessibles. Seul le terrain de Needles est alimenté en eau potable.

Commodités et activités : visites guidées, excursions en Jeep et en bateau au départ de Moab. Aires de pique-nique, possibilités de camping sauvage (permis), de randonnée pédestre, d'escalade, de rafting.
A voir : **Dead Horse Point**, **White Rim** et **Grand View Point** (points de vue spectaculaires sur le Colorado), **Needles District**, **Angel Arch** et **Elephant Hill** (hauts plateaux et formations rocheuses).

Capitol Reef National Park
Torrey, UT 84775, tél. (801) 425 3791.
Accès : à 19 km de Torrey par l'U-24.
Caractéristiques : superficie : 980 km². Créé en 1971. Un ensemble géologique complexe: falaises de grès rouge (décorées de peintures rupestres), dunes de sables, éboulis rocheux, arcs de pierre. Parcours en voiture : 3 heures.
Saison : ouvert toute l'année, mais les pistes sont difficilement praticables en hiver. Se munir d'eau potable. La plupart des pistes sont réservées aux 4x4.
Hébergement : dans les villes voisines de Torrey, Bicknell et Loa.
Camping : 2 terrains. Le principal, situé à 1,6 km au sud du Visitor's Center, dispose de 53 places.
Commodités et activités : visites organisées, aires de pique-nique, randonnée pédestre et équestre, escalade, rafting.
A voir : **Capitol Gorge** (point de vue sur le sommet de Capitol Reef), **Gosseneck Overlook** (point de vue, pétroglyphes indiens), **Cathedral Valley** (falaises).

Zion National Park
Springdale, UT 84767, tél. (801) 772 3256.
Accès : à 74 km de Saint George par l'I-15 et l'U-90.
Caractéristiques : superficie : 600 km². Créé en 1919. Gorge de Zion, longue de 12 km et profonde de 900 m, falaises abruptes. Parcours en voiture : 3 heures.
Saison : ouvert toute l'année, mais certaines installations ne fonctionnent que de mi-mai à mi-octobre.
Hébergement : plusieurs hôtels dans l'enceinte du parc. Nombreuses possibilités à Saint George et à Springdale, en bordure du parc. Réservations : *TWRS, 451 Main Street, Cedar City, UT 84720, tél. (801) 586 7686.*
Camping : 3 terrains de camping dont un ouvert toute l'année.
Commodités et activités : restaurants, visites guidées, aires de pique-nique, possibilité de camping sauvage (permis), randonnée pédestre et équestre, escalade, promenade en tram.

A voir : la **Zion Canyon Scenic Drive** (route qui longe la Virgin River), **Checkerboard Mesa**, **Three Patriarches** et **Sinawa Temple** (curieuses formations rocheuses), **The Narrows** (long défilé étroit à remonter à gué) et **Mount Carmel Highway** (route montant à flanc de falaise jusqu'au sommet du plateau).

● **Wyoming**

Grand Teton National Park
P. O. Drawer 170, Moose, WY 83012, tél. (307) 733 2880.
Accès : service d'autocars depuis Jackson Hole.
Caractéristiques : superficie : 1250 km². Créé en 1929. Haute vallée cernée de pics de plus de 4 000 m. Nombreux lacs glaciaires. Faune exceptionnelle. Parcours en voiture : 2 heures.
Saison : ouvert toute l'année, mais certaines routes sont bloquées par les neiges en hiver.
Hébergement : nombreuses possibilités dans l'enceinte du parc (*guest ranches, lodges*, hôtels, etc.). Réservations : *Grand Teton Lodge CO, Reservations Dept., P. O. Box 240, Moran, WY 83013, tél. (307) 543 2855.* En outre, la ville de Jackson Lodge, toute proche, offre toutes les possibilités souhaitables.
Camping : 5 camps principaux : **Colter Bay**, **Lizard Creek**, **Jenny Lake**, **Gros Ventre** et **Signal Moutain** (durée de séjour limitée à 15 jours, sauf à Jenny Lake : 10 jours).
Commodités et activités : musées, restaurants, épiceries, conférences, visites organisées, aires de pique-nique, possibilité de camping sauvage (permis), randonnée pédestre et équestre, escalade, alpinisme, équitation, location de bateaux, navigation, natation, pêche, et, en hiver, ski de fond, scooter des neiges, patinage.
A voir : la **Teton Park Road** (route panoramique), les deux Visitor's Centers de **Moose** (expositions) et de **Colter Bay** (Musée indien). Navigation de plaisance sur les lacs de **Jenny Lake** et **Jackson Lake** et sur la **Snake River**.

Yellowstone National Park
P. O. Box 168, WY 82190, tél. (307) 344 7311.
Accès : 5 entrées : Gardiner North Entrance (131 km de Bozeman par l'U. S. Highway 80), North East Entrance (186 km de Billings par l'U. S. Highway 212), East Entrance (128 km de Cody), South Entrance (32 km de Jackson Hole par la U. S. Highway 26) et West Entrance (adjacente à West Yellowstone, par l'U. S. Highway 20).
Caractéristiques : superficie : 9 000 km². Créé en 1872. Trois superlatifs : le plus grand, le plus ancien et le plus visité de tous les parcs naturels américains. Paysages incomparables,

merveilles géologiques, faune exceptionnelle.

Saison : ouvert toute l'année, mais la plupart des installations et des routes sont fermées en hiver.

Hébergement : de mi-juin à début septembre, de nombreux hôtels et *lodges* accueillent les touristes : le **Roosevelt Lodge** (TWA Services), le **Canyon Village Lodge and Cabins** (588 chambres), le **Lake Lodge and Cabins** (176 chambres), l'**Old Faithfull Lodge and Cabins** (236 chambres), l'**Old Faithfull Inn** (326 chambres) et l'**Old Faithfull Snowlodge** (65 chambres). Réserver longtemps à l'avance. Réservations : *TWRS, Yellowstone National Park, WY 82190 9989, tél. (307) 344 7311.*

Camping : les terrains de camping sont nombreux, mais souvent pris d'assaut en été, et il est pratiquement impossible d'y trouver une place passé midi. Se renseigner à l'entrée du parc. La durée du séjour est limitée à deux semaines en été et à un mois le reste de l'année.

Commodités et activités : restaurants, épiceries. Musées, expositions, conférences, visites guidées, promenades en autocar ou en diligence, excursions en bateau, aires de pique-nique, possibilité de camping sauvage (permis), sentiers de randonnée pédestre, pistes cyclables, escalade, équitation, navigation, pêche, et, en hiver, ski de fond, scooter des neiges.

A voir : **Mammoth Hot Springs**, **Minerva Terrace**, **Terrace Loop Road** (sources chaudes), **Norris Geyser Basin**, **West Thumb Geyser Basin**, **Lower** et **Upper Geyser Basin** (sentiers balisés permettant d'admirer les principaux geysers dont le célèbre Old Faithfull), le **Mud Volcano** et le **Black Dragon Caldron** (fumerolles), **Obsidian Cliff** (falaise d'obsidienne), le lac de **Yellowstone** (2 400 m d'altitude), le **Grand Canyon de Yellowstone** (point de vue sur deux cascades impressionnantes). Mais cette liste est loin d'être exhaustive...

STATE PARKS ET RECREATION AREAS

● Colorado

Barbour Pound State Recreation Area
A 11 km à l'est de Longmont.
Camping, voile.

Barr Lake State Park
A 29 km au nord-est de Denver.
Pique-nique, voile, chasse.

Bonny State Recreation Area
A 35 km au nord de Burlington.
Camping, chasse, sports nautiques.

Boyd State Recreation Area
A 1,5 km à l'est de Loveland.
Camping, chasse, sports nautiques.

Castlewood Canyon State Park
A 5 km au sud de Franktown.
Pique-nique, ski de fond.

Chatfield State Recreation Area
A 13 km au sud-ouest de Denver.
Camping, sports nautiques, équitation.

Cherry Creek State Recreation Area
Au sud-est de Denver.
Camping, sports nautiques, scooter des neiges.

Crawford State Recreation Area
A 1,6 km au sud de Crawford.
Camping, plaisance, vélo.

Curicanti National Recreation Area
P. O. Box 1040, Gunnison, CO 81230.

Eldorado Canyon State Park
A 13 km au sud-ouest de Boulder.
Pique-nique, escalade.

Eleven Miles State Recreation Area
A 13 km au sud-ouest de Lake George.
Camping, chasse, scooter des neiges.

Golden Gate Canyon State Park
A 24 km à l'ouest de Golden.
Camping, équitation, chasse.

Highline State Recreation Area
A 11 km au nord-ouest de Loma.
Camping, sports nautiques, patinage.

Island Acres State Recreation Area
A 24 km à l'est de Grand Junction.
Camping, voile, patinage.

Jackson Lake State Recreation Area
A 35 km au nord-ouest de Fort Morgan.
Camping, sports nautiques, chasse, ski de fond.

Lanthrop State Park
A 5 km à l'ouest de Walsenburg.
Chasse, camping, sports nautiques.

Lory State Park
A 8 km à l'ouest de Fort Collins.

Navajo State Recreation Area
A 1,6 km au sud d'Arboles.
Camping, chasse, sports nautiques.

Paonia State Recreation Area
A 10 km à l'ouest de Pueblo.
Pique-nique, sports nautiques.

Rifle Gap/Falls State Recreation Area
A 11 km au nord de Rifle.
Camping, chasse.

State Forest
A 34 km au sud-est de Walden.
Camping, ski de fond, scooter des neiges.

Steamboat Lake State Park
A 42 km au nord de Steamboat Springs.
Camping, scooter des neiges.

Sweitzer Lake State Recreation Area
A 5 km au sud de Denver.
Pique-nique, sports nautiques.

Trinidad State Recreation Area
A 5 km à l'ouest de Trinidad.
Camping, chasse, équitation.

Vega State Recreation Area
A 19 km à l'est de Collbran.
Camping, sports nautiques, chasse, scooter des neiges, ski de fond.

● **Idaho**

Bear Lake State Park
Situé à 29 km au sud de Montpelier, sur la Highway 89.
Eagle Island State Park
A l'ouest d'Eagle par la H-44.
Farragut State Park
A 6 km à l'est d'Athol, sur l'U. S. 95.
Harriman State Park
A 29 km au nord d'Ashton et à 53 km au sud-ouest de West Yellowstone.
Hells Gate State Park
A 6 km au sud de Lewiston, sur Snake River Avenue.
Henry's Lake State Park
A 27 km au sud-ouest de West Yellowstone.
Heyburn State Park
Entre Plumer et St. Maries, sur la H-5.
Indian Rocks State Park
A 40 km au sud-est du croisement de l'I-265 et de l'I-86 à Pocatello.
Lucky Peak State Park
A 13 km de Boise, sur la H-21.
Malad Gorge State Park
A l'est de Bliss, sur l'I-84, sortie 147.
Massacre Rocks State Park
A 19 km à l'ouest d'American Falls.
McCroskey State Park
A 42 km au nord de Moscow par l'U. S. 95.
Mowry State Park
Accessible par bateau seulement depuis Cœur d'Alene ou Harrison.
Old Mission State Park
A l'est de Cataldo, sortie 39, sur l'I-90.
Packer John State Park
A 15 km au nord-ouest de McCall, sur la H-55.
Ponderosa State Park
Au nord de McCall, sur le lac Payette.
Priest Lake State Park
A 53 km au nord de Priest River, sur le lac Priest.
Round lake State Park
A 16 km au sud de Sand Point par l'U. S. 95.
Sawtooth National Recreation Area
Stanley.
Three Island State Park
A 1,6 km à l'ouest de Glenns Ferry.
Veteran's Memorial State Park
A l'ouest de Boise, entre 36th et State Streets.
Winchester Lake State Park
A 1,6 km au sud-ouest de Winchester, sur l'U. S. 95.

● **Montana**

Bannack State Park
A 50 km au sud-ouest de Dillon (I-15, puis S-278).
Big Horn Canyon National Recreation Area
(Montana and Wyoming), P. O. Box 458, Fort Smith, MT 59035.
Giant Springs
A la sortie nord de Great Falls, sur River Drive.
Lewis and Clark Caverns
Sur l'I-90, à 75 km à l'est de Butte.
Une des plus grandes grottes connues.
Lost Creek
A 15 km au nord d'Anaconda, sur la M-273.
Makoshika State Park
A 3,5 km au sud de Glendive, sur Snyder Avenue.
Medicine Rocks State Park
A 40 km au sud de Baker par la Montana 7 (borne 10), puis 1,6 km à l'ouest par County Road.
Missouri Headwaters State Park
A 5 km à l'est de Three Forks par l'U. S. 10, puis 5 km au nord par la 286.
Ulm Pishkun
Sur l'I-15, à 20 km à l'ouest de Great Falls.
Site de chasse au bison.
West Shore State Park
A 32 km au sud de Kalispell par l'U. S. 93.
Wild Horse Island State Park
Ile accessible par bateau depuis Big Arm State Recreation Area.

● **Utah**

Bear Lake Marina State Park
A 1,6 km au nord de Garden City par l'U. S. 89.
Bear Lake Rendezvous Beach
A 5 km au nord-ouest de Laketown par la H-30.
Coral Pink Sand Dunes State Park
A 57 km au nord-ouest de Kanab par l'U. S. 89.
Dead Horse Point State Park
A 55 km à l'ouest de Moab, par la H-313.
Deer Creek Lake State Park
A 8 km au sud-ouest d'Heber City, par l'U. S. 189.
Escalante Petrified Forest
A 8 km à l'ouest d'Escalante par la H-12.
Forêt pétrifiée.
Flaming Gorge National Recreation Area
P. O. Box 278, Manilla, UT 84046.
Goblin Valley State Park
A Hanksville, à 57 km au nord-ouest de la H-24.

Goosenecks of the San Juan
A Mexican Hat, à 6,5 km de la H-261.
Great Salt Lake, Saltair Beach
A 24 km à l'ouest de Salt Lake City par l'I-80.
Green River State Park
A 3,5 km au sud de Green River par l'I-70.
Gunlock Lake State Park
A 26 km au nord-ouest de St. George par la H-56.
Huntington Lake State Park
A 3,5 km au nord-ouest de Huntington par la H-155.
Hyrum Lake State Park
A Hyrum.
Kodachrome Basin
A 6,5 km au sud de Cannoville, par la H-2.
Millsite Lake State Park
A Ferron, à 6,5 km de la H-10.
Minersville Lake State Park
A 19 km à l'ouest de Beaver par la H-21.
Otter Creek Lake State Park
A 6,5 km au nord d'Antimony par la H-22.
Paradise Lake State Park
A 5 km de Sterling par l'U. S. 89.
Plute Lake State Park
A 8 km au nord de Junction par l'U. S. 89.
Rockport Lake State Park
A 3,5 km au sud de Wanship par l'U. S. 189.
Scofield Lake State Park
A 27 km à l'ouest de Soldier Summit par l'U. S. 6.
Snow Canyon State Park
A 8 km de St. George par la H-18.
Starvation Lake State Park
A 5 km à l'ouest de Duchesne par l'U. S. 40.
Steinaker Lake State Park
A 10 km de Vernal par la H-44.
Utah Lake State Park
A 6,5 km à l'ouest de Provo par l'I-15.
Wasatch Mountain State Park
A Midway, par la H-113.
Yuba Lake State Park
A Nephi, 40 km au sud de l'U. S. 91.

● **Wyoming**

Buffalo Bill State Park
A quelques kilomètres à l'ouest de Cody.
Camping, pique-nique, pêche à la truite.
Boysen State Park
Dans la Wind River Reservation.
Camping, pêche, sports nautiques.
Curt Gowdy State Park
A mi-chemin de Cheyenne et de Laramie par la Wyoming 210.
Lacs, pêche, sports nautiques.
Edness Kimball Wilkins State Park
A l'est de Casper, sur la rive de la North Platte River.

Glendo State Park
Glendo.
Camping, marina, lacs, pêche, sports nautiques.
Guernsey State Park
A 5 km de Guernsey.
Musée, camping, région de la piste de l'Orégon.
Hot Springs State Park
Thermopolis.
Plus grandes sources thermales du monde. Piscines, établissements de bains.
Keyhole State Park
Sur l'I-90 entre Sundance et Moorcraft, sur la berge du Keyhole Reservoir, non loin du Devil's Tower National Monument.
Antilopes, cerfs.
Seminole State Park
A 54 km au nord de Sinclair.
Dunes de sable blanc, pêche, camping.
Sinks Canyon State Park
A 16 km au sud-ouest de Lander.
Camping, randonnées, panoramas, pêche.

FÊTES ET FESTIVALS

JANVIER

Breckenridge World Freestyle Invitational/ Urll-Fest (ski acrobatique, fête de la neige), Breckenridge (Co).
National Western Stock Show and Rodeo, Denver (Co).
Winterskol, Snowmass (Co).
Annual Cowboy Downhill/Torchlight Parade, Steamboat Springs (Co).
Winter Carnival, Schweitzer, Sandpoint (Id).
Winter Carnival, Big Sky (Mt).
Montana Winter Fair, Bozeman (Mt).
P. R. C. A. Rodeo Finals, Great Falls (Mt).
H. C. I. A. Carnival, Hardin (Mt).
Cabin Fever Days, Hungry Horse (Mt).
Nashua Winterfest, Nashua (Mt).
U. S. Film and Video Festival, Park City (Ut).
All American Cutters Races – Melody Ranch, Jackson (Wy).
Wyoming State Winter Fair, Lander (Wy).
Camera Safaris, Yellowstone National Park (« safaris » botaniques et géologiques organisés jusqu'en mars sous la conduite de naturalistes). (Wy).

FÉVRIER

U. S. Alpine Championship, Copper Mountain (Co).
Dog Sled Races, Granby (Co).

American Ski Classic, Vail (Co).
Winter Carnival, McCall (Id).
Snow Fest, Anaconda (Mt).
Winter Carnival, Bozeman et Whitefish (Mt).
Boat Show, Kalispell (Mt).
Annual Winter Carnival, Park City (Ut).
Snow Sculpture Contest, Park City (Ut).
Winter Carnival, Pinedale (Wy).
Winterskol Carnival, Snowbird (Ut).
Winter Carnival, Sheridan Creek Snow Oval, Dubois (Wy).
Wyoming State Snowmobile Association Races, Riverton (Wy).
Snowsation, Saratoga (Wy).
Five Shot Rabbit Hunt, Shoshoni (Wy).

MARS

World Cup, Aspen (Co).
St. Patrick's Day Parade, Denver(Co).
Idaho State Champion Cutter and Chariot Races, Pocatello (Id).
Charles Russell Art Auction, Great Falls (Mt).
Annual Gun Show, Kalispell (Mt).
Great American Ski Chase, West Yellowstone (Mt).
Oly Days, Big Sky (Mt).
St. Patrick's Day Parade, Butte (Mt).
Red Lodge Winter Carnival, Red Lodge (Mt).
Doug Betters Winter Classic, The Big Mountain (Mt).
Mormon Festival of the Arts, Provo (Ut).
Boat, Sports and Travel Show, Casper (Wy).
Coors Rocky Mountain Speed Run Snowmobile Race Championship, Evanston (Wy).
Para Ski Championship, Jackson Hole Ski Area, Teton Village (Wy).
World Championship Snow King Hill Climb, Snow King Ski Area, Jackson (Wy).
White Pine Ski Open, Pinedale (Wy).
Wyoming State Cross Country Ski Championships, Togwotee Mountain Lodge (Wy).

AVRIL

Spring Splash/Closing day, Winter Park (Co).
Gem and Mineral Show, Billings (Mt).
Northern International Livestock Exposition and Spring Show, Billings (Mt).
M.S.U. Rodeo, Bozeman (Mt).
Science Fair, Missoula (Mt).
Peak to Prairie Triathlon, Red Lodge (Mt).
North American Skiing/Yachting Championship, The Big Mountain (Mt).
Park City Ski and Sail Race, Parc City (Ut).
Pole, Paddle, Paddle Race, Jackson (Wy).
Togwotee Spring Fling 10 km Nordic Race, Togwotee Mountain Lodge (Wy).

MAI

Bolder Boulder Race, Boulder (Co).
Annual Music and Blossom Festival, Cañon City (Co).
People's Fair, East Highschool, Denver (Co).
Lake Cœur d'Alene Days Festival, Cœur d'Alene (Id).
Locust Blossom Festival, Kendrick (Id).
Salmon River Rodeo, Riggins (Id).
Kamloops and Kokannee Week (concours de pêche), Sandpoint (Id).
Spring Festival and Flotilla, Priest Lake (Id).
Western Heritage Art Classic, Billings (Mt).
Vigilante Parade, Helena (Mt).
Veterans Memorial Pow Wow, Fort Belknap (Mt).
Memorial Days Pow Wow, Lame Deer (Mt).
Horse Racing and Bucking Horse Sale, Miles City (Mt).
U. of M. Rodeo, Missoula (Mt).
Bluebay Regatta, Polson (Mt).
Cherry Festival, Polson (Mt).
Stump Town Follies, Whitefish (Mt).
Roosevelt County Range Tour, Wolf Point (Mt).
Utah Heritage Foundation Historic House Tour, Salt Lake City (Ut).
Spring State Square Dance Festival, Salt Lake City (Ut).
Annual Indian Arts and Crafts Exhibit and Sale, Salt Lake City (Ut).
Annual Sand Castle/Sculpture Contest, Salt Lake City (Ut).
Old West Days, Jackson (Wy).
Annual State Championship & Old Time Fiddle Contest, Shoshoni (Wy).
Rodeo Days, Thermopolis (Wy).

JUIN

Twilight P. R. C. A. Rodeo, Alamosa (Co).
Annual Aspen Music Festival, Aspen (Co).
Colorado Music Festival, Boulder (Co).
Madam Lou Bunch Day (course de lits à roulettes), Central City (Co).
Donkey Derby Days, Cripple Creek (Co).
Yacht Club Races, Grand Lake (Co).
Independence Stampede, Greeley (Co).
Renaissance Festival, Lakspur (Co).
« The Way it Wuz » Celebration, Steamboat Springs (Co).
Annual Bluegrass and Country Music Festival, Telluride (Co).
State High School Rodeo Championship, Jerome (Id).
National Old Time Fiddlers Contest, Weiser (Id).
Midland Empire Horse Show, Billings (Mt).

Western Days Parade, Billings (Mt).
College National Finals Rodeo, Bozeman (Mt).
Jaycee Rodeo, Chinook (Mt).
U. S. Open Fiddlers Contest, Dillon (Mt).
V. F. W. Rodeo, Hardin (Mt).
Demolition Derby, Hardin (Mt).
Governor's Cup Marathon, Helena (Mt).
Jazz Festival, Helena (Mt).
Homestead Days, Hot Springs (Mt).
Sky Logging Championships, Kalispell (Mt).
Heritage Gun Show, Libby (Mt).
Wild West Days, Poplar (Mt).
Ski Race Camp/ Music Festival/Run to the Sun, Red Lodge (Mt).
Viking Boat Regatta, Whitefish (Mt).
Match Bronco, Wolf Point (Mt).
Utah Pageant of the Arts, American Fork (Ut).
National Old Time Fiddle and Blue Grass Festival, Ogden (Ut).
Utah Arts Festival, Salt Lake City.
Utah Scottish Association Highlands Games, Salt Lake City (Ut).
Annual Golden Spike, National Old Time Woodchoppers Jamboree, Encampment (Wy).

JUILLET

Aspen Summer Dance Festival, Aspen (Co).
Tennis Classic, Beaver Creek (Co).
Colorado Shakespeare Festival, Boulder (Co).
Pow Wow Parade, Boulder (Co).
Pike's Peak Hill Climb, Cascade (Co).
Opera Festival, Central City (Co).
Arts Festival, Durango (Co).
Rodeo , Estes Park (Co).
Hot Air Balloon Races, Snowmass (Co).
Coors Bike Classic, Boulder, Vail, Aspen, Fruita, Grand Junction (Co).
Cool Water Revival, Winterpark (Co).
Kootenai River Days (parade, rodéo, compétitions diverses), Bonners Ferry (Id).
Snake River Stampede and Festival, Nampa (Id).
Glacier International Horse Show/Quarter Arlee Pow Wow, Arlee (Mt).
Billings Railroad Days, Billings (Mt).
4th of July Parade, Butte (Mt).
Old Timers Rodeo, Broadus (Mt).
North American Indian Days, Browning (Mt).
Lewis & Clark Expedition Festival, Cut Bank (Mt).
Fort Belknap Indian Days, Fort Belknap (Mt).
State Fair Rodeo and Horse Races, Great Falls (Mt).
4th and 5th East Fork Roping Club Rodeo/ Youth Rodeo, Hardin (Mt).
Daly Days, Hamilton (Mt).

Last Chance Stampede and Fair, Helena (Mt).
Horse Show, Kalispell (Mt).
Annual Northern Cheyenne Powwow, Lame Deer (Mt).
Central Horse Show, Fair and Rodeo, Lewiston (Mt).
Great Western Montana River Race, Missoula (Mt).
Yellowstone Boat Float, Livingston (Mt).
Montana State Fiddlers Championship/ Wagon Burner Regatta/Independence Cup Regatta, Polson (Mt).
Carbon County Fair/Rodeo/Beartooth Run, Red Lodge (Mt).
Whitefish Cup Regatta/Lake to Lake Canoe Race, Whitefish (Mt).
Opeta-Ye-Teca Indian Days/Wild Horse Stampede, Wolf Point (Mt).
Festival of the American West, Logan (Ut).
Murray Fun Day, Murray (Ut).
« Days of 47 », Salt Lake City (Ut).
Cheyenne Frontier Days, Cheyenne (Wy).
Cody Stampede, Cody (Wy).
Indian Tribal Powwow, Fort Washakie (Wy).
Lander Pioneer Days, Lander (Wy).
Laramie Jubilee Days Rodeo, Laramie (Wy).
Green River Rendezvous, Pinedale (Wy).
Sheridan WYO Rodeo, Sheridan (Wy).
Boysen Pike Fishing Derby, Shoshoni (Wy).
Grand Teton Music Festival, Teton Village (Wy).

AOÛT

Pack Burro Race, Buena Vista (Co).
Pike's Peak of Bust Rodeo, Colorado Springs (Co).
Colorado Springs Balloon Race, Memorial Park, Colorado Springs (Co).
Boom Days Celebration, Burro Race, Leadville (Co).
Festival of Mountain and Plain, Denver (Co).
Jazz Festival, Telluride (Co).
Annual Telluride Fim Festival, Telluride (Co).
Jerry Ford Invitational Golf Tournament, Vail (Co).
Western Idaho State Fair, Boise (Id).
Pilgrimage to the Old Mission (cérémonie indienne), Cataldo (Id).
Shoshone Bannock Indian Festival and Rodeo, Fort Hall (Id).
Huckleberry Festival, Priest River (Id).
Bannack Days, Bannack (Mt).
Yellowstone Exhibition, Billings (Mt).
Rocky Boys Powwow, Box Elder (Mt).
Miler's IGA Sanction Barrel Race/Madden's 4 Sweet Pea Festival, Bozeman (Mt).
State Roping/Espy Team Roping, Broadus (Mt).

White River Cheyenne Powwow, Busby (Mt).
Festival of Nations/Silver Bow County Fair, Butte (Mt).
Crow Fair Celebration and Powwow, Crow Agency (Mt).
All Girl Rodeo, Dillon (Mt).
Mile High Lake Catamaran Regatta, Georgetown Lake (Mt).
Raft Race and River Remedy/Western Rendezvous of Art/Governor's Cup All Breeds Horse Show, Helena (Mt).
Western Rendezvous of Art, Helena (Mt).
Sun Dance, Lame Deer (Mt).
Eastern Montana Fair, Miles City (Mt).
Western Montana Fair/Rodeo and Horse Races, Missoula (Mt).
Festival of Nations, Red Lodge (Mt).
Salt Lake County Fair, Murray (Ut).
Park City Annual Arts Festival, Park City (Ut).
Railroaders Folk Festival, Promontory (Ut).
Gilft of the Water Pageant, Thermopolis (Wy).
Wyoming State Fair, Douglas (Wy).

SEPTEMBRE

Annual Triathlon, Aspen (Co).
Potato Day Festival, Carbondale (Co).
Crested Butte Marathon, Crested Butte (Co).
Oktoberfest, Denver (Co).
Scottish Highland Festival, Estes Park (Co).
Snowmass Old Car Classic, Snowmass (Co).
World Hang Gliding Championship, Telluride (Co).
Vailfest Weekend, Vail (Co).
Montana State Chili Cook Off, Billings (Mt).
State Draft Horse Show, Bozeman (Mt).
Threshing Bee and Antique Show, Culbertson (Mt).
Shoshone Bannock Indian Day, Fort Hall (Id).
Harvest Festival, Glasgow (Mt).
Rodeo and Horse Races, Hamilton (Mt).
Festival Days, Harve (Mt).
Art Show and Auction, Kalispell (Mt).
Wagon Days, Ketchum (Id).
Lewiston Round Up, Lewiston (Id).
Gun Show, Missoula (Mt).
Bunyan Days (parade, danses, jeux, carnaval), St. Maries (Id).
Yellowstone Exhibition Fall Race Meet/ McIntosh Apple Days/Ravalli County Fair/ Summer Games, Whitefish (Mt).
All Indian Rodeo, Wolf Point (Mt).
Jaycees Demolition Derby, Wolf Point (Mt).
Bonneville National Speed Trials, Bonneville Salt Flats (Ut).
Swiss Days Celebration, Midway (Ut).
Annual Greek Festival, Salt Lake City (Ut).

Utah State Fair, Salt Lake City (Ut).
Ice Capades, Salt Lake City (Ut).
Fall State Square Dance Festival, Salt Lake City (Ut).
Riegling Bros Circus, Salt Lake City (Ut).
« Viva la Fiesta », Salt Lake City (Ut).
Annual Oktoberfest, Snowbird (Ut).
Cowboys Days, Evanston (Wy).
Fort Bridger Mountain Man Rendezvous and Black Powder Shoot, Fort Bridger (Wy).
One Shot Antelope Hunt, Lander (Wy).
Oktoberfest, Worland (Wy).

OCTOBRE

Larimer Square Halloween Bash, Denver (Co).
United Bank's Annual Denver Film Festival, Denver (Co).
Four Nations Pow Wow, Lapwai (Id).
Fiddlers Jamboree, Riggins (Id).
Rodeo, Billings (Mt).
Electrum, Helena (Mt).
Northern International Stock Show and Bald Eagle Gathering, Glacier Park (Mt).
Oktoberfest, Glendive (Mt).
Art-in-the-Park, Great Falls (Mt).
Utah Symphony/Ballet West/Repertory Dance Theatre & Utah Opera Co, Salt Lake City (Ut).

NOVEMBRE

Veteran's Day Parade, Denver (Co).
Larimer Square Christmas Walk, Denver (Co).
International Snafflebit Futurity, Malta (Mt).
Ririe-Woodbury Dance Company, Salt Lake City (Ut).
Utah Chorale, Salt Lake City (Ut).

DÉCEMBRE

Aspen Winter Concert Series, Aspen (Co).
Snow Sculpture Contest, Beaver Creek (Co).
Parade of Lights, Denver (Co).
Dezemberfest, Denver (Co).
Christmas Market, Georgetown (Co).
All-Cal Ski Week, Vail (Co).
Good Neighbor Days, Anaconda (Mt).
Traditional Basque Shepherder's Ball/Lamb Auction, Boise (Id).
Christmas Stroll, Bozeman Main Street (Mt).
Tabernacle Choir Performances, Salt Lake City (Ut).
Ethnic Festival, Salt Lake City (Ut).
Festival of Lights, Salt Lake City (Ut).
Christmas Eve Torchlight Parades on Skis, Snowbird, Alta et Park City (Ut).

SPORTS ET ACTIVITÉS DE PLEIN AIR

AÉROSTATION

C'est dans la vallée de San Luis, dans le sud du Colorado, que se trouve la principale base d'aérostation américaine. Le Ballon Ranch est ouvert du 15 mai au 15 février. Réservations recommandées. **Ballon Ranch**, *Box 41, Del Norte, CO 81132, tél. 754 2533.*

CHASSE ET PÊCHE

• Chasse

La chasse est un sport très populaire dans les Rocheuses. Dans le Colorado, on chasse l'élan et le cerf (en octobre-novembre), l'antilope et le mouflon (en août-septembre), le cougouar et l'ours brun (au printemps). Dans le Montana, on chasse les mêmes animaux, ainsi que le grizzli et le wapiti. L'Utah est l'une des principales aires de chasse au cerf des États-Unis. Ses plaines marécageuses sont riches en gibier d'eau, faisans, perdrix, oies sauvages et échassiers. On y chasse aussi certains prédateurs comme le coyote, le lynx ou le renard.

L'obtention du permis de chasse est parfois soumis au passage d'un examen. Les permis, dont le prix varie selon le type de gibier chassé, ne sont valables que pour des périodes déterminées. Pour certaines espèces protégées, le permis de chasse n'est parfois attribué qu'à l'issue d'un tirage au sort. Dans certains États, la loi exige du chasseur qu'il porte des vêtements à bandes fluorescentes.

Un conseil : assurez-vous les services d'un guide. Il prendra en charge les formalités administratives et, surtout, par sa connaissance du terrain, vous permettra d'obtenir les meilleurs résultats.

• Pêche

On peut pêcher la truite, le saumon, le brochet, le poisson-chat et bien des espèces locales dans les Rocheuses. Les tarifs et les conditions d'attribution du permis de pêche varient selon les États. Le permis annuel, qui s'achète chez tous les marchands d'articles de pêche, coûte habituellement une dizaine de dollars pour les résidents de l'État et une trentaine de dollars pour les non-résidents. Il est toutefois possible d'acquérir un permis de courte durée (de un ou deux jours à une semaine) pour moins de 10 dollars.

De même, la durée de la saison est variable selon les États. En outre, à l'intérieur d'un même État, ce sport est parfois soumis à des réglementations particulières sur certains lacs ou cours d'eau.

Pour obtenir des informations précises sur la législation en vigueur, un permis, des cartes, ou une liste des guides officiels, contactez :

Colorado Division of Wildlife
6060 Broadway, Denver, CO 80216, tél. (303) 291 7227.
Idaho Department of Fish and Game
600 S. Walnut, Box 25, Boise, ID 93707, tél. (209) 334 3700.
Montana Department of Fish, Wildlife and Parks
1420 E. 6th Street, Helena, MT 59620, tél. (406) 444 2535.
Utah Wildlife Resources Division
1596 W. North Temple, Salt Lake City, UT 94116, tél. (801) 533 9333.
Wyoming Game and Fish Department
Cheyenne, WY 82002, tél. (307) 777 7729.

CYCLOTOURISME

Pour obtenir la brochure gratuite *Road Rules, Equipment Requirements and Safety Tips for Bicyclists*, écrire au **Colorado Dept. of Highways**, *4201 E. Arkansas, Denver, CO 80222.*

Pour recevoir une carte des pistes cyclables, écrire à la **Bike Trial Association**, *P.O. Box 4602, Grand Junction, CO 81502.*

Enfin les informations sur la célèbre course Coors Classic sont données par **Coors Bicycle Classic**, *1540 Lehing, Boulder, CO 80303.*

EXCURSIONS EN TRAIN

Le **Rio Grand Zephir** relie Denver à Salt Lake City. Départs les lundi, jeudi et samedi, et retours les mardi, vendredi et dimanche. Réservation recommandée.
Colorado Scenic Railroad Association
17155 W. 44th Avenue, P.O. Box 641, Golden, CO 80427, tél. 866 3690.

Le **Cripple Creek and Victor Narrow Gauge Railroad** part du musée de Cripple Creek toutes les 45 mn à partir de 10 h. Du 30 mai au premier week-end d'octobre. *Tél. 689 2640.*

Le **Cumbres and Toltec Scenic Railroad** offre une excursion d'une journée au départ d'Antonio, dans le Colorado, ou du terminal de Chama, au Nouveau-Mexique (retour possible en mini-car). Les deux trains partent à 10 h et arrivent à destination vers 17 h. Du vendredi au mardi, de mi-juin à mi-octobre.

C&TS RR.
– *P. O. Box 789, Chama, New Mexico 87520, tél. (505) 756 2151.*
– *Box 668, Antonio, CO 81120, tél. (303) 376 5483.*

Le **Durango to Silverton Narrow Gauge** propose des voyages aller-retour ou aller simple (trois heures) avec retour en autocar par la Million Dollar Highway. Du 15 mai au 24 octobre, départs à 8 h 30 et 9 h 30. Du 25 octobre au 29 novembre, un seul départ à 9 h. Du 30 novembre au 14 mai, départ à 9 h 55. Réserver au moins un mois à l'avance.
Agent Narrow Gauge Depot
Durango, CO 81301, tél. (303) 247 2733.

Le **Georgetown Loop** est un trajet de 14 km aller et retour à partir de Silver Plume. Tous les jours sauf le lundi, de juin à début septembre. Départs de Silver Plume ou de Georgetown.

NAVIGATION DE PLAISANCE

On peut faire du bateau et du ski nautique à Grand Lake, Bonnie Reservoir, Grandby, Shadow Mountain, Blue Mesa, Dillon ainsi que sur une quarantaine d'autres lacs du Colorado. Tous les bateaux à voiles ou à moteur doivent être immatriculés.

RAFTING

Plus d'une quarantaine de sociétés organisent des descentes en raft des cours d'eau du Colorado. Seules les excursions sur la Yampa et la Green River, dans le Dinosaur National Monument, nécessitent un permis.
  Pour information, s'adresser à la **Colorado River Outfitters Association**, *P. O. Box 1662 CR, Buena Vista, CO 81211.*

RODÉO

En été, rares sont les villes des Rocheuses qui n'organisent pas de rodéo. Informations et programmes sont disponibles auprès de la **Professional Rodeo Cowboys Association**, *101 Pro Rodeo Drive, Colorado Springs, CO 80219, tél. (303) 593 8840.*

SCOOTER DES NEIGES

L'usage du scooter des neiges ou de ses dérivés *(snowmobile)* est régi par la Division of Parks and Outdoor Recreation. Tous les véhicules doivent être immatriculés.
  L'U.S. Forest Service distribue des cartes (50 cents) indiquant les zones autorisées et les principales pistes. Enfin, les fans de ce sport peuvent entrer en contact avec un club spécialisé, le **Mile-Hi Snowmobile Club**, *Box 26368, Denver, CO 80226.*

SKI

On obtiendra des renseignements généraux sur le ski en écrivant à l'Office du tourisme des États-Unis à Paris. Néanmoins, pour toute information plus précise, on peut écrire au syndicat d'initiative des différentes stations.

● **Colorado**

Aspen/Buttermilk/Snowmass
700 S. Aspen Street, Aspen, CO 81611, tél. (303) 925 9000.
Breckenridge
Breckenridge Resort Chamber, P. O. Box 1909, Breckenridge, CO 80424, tél. (800) 221 1091.
Copper Mountain Resort
P. O. Box 3001, Copper Mountain, CO 80443, tél. (303) 968 2882.
Crested Butte
Crested Butte Mountain Resort, P. O. Box A, Mt. Crested Butte, CO 81225, tél (303) 349 2201.
Keystone
Keystone Ski Resort, Box 38, Keystone, CO 80435, tél. (303) 468 4242.
Steamboat Springs
Box 774408 Steamboat Springs, CO 80477, tél. (303) 879 0740.
Vail & Beaver Creek
Vail Associates Inc., P. O. Box 7, Vail, CO 81657, tél. (303) 476 5601 (Vail) ou (303) 949 5750 (Beaver Creek).

● **Idaho**

Bogus Basin
2045 Bogus Basin Road, Boise, ID 83702, tél. (800) 367 4397.
Grand Targee
Driggs, ID 83422, tél. (800) 443 8146.
Schweitzer
P.O. Box 815, Sandpoint, ID 83864, tél. (202) 263 9555.
Sun Valley
Sun Valley Co, ID 83353, tél. (800) 635 8261.

● **Montana**

Big Mountain
Box 1215, Whitefish, MT 59937, tél. (406) 862 3511.
Big Sky
Box 1, Big Sky, MT 59716, tél. (800) 548 4486.

Bridger Bowl
*15795 Bridger Canyon Road, Bozeman, MT
59715, tél. (800) 223 9609.*
Red Lodge
*P.O. Drawer R., Red Lodge, MT 59068,
tél. (800) 468 8977.*

● **Utah**

Alta
Alta, UT 84092, tél. (800) 742 2040.
Deer Valley
*Deer Valley Resort, P.O. Box 1525, Park City,
UT 84060, tél. (800) 543 3833.*
Park City
*P.O. Box 39-UP84, Park City, UT 84060,
tél. (800) 222 PARK.*
Snowbird
Snowbird, UT 84092, tél. (800) 453 3000.

● **Wyoming**

Casper Hogadon Basin
*1715 E. 4th Street, Casper, WY 82601,
tél. (307) 266 1600.*
Jackson Snow King Inc.
*Box 1137, 400 Snow King, Jackson, WY
83001, tél. (307) 733 2042.*
Medicine Bow/Snowy Range
*Box 138, Centennial, WY 82055,
tél. (307) 745 5750.*
Pinedale
*White Pine Lodge Ski Area, Box 833,
Pinedale, WY 82941, tél. (307) 367 4142.*
Sleeping Giant
*P.O. Box 790, Cody, WY 82414,
tél. (307) 587 4044.*
Teton Village
*Jackson Hole Ski Corps, Box 290, Teton
Village, WY 83025, tél. (307) 733 2292.*

TOUT-TERRAIN

Les cartes distribuées par l'U.S. Forest
Service (50 cents) fournissent d'excellents renseignements pour les adeptes du 4x4. De nombreuses stations proposent des locations
d'engins ou des excursions en compagnie de
guides. Dans le Colorado, Ouray, Montrose,
Telluride, Crested Butte, Alamosa, Creede,
Steamboat Springs, Estes Park, Aspen, Vail,
Leadville, Dillion, Lake City, Salida, Grand
Junction et Gunnison, constituent les
meilleures zones pour le tout-terrain.

Pour information, écrire à l'U.S. Forest
Service, aux diverses divisions des Parks and
Recreation et aux chambres de commerce
locales (l'équivalent de nos syndicats d'initiative).

TOURS-OPÉRATEURS ET CLUBS SPORTIFS

Voici une liste de divers organismes proposant
des excursions, des randonnées, des séjours à
thème ou des stages sportifs.

● **Colorado**

Audubon Ecology Camp in the West
*4150 Darley, Boulder, CO 80303,
tél. (303) 499 5409.*
Ouvert de juin à août. Randonnées de deux
semaines, guidées par des naturalistes.
Wind River Wilderness Camp/Western Wheels
*Box W.T.C., 6878 S. Arapahoe Drive,
Littleton, CO 80120, tél. (303) 794 9518.*
Camp situé dans la forêt de Bridger-Teton.
Randonnées, escalade, kayak, stages de survie.
Randonnées à vélo (location de VTT).

● **Idaho**

Agalpah River Trips
*P.O. Box 425, Salmon, ID 83467,
tél. (208) 756 4167.*
Randonnées, descentes de rivières.
Chamberlain Divide Outfitters
*205 E. 40th Street, Boise, ID 83704,
tél. (208) 343 8504.*
Randonnées, pêche.
Grizzly Mountain Outfitters
*P.O. Box 809, North Fork, ID 83466,
tél. (208) 865 2164.*
Guest ranch, scooter des neiges, chasse.
Indian Creek Ranch
*Rt. 2, Box 105, North Fork, ID 83466,
tél. (208) 05 7121.*
Scooter des neiges, randonnée, chasse au gros
gibier.
Lazy J. Outfitters
Rt. 1, Kuna, ID 83634, tél. (208) 922 5648.
Scooter des neiges, pêche, chasse.
Salmon River Experience
*812 Truman, Moscow, ID 83843,
tél. (208) 882 2385.*
Pêche, kayak, rafting.
Sun Valley Helicopter Ski Guides
P.O. Box 978, Sun Valley, ID 83353.
Sun Valley Trekking Company
*P.O. Box 2200, Sun Valley, ID 83353,
tél. (208) 726 9595.*
Kayak, ski de fond, escalade.
Teton Experience
P.O. Box 514, ID 83442, tél. (208) 523 4951.
Pêche, descentes de rivière, randonnées.
Teton Mountain Touring
*P.O. Box 514, Driggs, ID 83422,
tél. (208) 354 2768.*
Ski de fond.

Whitewater Outfitters
Salmon River Air Rt., Cascade, ID 83611,
tél. (208) 382 4336.
Pêche, randonnées, bateau à moteur.

● **Montana**

Crazy Mountain Company
Chico Hot Springs, Pray, MT 59065,
tél. (406) 333 4779.
Pêche, descentes de la Yellowstone River,
excursions à pied ou à skis. Tarifs de groupe.

Glacier Park Adventures
Tél. (406) 888 5333 (l'été) et *(406) 862 4802*
(l'hiver).

Mountain Whitewater
P. O. Box 486, Bozeman, MT 59717,
tél. (406) 995 4613.
Pêche, descentes panoramiques des rivières
Gallatin et Madison. Tarifs de groupe.

Venture Yellowstone
Box 486, Canyon Route, Gallatin Gateway,
MT 59730, tél. (406) 995 4841.
Pêche, descentes des rivières Gallatin et
Yellowstone.

Yellowstone Raft Company
Box 46, Gardiner, MT 59030,
tél. (406) 848 7777.
Rafting dans le sud-ouest du Montana et le
parc de Yellowstone. Excursions à la demi-
journée et à la journée.

● **Utah**

Adrift Adventures in Canyonlands Inc.
5620 S. Waterbury, Suite 203-A, Salt Lake
City, UT 84121, tél. (801) 272 3442.
Excursions en Jeep ou en 4x4.

Allwest Leisure Tours
451 E. Broadway, Salt Lake City, UT 84111,
tél. (801) 532 2113.
Visites organisées des parcs nationaux, de Salt
Lake City et de ses environs.

Arrowhead Helicopters
P.O. Box 1343, Moab, UT 84532, tél. (801) 259
5956.
Promenades en hélicoptère.

Calvin-Alpine Outfitters
2567 E. Pringle Circle, Ogden, UT 84403,
tél. (801) 479 6977.
Randonnées à cheval.

Color Country Tours
281 S. Main Street, Cedar City, UT 84720,
tél. (801) 586 9916.
Visites organisées des parcs nationaux.

Colorado River and Trail Expeditions Inc.
P.O. Box 7575, Salt Lake City, UT 84107,
tél. (801) 261 1789.
Rafting et randonnées pédestres.

Gray Line of Salt Lake City
158 N. 400 West, Salt Lake City, UT 84103,
tél. (801) 521 7060.
Visites organisées de Salt Lake City et de ses
environs.

Hatt's Ranch
Box 275, Green River, UT 84525,
tél. (801) 564 3238.
Pêche et chasse.

Heber Creeper
Deer Creek Scenic Railroad, 600 W. 100 South,
Salt Lake City, UT 84032, tél. (801) 654 3229.
Train panoramique.

High Country Adventure
Rt. 1, Box 118, Roosevelt, UT 84066,
tél. (801) 772 3065.
Randonnées à cheval.

Ken Sleight Expeditions
P.O. Box 81185, Salt Lake City, UT 84108,
tél. (801) 564 3656 (l'été) et *(801) 583 6255*
(l'hiver).
Randonnées pédestres.

Moki Mac River Expeditions
P.O. Box 21242, Salt Lake City, UT 84121,
tél. (801) 943 6707.
Rafting.

Mountain River Guides
3325 Fowler, Ogden, UT 84403,
tél. (801) 399 1297.
Rafting et expéditions.

Mountain Tours
1380 W. North Temple, Salt Lake City, UT
84116, tél. (801) 359 8677 et 359 9996.
Visites organisées de Salt Lake City et de ses
environs. Excursions en voiture et en avion.

Old Salty Railroad Inc.
549 W. 500 South, Salt Lake City, UT 84101,
tél. (801) 359 8800.
Train panoramique.

Park City Balloon Adventures
2040 Sunnside Avenue, Salt Lake City, UT
84108, tél. (801) 583 3120.
Promenades en montgolfière.

Rell Entreprises
P.O. Box 14, St. George, UT 84770,
tél. (801) 574 2266.
Randonnées à cheval.

Sky West Aviation
P. O. Box T, Street George Municipal Airport,
St. George, UT 84770, tél. (800) 453 9417.
Survols en bi-moteurs.

Tag-A-Long Tours
452 N. Main Street, Moab, UT 84532,
tél. (800) 453 3292.
Raids en 4x4. Descentes du Colorado en raft.

Tavaputs Plateau Ranch
P. O. Box 786, Price, UT 84501,
tél. (801) 564 3463.
Pêche et chasse.

Tex's River Expeditions
P.O. Box 67, Moab, UT 84532, tél. (801) 259 5101.
Kayak, rafting.
United Sportsmen
P.O. Box 21141, Salt Lake City, UT 84121, tél. (801) 268 9557.
Pêche et chasse.
Western River Expeditions
7258 Racquet Club Drive, Salt Lake City, UT 84121, tél. (801) 942 6669.
Visites organisées des parcs nationaux.
Wild and Scenic Inc.
P.O. Box 401, Moab, UT 84532, tél. (801) 259 8625.
Randonnées équestres.

● **Wyoming**

Jackson Hole Mountain Guides
Teton Village, WY 83025, tél. (307) 733 4979.
Guides et école d'escalade.
Skinner Brothers Guides and Outfitters
Box B. Pinedale, WY 82941, tél. (307) 367 4675.
Pêche, randonnées.
Sodergreen Horsemanship School
Buford, WY 82052, tél. (307) 632 7954.
École d'équitation, stages.
T.W.A. Service Inc.
Yellowstone Park Division, Yellowstone National Park, WY 82190, tél. (307) 344 7901.
– Promenades de 45 mn à bord d'une authentique diligence de la Concord Stagecoach. Départs de Roosevelt Corrals, du 10 juin au 9 septembre.
– Croisières sur le Yellowstone Lake. Plusieurs départs quotidiens de Bridge Bay Marina, du 15 juin au 23 septembre.
– Pique-niques sur un site proche de Roosevelt Corrals (voyage en chariot). Du 10 juin au 9 septembre. Départs à 16 h 30 et 17 h 30.
Yellowstone-Grand Teton Photographic Expeditions
Box 3238, Jackson, WY 83001, tél. (307) 733 5298.
Excursions d'une ou deux journées pour photographes et naturalistes, dans les parcs de Yellowstone et de Grand Teton.

VOS ACHATS

L'artisanat indien et le folklore « western » ont toujours beaucoup de succès auprès des touristes. Vous trouverez un peu partout des boutiques « western » où vous habiller de pied en cap ou plutôt... de santiag en Stetson. On y vend bien sûr des blue-jeans, des bottes, des ceinturons, des vestes en peau, des chemises en chambray, mais aussi des « accessoires » plus étonnants, comme des éperons, des selles, des lassos. Également de nombreux bijoux : boucles de ceinture, bagues en turquoise, coins de chemise en argent, « nœuds de cravate » en or ou en argent et quantité de bijoux enchâssés d'énormes pierres, souvent très voyants...

Vous pourrez également rapporter des objets artisanaux indiens : poteries, vanneries, couvre-lits et tapis tissés, vêtements, parures de plumes ou bijoux. Notez cependant que les Hopis et les Navajos, principaux fournisseurs d'artisanat indien, n'habitent absolument pas la région. Ces souvenirs achetés dans les Rocheuses sont donc d'une certaine manière des articles d'importation.

Enfin, on trouve de nombreuses boutiques de taxidermie dans les Rocheuses. Les amateurs peuvent y faire empailler leurs trophées ou y acheter des massacres de cerfs, de daims, etc.

Quelques adresses

● **Denver**

The Denver, Fashion Bar, Joslins et **May D. & F.** sont les principaux grands magasins de Denver. Mais on trouve aussi les succursales des grandes chaînes américaines comme **Sears**, **Walgreeens**, **J.C. Peneys**, **Target**, **Wards**, **Woolworth's** et **Skaggs**. **Gart Brothers**, le plus grand magasin d'articles de sport du monde, est situé à l'angle de *10th Street et de Broadway*.

Le **Mall** *(situé entre 16th et 17th Streets)* regroupe quantité de magasins. De même, on trouve de nombreuses boutiques autour de **Larimer Square**, et des antiquaires, sur Broadway *(entre 1300 et 1500 South)*.

La galerie commerciale de **Tivoli** *(entre la 9th et Lawrence)* abrite des restaurants, des boutiques de luxe ainsi qu'un cinéma de douze salles.

On trouve d'autres centres commerciaux aux environs de Denver : **Cherry Creek North** *(3,5 km au sud-est de Denver)*, **Heritage Square** *(sur la Highway 40, près de Golden)*, et **Southwest Mall** *(8501 W. Bowles Avenue, à Littleton)*.

● **Salt Lake City**

Le **Z.C.M.I. Center**, l'un des plus grands centres commerciaux du pays, est ouvert du lundi au vendredi, de 10 h à 21 h, et le samedi, de 10 à 18 h *(36 S. State)*.

Le **Crossroads Plaza** *(50 S. Main)* réunit sur quatre niveaux boutiques, salles de cinéma, restaurants, bureaux et salles de sport. Ouvert du lundi au vendredi, de 10 h à 21 h, le samedi de 10 h à 18 h, et le dimanche, de midi à 17 h.

Le **Triad Center** *(S. Temple et 3rd W.)*, ouvert tous les jours de 10 h à 18 h, abrite des boutiques de luxe, un théâtre de verdure et une patinoire (en hiver).

Enfin, les boutiques, restaurants et théâtres de **Trolley Square** sont ouverts du lundi au vendredi, de 10 h à 21 h, et le samedi, de 10 h à 18 h.

● **Idaho**

Boise dispose de deux centres commerciaux : le **Westgate Shopping Mall** et l'**Overland Park Shopping Mall**.

● **Montana**

Signalons un **Rimrock Mall** à Billings, un **Main Mall** à Bozeman, un **Southgate Mall** à Missoula et un **Holiday Village Shopping Mall** à Great Falls.

● **Wyoming**

La plus grande galerie commerciale de Cheyenne est le **Frontier Mall** *(dans Del Range Avenue)*. On trouve de nombreuses boutiques « western », comme **The Wrangler**, dans le centre ville. A Casper, l'**Eastridge Mall** regroupe 90 boutiques.

OÙ LOGER

On trouve, dans les Rocheuses, de multiples possibilités d'hébergement, du motel familial à l'hôtel de luxe, du chalet de montagne au terrain de camping en passant par le *bed and breakfast*. Vous pourrez obtenir des listes exhaustives des hébergements disponibles en écrivant aux *Visitors Bureaus* ou aux *Travel Councils* des États que vous comptez traverser. Si vous avez une destination précise, adressez-vous plutôt à la *Chamber of Commerce* locale. Enfin, il est sage de réserver assez longtemps à l'avance dans les grandes villes, parcs nationaux et stations touristiques.

HÔTELS ET MOTELS

En fonction de vos goûts et de votre budget, vous trouverez une large gamme d'hôtels, le prix des chambres allant de 20 dollars à plu-sieurs centaines dans un cinq étoiles. La grande majorité des établissements se situe dans la moyenne, avec un service aimable et des chambres agréables. Pour des prestations comparables, les prix varient selon les endroits : vous avez de fortes chances, par exemple, de payer plus cher dans une ville qu'à la campagne. L'habitude veut que l'on prenne une chambre d'hôtel avant 18 h. Si vous arrivez tard, il est préférable de téléphoner avant de vous présenter, l'hôtelier ayant pu donner votre chambre à d'autres clients.

Les motels installés sur le bord des autoroutes, avec une place de parking et des services sommaires, étaient autrefois la solution la plus économique. Depuis une dizaine d'années, ils se sont nettement modernisés, s'installant souvent dans les agglomérations, et la différence avec des hôtels classiques s'estompe de plus en plus. Une autre catégorie est donc apparue, plus économique, celle des *budget motels*, généralement situés à la périphérie des villes ou sur les autoroutes.

Une grande partie du réseau hôtelier appartient à des chaînes qui offrent des prestations comparables et de bonne qualité. La plupart ont des numéros de téléphone gratuits pour les réservations. On y trouve des chambres propres et confortables, équipées au minimum d'une salle de bains, d'une radio, d'une télévision couleur, d'une salle de restaurant, une blanchisserie, un bar.

Selon les cas, on vous proposera une *single* (chambre simple), une *double* (un grand lit), une *twin* (chambre à deux lits). Si vous aimez vos aises, vous pourrez également demander, dans certains établissements, un *Queen size bed* (lit géant) ou un *King size bed* (lit supergéant !)

Nombre d'établissements louent des mini-appartements ou des chambres avec kitchenette, formules qui ne reviennent souvent guère plus cher qu'une chambre ordinaire.

Enfin, sachez faire jouer la concurrence, les hôteliers sont souvent prêts à quelque « faveur » pour s'assurer la fidélité de leurs clients. Presque tous consentent d'importantes réductions ou des bonus (excursions, repas gratuits, etc.) aux hôtes qui passent plus de trois nuits dans leur établissement.

Voici les coordonnées des principales chaînes hôtelières (le premier numéro de téléphone est un numéro d'appel gratuit aux États-Unis, le second indique le correspondant en France) :

Best Western	(800) 528 1234	44 87 40 40
Hilton	(800) 445 8667	46 87 34 80
Holiday Inn	(800) 465 4329	43 55 39 03

Howard Johnson		42 93 00 12
Hyatt	(800) 228 9000	05 90 85 29
Marriott	(800) 228 9290	05 90 83 33
Quality Inn	(800) 228 5151	
Ramada	(800) 228 9822	42 93 00 12
Sheraton	(800) 325 3535	05 90 76 35
Travelodge		42 61 10 65
Westin Hotels		05 90 85 67

On peut également ajouter quelques chaînes de *budget motels*, hôtels plus modestes offrant une chambre simple pour 25 à 45 dollars et une chambre double pour 35 à 65 dollars. Vous pouvez obtenir des listes détaillées des affiliés en écrivant au siège social :

Budget Host
2061 Jacksboro Highway, Caravan Suite 202, P. O. Box 10656, Forth Worth, TX 76114, tél. (800) 626 7064.
Days Inn of America
2751 Buford Highway, N.E. Atlanta, GA 30324, tél. (404) 320 2000.
Econolodge
Tél. (en France) 45 77 10 74.
Motel 6
14651 Dallas Parkway-East, Columbus, OH 43232, tél. (213) 961 1681.
Super 8 Motels
1910 8th Avenue, N. E., Aberdeen, SD 57401.

BED AND BREAKFAST

Les *bed and breakfast* (hébergement avec petit déjeuner pour au minimum deux ou trois nuits en principe) sont souvent des maisons anciennes qui possèdent entre cinq et quinze chambres. En général, les salles de bains sont communes et les télévisions ou téléphones rarement installés dans les chambres.

Comptez de 35 à 75 dollars et plus la nuit pour une personne et de 40 à 90 dollars et plus pour deux.
Association of Historic Inns
Bed and Beakfast and Country Inns
P. O. Box 336, Dana Point, CA 92629, tél. (714) 499 4022.
Bed and Breakfast Reservation Services World-Wide, Inc., *P.O. Box 39000, Washington, D. C. 20016, tél. (800) 842 1486.*
Bed and Breakfast, The National Network, *Box 4616, Springflied, MA 01101.*

RANCHES

Si vous souhaitez participer à la vie quotidienne d'un ranch, vous pouvez descendre dans un *dude ranch*. La plupart proposent diverses activités : randonnées équestres ou pédestres, rodéos, pique-niques. Pour tous renseignements, contactez :
Dude Rancher's Association
P. O. Box 471, La Porte, CO 80535.
(Pour plus d'informations, écrire à la :
Colorado Dude/Guest Ranch Association
Box 300, Tabernash, CO 80478, tél. 320 8550.

AUBERGES DE JEUNESSE

Les auberges de jeunesse, situées souvent en dehors des villes, sont la solution la plus économique (environ 10 dollars la nuit). Toutefois, les règlements sont stricts : le séjour est limité à trois nuits, les auberges sont fermées pendant la journée, l'extinction des feux se fait à 22 h, alcool et tabac sont prohibés. Pour consulter (ou acheter) la liste, contactez :
Fédération unie des auberges de jeunesse
27, rue Pajol, 75018 Paris, tél. 46 07 00 01.

● **Les YMCA et les YWCA**

Les foyers de la Young Men's Christian Association (YMCA) et de la Young Women's Association (YWCA) sont, eux, situés en ville. Ces établissements peu chers et bien tenus proposent des chambres individuelles, doubles, ou des logements en dortoir. De plus, vous avez accès aux équipements : salle de gymnastique, piscine, etc. Liste disponible auprès de :
Union chrétienne des jeunes gens
5, place de Vénétie, 75013 Paris, tél. 45 83 62 63.

● **Logement en université**

On trouve également à se loger sur les campus universitaires. S'adresser à :
Commission franco-américaine
9, rue Chardin, 75016 Paris, tél. 45 20 46 54.

CAMPING

Les terrains de camping sont spacieux, agréables, et les capacités d'accueil toujours respectées. Les campings les plus luxueux offrent des services de grande qualité, avec piscine, courts de tennis, restaurant, garderie d'enfants, etc.

On trouve des terrains de camping dans la plupart des National Forests, National Parks, State Parks, Monuments. Ces terrains publics sont généralement équipés de tables, d'installations pour barbecue, de poubelles et de sanitaires (souvent sans douche); les sites sont pour la plupart séduisants et les emplacements peu onéreux.

Les campings privés, plus chers, offrent des raccordements en eau et en électricité, et disposent de douches, de coins cuisine, de machines à laver, et occasionnellement d'aires de jeux. Pour de plus amples informations, écrire à :

U.S. Forest Service
Department of Agriculture, Washington D.C. 20250.

U.S. Park Service
Department of the Interior, Washington D.C. 20240.

Kampgrounds of America (KOA)
P.O. Box 30162, Billings, MT 59114, tél ((406) 248 7444.

Enfin, voici une liste non exhaustive des hôtels, *bed and breakfast* et *guest ranches* dans les principaux sites touristiques des Rocheuses :

COLORADO

● **Hôtels et motels**

Aspen

Bavarian Inn
801 W. Bleeker, Aspen, CO 81611, tél. 925 7391.
A la sortie ouest de la ville. Prix modérés.
Best Western Aspenalt Lodge
P.O. Box 428, Basalt, CO 81621, tél. 927 3191.
A Basalt, au bord de la Frying Pan River, à 26 km d'Aspen et de Snowmass. Prix modérés.
Continental Inn
515 Galena, Aspen, CO 81611, tél. 925 1150.
La plus grande *lodge* d'Aspen, avec piscines couverte et découverte.
The Gant
P.O. Box K-3, Aspen, CO 81611, tél. 925 5000.
140 chambres. 2 piscines chauffées, tennis.

Beaver Creek

Beaver Creek Resort
P.O. Box 7, Vail, CO 81658, tél. 949 5750.
195 chambres dans un spectaculaire cadre montagnard.
The Charter at Beaver Creek
P.O. Box 5310, Beaver Creek, CO 81620, tél. (800) 824 3064.
Grand luxe.

Boulder

Best Western Boulder Inn
770 28th Street, Boulder, CO 80303, tél. 449 3800.
Face au campus, 98 chambres, piscine, sauna.

The Hilton Harvest House
1345 28th Street, Boulder, CO 80302, tél. 443 3850.
Hôtel de luxe au pied des montagnes.
Holiday Inn Boulder
800 28th Street, Boulder, CO 80303, tél. 443 3322.

Breckenridge

Beaver Run Resort
620 Village Road, Breckenridge, CO 80424, tél. 453 6000.
Luxueux ensemble de 329 chambres.
Blue River Condominiums
P.O. Box 1942, Breckenridge, CO 80424, tél. 453 2260.
36 studios entièrement équipés.
Summit Ridge Inc.
11072 Hwy 9, Breckenridge, CO 80424, tél. (800) 525 3882.
Chalets et appartements à prix divers.
The Village at Breckenridge Resort
P.O. Box 1979, Breckenridge, CO 80424, tél. 453 2000.
Luxueux établissement.

Central City

Golden Rose Hotel
102 Main, Central City, CO 80427, tél. 925 1413.
Hôtel de style victorien. *Hot tub* et sauna.

Colorado Springs

The Broadmoor
P.O. Box 1439, Colorado Springs, CO 80901, tél. (800) 634 7711.
565 chambres. Piscine, golf, tennis, piste de descente.
Hilton Hill
505 Popes Bluff Trail, Colorado Springs, CO 80901, tél. 598 7656.
Restaurant, piscine, 222 chambres.
Palmer House Best Western
3010 N. Chesnut, I-25 à Fillmore, tél. 636 5201.

Cripple Creek

Imperial Hotel of Cripple Creek
123 N. 3rd Street, Cripple Creek, CO 80813, tél. 689 2922.
Hôtel de style victorien récemment restauré.

Denver

The Aapartel
1221 Clarkson, Denver, CO 80204, tél. 867 9630.
Petits studios décorés avec goût, près du centre ville. Séjour minimal d'une semaine.

Bar X Motel
5001 W. Colfax, Denver, CO 80204, tél. 534 7191.
Uniquement des suites de deux chambres et kitchenette. Petit déjeuner gratuit, cocktail party en soirée.

Best Western Capri Hotel Plaza
11 E. 84th Avenue, Denver, CO 80204, tél. 428 5041.
107 chambres.

Brock Residence Inn
Downtown, 2777 North Zuni, Denver, CO 80211.
Petit déjeuner continental gratuit, cocktail party en soirée, navette vers le centre ville.

The Brown Palace Hotel
321 17th Street, Denver, CO 80202, tél. 297 3111.
Hôtel historique du centre ville à moins d'une demi-heure de l'aéroport de Stapleton (navette). 460 chambres.

The Burnsley Hotel
1000 Grant Street, Denver, CO 80224, tél. 830 1000.
Petit hôtel de très grand luxe. Situé près du State Capitol.

Chalet Motel
6051 W. Alameda Avenue Lakewood, tél. 237 7775.
Excellent service. Personnel polyglotte (français, italien, allemand).

Condominium Short Term Rentals
1190 S. Birch, Suite 101, Denver, CO 80220, tél. 320 4823.

Condo Inn Summit
10651 E. Bethany, Suite 140, Aurora, CO 80014, tél. 671 7401.
Appartements de luxe pour location de courte durée. Tout confort.

El Camino Motel
1576 S. Colorado Boulevard, Denver, CO 80222, tél. 756 9487.
Paisible motel familial à deux blocs de l'I-25 sur Colorado Boulevard. Tarifs intéressants à la semaine.

Clarion Hotel Denver Airport
3203 Quebec Street, Denver, CO 80207, tél. 321 3333.
Hôtel de grand luxe à 10 mn du centre ville. 588 chambres. Navettes gratuites pour l'aéroport.

Executive Tower Inn, *1405 Curtis, Denver, CO 80202, tél. 571 0300.*
337 chambres. Salle de musculation, boutiques.

The Denver Hilton
1550 Court Place, Denver, CO 80202, tél. 893 3333.
Le plus grand hôtel de luxe du Colorado. Situé en centre ville, près du Mall de 16th Street. 758 chambres.

Airport Hilton
4411 Peoria, Denver, CO 80239, tél. 373 5730.
200 chambres de première catégorie. Navette pour l'aéroport. Hébergement gratuit pour les enfants.

Holiday Chalet
1820 E. Colfax Avenue, Denver, CO 80218, tél. 321 9975.
Dans une demeure ancienne restaurée, quelques suites charmantes.

Holiday Inn Denver Downtown
1540 Glenarm Pl., Denver, CO 80202, tél. (800) HOLIDAY.
396 chambres tout confort très bien situées en centre ville.

Holiday Inn
1474 S. Colorado Boulevard, Denver, CO 80222, tél. (800) HOLIDAY.
A 10 km de l'aéroport (navette gratuite). 253 chambres, restaurant panoramique tournant.
*(Il existe deux autres hôtels **Holiday Inn**, sur l'I-70 ainsi qu'à East Chambers, 1975 Bryant Street,et à Englewood, 9009 E. Arapahoe. Pour tous renseignements appeler le 1 (800) HOLIDAY.)*

Hyatt Regency
1750 Welton Street, Denver, CO 80202, tél. 295 1200.
Hôtel de luxe. 540 chambres. Tennis, piscine, salles de réunion, restaurant gastronomique.

Denver Marriott Hotel, City Center
1701 Califonia, Denver, CO 80202, tél. 297 1300.
Hôtel de luxe : 5 restaurants, 612 chambres, salles de congrès et de remise en forme.
*(Il existe deux autres **Hotel Marriott**, sur l'I-25 à Hampden Avenue et au 1717 Denver West Boulevard, à Golden.)*

The Oxford
1600 17th Street, tél. 628 5400.
Près d'Union Station. 82 chambres.

Quality Inn South
4760 E. Evans Avenue, Denver, CO 80222, tél. 757 7601.
Prendre la sortie 203 sur l'I-25. 80 chambres. Restaurant, bar, prix modiques.

Ramada Hotel Republic Park
7007 S. Clinton, Englewood, CO 80112, tél. 799 6200.
265 chambres, téléconférence, piscine et bar.

Regency Hotel
3900 Elati Street, Denver, CO 80216, tél. 458 0808.
405 chambres tout confort. Navette d'aéroport gratuite.

Sheraton Inn Graystone Castle
83 E. 120th Avenue, Thornton, CO 80233, tél. 451 1002.
Dans un château, nombreuses suites, vue panoramique sur les montagnes.

(Il existe trois autres hôtels de la même enseigne :
Sheraton Denver Tech
4900 DTC Parkway, Denver, CO 80237, tél. 779 1100 ;
Sheraton Denver Airport
3535 Quebec Street, Denver, CO 80207, tél. 333 7711 ;
Sheraton Denver West Hotel
360 Union Boulevard Lakewood, CO 80228, tél. 987 2000.)
Stapleton Plaza Hotel and Athletic Club
3333 Quebec Street, Denver, CO 80207, tél. 321 3500.
A 2 mn de l'aéroport. 300 chambres, salle de musculation. Forfaits à la semaine.
The Westin Hotel Tabor Center
1672 Lawrence Street, Denver, CO 80202, tél. 572 9100.
Nouvel hôtel de luxe dans le centre ville, près du Mall et de 17th Street. 430 chambres.
Writers Manor Hotel
1730 S. Colorado Boulevard, Denver, CO 80222, tél. 756 8877.
325 chambres. Club de remise en forme.

Dillon

Best Western Ptarmigan Lodge
625 Colorow Street, Dillon, CO 80435, tél. 468 2341.
Au bord du lac. Situation centrale pour toutes activités sportives.
Dillon Super 8 Motel
P.O. Box B, Dillon, CO 80435, tél. 468 8888.
Un motel économique à 5 mn des pistes de ski.
Holiday Inn Lake Dillon
P. O. Box 669, Dillon, CO 80435, tél. 668 5000.
Au bord du lac.

Durango

Best Western Durango Inn
21382 Hwy 160 W., P. O. Box 3099, Durango, CO 80301, tél. 247 3251.
Entre Mesa Verde et les pistes de Purgatory.
Four Winds Motel
20797 W. Hwy 160, Durango, CO 80301, tél. 247 4512.
Près de la ligne Durango-Silverton, non loin de Mesa Verde.
Quality Inn Summit
1700 Country Road 203, Durango, CO 80301, tél. (800) 228 5151.
95 chambres. Piscine, sauna, jacuzzi.
Strater Hotel
699 Main Avenue, Durango, CO 80301, tél. 247 4431.
Demeure victorienne restaurée en centre ville.

Estes Park

Golden Eagle Lodge
P. O. Box 480, Estes Park, CO 80517, tél. 586 6066.
Hôtel de style.
Holiday Inn Resort
P. O. Box 1468, Estes Park, CO 80517, tél. 586 2332.
Catégorie luxe, piscine, sauna, bain à remous.
The Stanley Hotel
P. O. Box 1767, Estes Park, CO 80517, tél. 586 3371.
Élégant hôtel de style. Hébergement gratuit pour les moins de 17 ans.

Glenwood Springs

Glenwood Hot Springs Lodge and Pool
Box 308, Glenwood Springs, CO 81601, tél. 945 6571.
Luxe. Ouvert toute l'année.
Hotel Colorado
526 Pine, Glenwood Springs, CO 81601, tél. 945 6511.
Nombreuses activités de plein air.

Idaho Springs

Historic Indian Springs Resort
P. O. Box 1990, Idaho Springs, CO 80452, tél. 825 6513.
Bains en sources chaudes. Catégorie luxe.

Leadville

Mountain Mansion
129 W. 8th Street, Leadville, CO 80461, tél. 486 0655.
Demeure de style. 8 chambres seulement.

Ouray

Best Western Twin Peaks
P. O. Box 320, Ouray, CO 81427, tél. 325 4427.
Luxueux. Sources chaudes, bain à remous.

Pueblo

Ramada Inn
2001 N. Hudson, Pueblo, CO 81001, tél. 542 3750.
180 chambres, piscines, orchestre.

Snowmass Resort

The Snowmass Club
P. O. Box Drawer G-2, Snowmass Village, CO 81615, tél. 923 5600.
Grand luxe. Tennis, golf.

Timberline Condominiums
P. O. Box 1-2, Snowmass, CO 81615, tél. 923 4000.
96 appartements, piscine, sauna.
Woodrun Place
P. O. Box 6077, Snowmass Village, CO 81615,
tél. 923 5392.
55 chambres, sauna, bain à remous.

Steamboat Springs

Sheraton Steamboat Resort
2200 Village Inn Court, Steamboat Springs,
CO 80477, tél. 879 2220.
Catégorie luxe, 450 chambres et suites, tennis,
piscines, sauna, orchestre. Au pied des pistes.
Storm Meadows Resort
P. O. Box AAA, Steamboat Springs, CO
80477, tél. 879 1035.
260 chambres, piscine. Prix modérés.

Telluride

New Sheridan Hotel
P. O. Box 980, Telluride, CO 81435, tél. 728 4351.
Splendeur victorienne de 30 chambres.

Vail

Best Western Inn at Vail
2211 N. Frontage Road, Vail, CO 81657,
tél. 476 3890.
Bon hôtel. Navette jusqu'aux pistes.
Marriott's Mark Resort
715 Lionhead Cir., Vail, CO 81657, tél. 476 4444.
350 chambres. Tout confort.
Vail Home Rentals
143 E. Meadow Drive, Vail, CO 81657,
tél. (800) 525 9803.
Propose de très nombreux chalets et appartements à louer. Plusieurs sont équipés d'une
piscine et d'un sauna.
Westin Hotel Vail
1300 Westhaven Drive, Vail, CO 81657, tél.
476 7111.
185 chambres. Hôtel proche de la forêt.

● **Guest ranches**

Ah Wilderness Guest Ranch
P. O. Box 997, Durango, CO 81301, tél. 247 4121.
Établissement moderne, chevaux, excursions.
Arapahoe Valley Ranch
P. O. Box 142DC, Grandby, CO 80446,
tél. 887 3495.
Ouvert de mi-mai à fin septembre. Pêche.
The Aspen Lodge and Guest Ranch
Long Peak Route, Estes Park, CO 80517,
tél. 586 4241.
Rustique, nombreuses activités.

Aspen's T-Lazy Guest and Horse Ranch
P. O. Box 240, Aspen, CO 81612, tél. 925 4614.
Ranch de 50 ha dans le Marron Wilderness
Area. 18 logements (cabane ou *lodge*), piscine.
Double JK Ranch
Box V, Estes Park, CO 80517, tél. 586 3537.
Ranch familial, à 15 km au sud d'Estes Park.
Cuisine familiale.
Lost Valley Ranch
Rt 2 Sedalia, CO 80135, tél. 647 2311.
Authentique ranch, à 96 km au nord de
Colorado Springs. Tarifs spéciaux pour les
enfants.
S Bar S Ranch
Clark Rt, Steamboat Springs, CO 80487,
tél. 879 0788.
Ranch en activité (troupeaux). Ouvert toute
l'année, pêche à la truite, ski, équitation.
Skyline Guest Ranch
Box 67, Telluride, CO 81435, tél. 728 3757.
Vue sur le massif de San Miguel. Randonnée
et pêche.
Sylvan Dale Ranch
2939 N. County Road 31 D, Loveland, CO
80537, tél. 667 3915.
Authentique ranch en activité.
Wilderness Trails Ranch
Box V, Bayfield, CO 81122, tél. 247 0722.
Ouvert de fin mai à la mi-septembre. Proche
de Durango, *lodge* avec cabanes en rondins.

● **Auberges de jeunesse, bed and breakfasts,**
campings

American Youth Hostels Inc.
P. O. Box 2370, Boulder, CO 80306,
tél. 442 1166.
Hébergement à prix modiques dans 21 villes et
villages du Colorado.
Bed & Breakfast Colorado
Box 20596, Denver Co 80220, tél 333 3340.
Service de réservations centralisé pour tout le
Colorado.
Bed & Breakfast Rocky Mountains
P. O. Box 804, Colorado Springs, CO 80901,
tél. 499 9343.
Service de réservations centralisé.
Colorado Kampground Association
5101 Pennsylvania Avenue, Boulder, CO
80303, tél. 449 9343.
Informations sur les terrains de camping du
Colorado.
Denver East KOA
P. O. Box 579, Strastburg, Denver, CO 80316,
tél. 622 9274.
Vaste site ombragé. Camping, cabanes, terrain
de jeu, cafétéria, accès facile à partir de l'I-70.
Denver Youth Hostel
630 E. 16th Street, tél. 832 9996.

YMCA of the Rockies, Estes Park Center
P. O. Box 578, Association Camp, CO 80511, tél. 586 3341.
Proche du Rocky Mountain National Park.
Activités pour tous âges.
YMCA of the Rockies, Snow Mountain Ranch
Box 558, Grandby, CO 80446, tél. 887 2152.
Nombreuses activités en toute saison.

IDAHO

● **Hôtels et motels**

Boise

Best Western Safari Motor Inn Inc.
1070 Grove Street, tél. 344 6556.
105 chambres en centre ville, piscine, navette gratuite pour l'aéroport.
Boisean Motel
1300 S. Capitol Boulevard, tél. (800) 645 3645.
135 chambres proches du musée, des parcs et des boutiques. Piscine, navette gratuite pour l'aéroport.
Holiday Inn Boise
3300 Vista Avenue, tél. 344 8365.
265 chambres, piscine.
Red Lion Inn Downtowner
1800 Fairview Avenue, tél. 344 7691.
182 chambres et suites, piscine, attractions.
Red Lion Inn Riverside
2900 Chinden Boulevard, tél. 343 1871.
308 chambres et suites sur les bords de la Boise River. Luxe. Restaurant, salle de bal, piscine.

Idaho Falls

Best Western Stardust
700 Lindsay Boulevard, tél. 522 2910.
254 chambres, piscine, attractions.
Quality Inn West Bank
475 River Parkway, tél. 523 8000.
198 chambres à prix modérés. Piscine, vue sur les chutes.
Weston Lamplighter Motel
850 Lindsay Boulevard, tél. 523 6260.
130 chambres, piscine. Tarifs spéciaux à la semaine.

Lewiston

Churchill Motor Inn
1021 Main, tél. 743 4501.
62 chambres, piscine, TV par satellite.
Sacajawea Lodge
1824 Main, tél. 746 1393.
95 chambres. Piscine.

Tapadera Motor Inn
1325 E. Main, tél. 746 3311.
81 chambres, piscine, attractions, TV par câble.

Moscow

Best Western University Inn
1516 Pullman, tél. 882 0550.
125 chambres, piscine, sauna, golf, attractions.
Motel 6
101 Baker Street, tél. 882 6639.
110 chambres. Prix modérés.

Pocatelo

Best Western Cotton-Tree Inn
1415 Beach Road, tél. 237 7650.
150 chambres, piscine, tennis, squash.
Days Inn
133 W. Burnside, tél. 237 0020.
120 chambres, sauna, jacuzzi, petit déjeuner gratuit.
Holiday Inn
1399 Bench Road, tél. 237 1400.
206 chambres, piscine.
Motel 6
291 W. Burnside, tél. 237 6667.
Prix modérés.
Oxbow Motor Inn
4333 Yellowstone, tél. 237 3100.
184 chambres à prix modérés, piscine.
Quality Inn Pocatello
1555 Pocatello Creek, tél. 233 2200.
152 chambres, piscine, bain à remous, sauna.

Twin Falls

Best Western Canyon Springs Inn
1357 Blue Lake Boulevard, tél. 734 5000.
112 chambres, piscine, tarifs spéciaux pour le troisième âge.
Motel 6
1472 Blue Lake Boulevard, tél. 733 6663.
157 chambres à prix raisonnable, piscine.
Holiday Inn
1350 Blue Lake Boulevard, tél. 735 0650.
204 chambres, piscine, baby-sitting.
Motel 6
1472 Blue Lake Boulevard, tél. 733 6663.
157 chambres à prix raisonnable, piscine.

● **Guest ranches**

Clark Miller Guest Ranch
Star Route, Ketchum, ID 83340, tél. 774 3535.
A 12 km au sud de Redfish Lake. Six cabanes entièrement aménagées sur un terrain de 30 ha. Pêche.

Cook Ranch
5727 Hill Road Boise, ID 83703, tél. 344 0951.
A 80 km au sud d'Elk City. Cuisine familiale, scooter des neiges, chasse, équitation.
Elk Creek Ranch
Island Park, ID 83429, tél. 558 7404.
Cabanes de luxe à 40 km au nord d'Ashton.
Grandview Lodge and Resort
Star Rt, Box 48, Norman, ID 83848,
tél. 443 2433.
A Reeder Bay sur le lac Priest. 28 logements, restaurant, plaisance, scooter des neiges.
Hill's Resort
Rt 5, Box 162-A, Priest Lake, ID 83864,
tél. 443 2551.
A Luby Bay sur le lac Priest. Appartements, bungalows et villas tout confort.
Sawtooth Lodge
1403 E. Bannock Street, Boise, ID 83702,
tél. 344 6685.
Sur le Grandjean, cabanes, terrain pour caravanes, chasse, pêche, excursions.
Sulphur Creek Ranch
7153 W. Emerald Street, Boise, ID 83704,
tél. 377 1188.
Sur la Salmon River. *Lodge*, cabanes, lac à truites, ski, escalade.
Sun Valley Resort
Sun Valley Lodge, Sun Valley, ID 83353,
tél. 622 4111.
550 chambres, piscine, golf, tennis, ski.
Whitewater Ranch
Cascade, ID 83611, tél. 382 4336.
Cabanes, chasse, pêche, équitation.

MONTANA

● **Hôtels**

Billings

Best Western Northern Hotel
Broadway at First Avenue North,
tél. (800) 528 1234.
En centre ville. Bar, attractions, hébergement gratuit pour les moins de 16 ans.
Billings Plaza Holiday Inn
5500 Midland Road, tél. (800) HOLIDAY.
Hébergement gratuit pour les moins de 18 ans. Piscine, jeux électroniques, restaurant.
Billings Sheraton Hotel
27 N. 27th Street, tél. (800) 325 3535.
300 chambres de luxe en centre ville. Piscine.

Bozeman

Best Western City Center Motor Inn
507 W. Main, tél. (800) 528 1234.
Sauna, piscine.

Holiday Inn of Bozeman
5 Baxter Lane, tél. (800) HOLIDAY.
Piscine, navette pour l'aéroport, restaurant.
Thrifty Scott Motel
1321 N. 7th Avenue, tél. (800) 228 3222.
A 13 km de l'aéroport, un hôtel économique avec petit déjeuner continental compris.

Butte

Best Western Copper King Inn
4655 Harrison, tél. 494 6666.
151 chambres de luxe, piscine, sauna, piste de danse, cafétéria, restaurant.
Best Western War Bonnet Inn
2100 Cornell Avenue, tél. 494 7900.
134 chambres. Piscine, piste de jogging.
Thrift Inn
2900 Harrison, tél. 494 3500.
Motel à prix modéré, piscine, *steak-house*.

Great Falls

Best Western Heritage Inn
1700 Fox Farm Road, tél. 761 1900.
250 chambres, piscines, sauna, bain à remous.
Fox Hollow Residence Inn
1700 10th Street, SW, tél. 727 0702.
Sheraton Great Falls
400 10th Avenue South, tél. 727 7200.
Hôtel de luxe, piscine.

Helena

Best Western Colonial Inn
2301 Colonial Drive, tél. 443 2100.
Piscine, sauna, parking pour camions.
Park Plaza Hotel
22 N. Last Chance Gulch, tél. (800) 322 2290.
En centre ville, dans le quartier historique.

Kalispell

Best Western Outlaw Inn
1701 Hwy 93 S, tél. 755 6100.
250 chambres de luxe, 2 piscines, sauna, jacuzzi, orchestre.
Cavanaugh's
20 N. Main, tél. 752 6660.
Auberge avec restaurant et piscine.
Red Lion Motor Inn
1330 Hwy 2 W.
Tout confort, piscine.

Missoula

Comfort Inn
744 E. Broadway, tél. (800) 228 5150.
89 chambres de luxe. Piscine, pêche, tennis.

Red Lion Motel
700 W. Broadway, tél. (800) 547 8010.
Prix modérés.
Village Red Lion Motel Inn
100 Madison, tél. (800) 547 8010.
Prix modérés.

West Yellowstone

Best Western Executive Inn
Corner of Gibbon and Dunraven,
tél. (800) 528 1234.
Site magnifique, piscine, pêche, scooter des neiges.
Quality Inn Ambassador
315 Yellowstone Avenue, tél. (800) 228 5151.
Proche du parc national. Piscine, bain à remous, restaurant.
Stagecoach Inn Travelodge
Madison and Dunraven, tél. (800) 255 3050.

Whitefish

Bay Point Estates
300 Bay Point Drive, tél. 862 2331.
Ambiance familiale, piscine. Forfaits de ski.
Grouse Mountain Lodge
1205 Hwy 93 W, tél. (800) 321 8822.
Lodge de luxe, piscine.
Ptarmigan Village
Big Mountain Road, tél. 962 3594.
Piscines, sauna, tennis.

● **Ranches, resorts, auberges de jeunesse**

Bar Y Seven Ranch
Brusett, MT 59318, tél. 557 6150.
Ranch en activité de 500 ha. Pêche, chasse, scooter des neiges. Ambiance familiale.
Bill Sweet Hostel
Box 16, Darby, MT 59829, tél. 821 3792.
Plantez votre tente ou louez un tipi.
Birchwood Hostel
600 S. Orange, Missoula, MT 59801,
tél. 728 9799.
Dortoirs tout confort. Il faut apporter sa nourriture et son sac de couchage (réservations recommandées).
Burnt Leather Ranch
McLeod, MT 59052, tél. 222 6795.
Ranch en activité près d'une National Forest.
BYXBE Ranch
Pompey's Pillar, MT 59064, tél. 987 2377.
Randonnée, escalade sur un ranch en activité de 65 ha.
CB Cattle and Guest ranch
Box 604, Cameron, MT 50720, tél. 682 4954.
Ranch en activité. Équitation. Moins de 13 ans non acceptés.

Circle & Ranch
Box 729, Choteau, MT 59422, tél. 466 5964.
Bungalows modernes, cuisine familiale, équitation, randonnées pédestres, chasse.
Crystal Lakes Resort
Fortline, MT 59918, tél. 882 4455.
40 appartements, piscine, tennis, ski de fond, randonnées.
Diamond J Ranch
Ennis, MT 59729, tél. 682 4867.
Équitation, piscine, pêche sur la Madison River.
Dolezal Home Hostel
Rt. 2, Box 65, Ronan, MT 59864,
tél. 676 2154.
6 chambres. Apporter sa nourriture (carte « jeune » et réservation obligatoires).
Flathead Lake Lodge
Box 248, Bigfork, MT 59911, tél. 837 4391.
« Dude ranch » sur le lac Flathead. Équitation, barques à louer, ski nautique, tennis, cottages.
Jackson Snyder Ranch
Box 1099, Lewistown, MT 59468,
tél. 538 3571.
Ranch de 200 ha de montagne. Repas compris.
Lazy K Bar Ranch
Melville Rt., Big Timber, MT 59011,
tél. 537 4404.
Ranch de 2 000 ha. Séjour minimal d'une semaine.
Rooney Ranches
Tongue River Stage, Miles City, MT 59301,
tél. 784 2770.
Deux ranches en activité. Randonnée, ski et équitation. Possibilités de camping.
7 Lazy P Ranch
Box P. Choteau, MT 59422, tél. 466 2044.
Excursions, chasse et pêche dans la Bob Marshell Wilderness. Ambiance familiale.
Sleeping Buffalo Resort
Star Rt 3, Box 13, Saco, MT 59621,
tél. 527 3370.
Chalets. Sources thermales, golf, pêche, chasse.

UTAH

● **Hôtels et motels**

Alta

Alta Lodge
Tél. 742 3500.
Lodge de luxe pour skieurs. Formules en demi-pension.
Rustler Lodge
Tél. 532 4061.
54 logements. Demi-pension. Piscine chauffée, saunas.

Beaver

Best Western Piace Motel
161 S. Main, tél. 438 2438.
24 chambres, piscine, golf, proche du Holly Ski Resort.
Country Inn Restaurant and Fuel Stop
N. Off-Ramp Interchange, tél. 438 2484.
38 chambres, piscine.

Castle Dale

Best Western El Toy Inn
80 S. Main, tél. 586 6528.
75 chambres. Piscine, sauna, bain à remous.
Meadeau View Lodge
48 km à l'est de Cedar City, près de Cedar Breaks.

Delta

Best Western Pendray Plaza
527 E. Topaz Boulevard, tél. 864 3882.
83 chambres. Piscine, restaurant.

Green River

Best Western River Terrace
Tél. 564 3401.
51 chambres. Piscine.
Motel 6
A la sortie est de Green River, tél. 564 3266.

Heber City

Viking Lodge
989 S. Main, tél. 654 2002.
36 appartements. Ambiance familiale. Aire de jeux.
Wasatch Motel
875 S. Main, tél. 654 21 23.
20 chambres. Piscine.

Kanab

Best Western Red Hills
124 W. Center, tél. 644 2675.
55 chambres.
Treasure Trail Motel
140 W. Center, tél. 644 2687.
28 chambres, piscine, navette pour l'aéroport.

Minersville

Apache Motel Friendship Inn
166 S. 400 E, tél. 259 5755.
Petits deux-pièces, piscine.
Ramada Inn
182 S. Main, tél. (800) 228 2828.
Piscine, hot tub, jacuzzi.

Ogden

Best Western Flying J Motel
1206 W. 21st, tél. 393 8644.
Piscine, salle de jeux.
Holiday Inn
3306 Washington Boulevard, tél. 399 5671.
109 chambres, piscine, restaurant, navette pour l'aéroport.
Ogden Hilton
247 24th Street, tél. 627 1190.
288 chambres, restaurants, piscine.

Panguich

Color Country Motel
500 N. Main, tél. 676 2386.
26 chambres, piscine, proche de cinq parcs nationaux.
New Western Motel
180 E. Main, tél. 676 8876.
26 chambres, piscine.

Park City

The Blue Church Lodge
424 Park Avenue, tél. 649 8009.
Logements avec kitchenette, golf, tennis, ski, équitation.
Deer Valley Lodging
Deer Valley Road, tél. 649 4040.
Logements familiaux.
Edelweiss Haus
P. O. Box 495, tél. 649 9342.
Resort Property Management and Lodging
592 Main, tél. 649 6613.
25 chambres, appartements avec kitchenette, terrain de jeux.
Snowflower
400 Silver King Drive, tél. (800) 852 3101.
90 logements entièrement équipés, piscines.
The Narrows/Holiday Inn Resort
1800 Park Avenue, tél. 649 7000.
179 chambres, piscine, restaurant.

Price

Carriage House Inn
590 E. Main, tél. 637 5660.
Piscine, restaurant.

Provo

Best Western Columbian
79 E. 300 S, tél. 373 8973.
28 logements de type familial, piscine.
Best Western Cotton-Tree Inn
2230 No. University Pkwy, tél. 373 7044.
80 logements dans un cadre agréable, piscine.

Budget Host University Western Inn
40 W. 300 S, tél. (800) 368 4400.
29 logements familiaux, piscine, aire de jeux.
The Provo Excelsior
101 W. 100 N, tél. 377 4700.
250 chambres, restaurants, piscine, sauna.

Richfield

Best Western High Country Inn
145 S. Main, tél. 896 5481.
65 chambres, navette pour l'aéroport.

St. George

Best Western Thunderbird
1000 E. 150 N, tél. 673 6123.
Logements familiaux, piscine, sauna.
Hilton Inn
1450 S. Hilton Drive, tél. 628 0463.
100 chambres. Piscine, sauna, bain à remous, golf, tennis.
Regency Inn
770 E. Street George Boulevard, tél. 673 6119.
49 chambres. Piscine, sauna, bain à remous.

Snowbird

Snowbird Ski and Summer Resort
Tél. (800) 453 3000.
571 chambres, restaurants, piscines, boutiques.

Salt Lake City

Hilton Hotel of Salt Lake
150 W. 500 S, tél. 532 3344.
352 chambres, piscine.
Holiday Inn Airport
1659 W. North Temple, tél. (800) 238 8000.
91 chambres, piscine, hébergement gratuit pour les moins de 18 ans.
Holiday Inn and Holidrome Downtown
230 W. 600 S, tél. (800) 238 8000.
160 chambres, piscine intérieure, salle de jeux pour enfants.
Hotel Utah
Main and S.Temple, tél. (800) 453 3820.
500 chambres, restaurant, hébergement gratuit pour les moins de 14 ans.
Little America Hotel
500 S. Main, tél. (800) 453 9450.
850 chambres, 2 piscines. Toutes facilités.
Marriott Hotel
75 South West Temple, tél. (800) 228 9220.
Piscine, salles de jeux pour enfants, équipements spéciaux pour handicapés.
Motel 6
1990 W. North Temple, tél. 322 3061.
Piscine, prix modérés. Pas de cartes de crédit.

Quality Inn Center
154 W. 600 S, tél. (800) 228 5151.
250 chambres, piscine, sauna.
Salt Lake Sheraton
255 S. West Temple, tél. (800) 325 3535.
502 chambres, piscine, hébergement gratuit pour les moins de 18 ans.
Se Rancho Motel
640 W. North Temple, tél. 532 3300.
97 chambres à prix modérés, piscine, tennis.
Town House Motel
245 W. North Temple, tél. (800) 453 4511.
66 chambres à prix modérés, piscine, hébergement gratuit pour les moins de 13 ans.

Vernal

Antlers Motel Best Western
423 W. Main, tél. 789 1202.
53 chambres. Piscine, aire de jeux.

● Bed and breakfasts

Bed N Breakfast Association of Utah
P.O. Box 16465, Salt Lake City, UT 84116, tél. 532 7076.
Service de réservations pour tout l'État. Liste des B&B sur demande.
Brigham Street Inn
1135 E. S. Temple, Salt Lake City, UT 84102, tél. 364 4461.
Petit déjeuner continental.
Eller Bed and Breakfast
164 S. 900, Salt Lake City, UT 84012, tél. 533 8184.
Petit déjeuner complet, sauna. Aucune carte de crédit acceptée.
Meadeau View Lodge
A 48 km à l'est de Cedar City, sur Nordic Ski Center, près de Cedar Breaks.

● Guest ranches et lodges

Brian Head Ski and Summer Resort
P.O. Box 8, Brian Head, UT. 84719, tél. 677 2035.
Bullfrog Resort and Marina
Del E. Webb Recreational Properties Inc., Hanksville, UT 84734, tél. (800) 528 6154.
Bryce Canyon National Park Lodge
T.W.A. Services, 451 N. Main, Cedar City, UT 84720, tél. 586 7686.
Diamond Valley Guest Ranch
P.O. Box 712, St. George, UT 84770, tél. 574 2281.
Goulding's Lodge
Box 1, Monument Valley, UT 84536, tél. 727 3231.
Hilton Inn
1450 S. Hilton Drive, St. George, UT 84770, tél. (800) 662 2525.

Manning Meadow Ranch
2052 E. 4500 South, Salt Lake City, UT 84117, tél. 277 6928.
Mt. Majestic Lodge
Brighton, UT. 841212, tél. 364 3382.
Nordic Valley Resort
P. O. Box 178, Eden, UT. 84310, tél. 745 3511.
Prospector Square and Conference Center,
P. O. Box 1698, Park City, UT 84060, tél. (800) 453 3812.
Rock Creek Ranch
P. O. Box 409, Duchesne, UT 84021, tél. 353 4744.
Snowbird Ski and Summer Resort
Snowbird. UT. 84092, tél. (800) 453 3000.
Sundance
P. O. Box 837, Provo, UT. 84602, tél. 225 4107.
Zion National Park Lodge
T. W. A. Services, 451 N. Main, Cedar City, UT 84720, tél. 586 7686.

WYOMING

● Hôtels

Casper

Holiday Inn
300 W. F Street, Box 3500, tél. 235 2531.
200 chambres, piscine, tout confort.
Ramada Inn
I-25 & Center, 123 W. Street, tél. 235 5713.
Piscine, tout confort.

Cheyenne

Hitching Post Inn
1700 W. Lincolnway, tél. (800) 221 0125.
250 chambres, piscine, tout confort.
Holding's Little America
P. O. Box 1529, tél. 634 2771.
190 chambres, piscine, tout confort.
Holiday Inn
204 W. Fox Farm Road, tél. 638 4466.
246 chambres, piscine, tout confort.

Cody

Holiday Inn Convention Center
1701 Sheridan Avenue, tél. 587 5555.
132 chambres, piscine.
Irma Hotel
1192 Sheridan, tél. 587 4221.
Hôtel construit par Buffalo Bill.

Douglas

Holiday Inn
1450 Riverband Drive, tél. 358 9790.
117 chambres, piscine, tout confort.

Plains Motel
841 S. 6th Street, tél. 358 4484.
Motel à prix modérés, 47 chambres, piscine.

Evanston

Best Western Dunmar Inn
Box 768, tél. 789 3770.
200 chambres, piscine, tout confort.
Western Budget Inn
1936 Highway 30 E., tél. 789 2810.
115 chambres, piscine.

Jackson

American Snow King Resort
Box SKI, tél. 733 5200.
200 chambres, piscine, grand luxe.
Executive Inn Best Western
325 W. Peal Street, tél. (800) 528 1234.
59 chambres, piscine, tout confort.
Jackson Hole Racquet Club Resort
Star Rt. 362 A, tél. 733 3990.
95 chambres, piscine, tout confort.
Virginian Lodge
750 W. Broadway, tél. 733 8247.
149 chambres, piscine, tout confort.
Wort Hotel
Broadway and Glenwood, tél. 733 2190.

Laramie

Holiday Inn
Box 1065, tél. 742 6611.
100 chambres, piscine.
Ramada Inn
1503 S. 3rd, tél. 742 3721.
Piscine.

Little America

Holding's Little America
Box 1, tél. (800) 445 6945.
150 chambres, piscine.

Rawlings

Holiday Inn
1801 E. Cedar, tél. 324 2783.
132 chambres, piscine.
Quality Inn
2222 E. Cedar, tél. 324 6615.
Piscine.

Rock Springs

Outlaw Inn (Best Western)
1630 Elk Street, tél. 362 6623.
Piscine.

Rock Springs Hilton Inn
2518 Foothill Boulevard, tél. 362 9600.
150 chambres, piscine.

Saratoga

Saratoga Inn
Box 869, tél. 326 5261.
60 chambres, tout confort.

Sheridan

Sheridan Center Motor Inn
Box 4008, 612 N. Main, tél. 674 7421.
142 chambres, piscine.
Trails End Motel
2125 N. Main, tél. 672 2477.
83 chambres, piscine, tout confort.

Teton Village

Alpenhof
Box 228, tél. (800) 733 3244.
40 chambres, piscine.
Inn at Jackson Hole
Box 328, tél. (800) 842 7666.
70 chambres, piscine.
The Sojourner Inn
Box 348, tél. (800) 842 7600.
100 chambres, piscine.

Thermopolis

Holiday Inn
Hot Springs State Park, tél. 864 3131.
80 chambres, piscine.

● **Guest ranches**

Bill Cody's Ranch Resort
P. O. Box 1390-T, Cody, WY 82414,
tél. (800) 621 2114.
Chalets de montagne, bar, piscine chauffée, bain à remous. Ranch dirigé par le petit-fils de Buffalo Bill.
Crossed Sabres Ranch
Box WTC, Wapiti, WY 82450, tél. 587 3750.
A 15 km à l'est du parc national de Yellowstone. Hôtes à la semaine, excursions, rodéo, dîners en plein air.
Flagg Ranch
P. O. Box 187, Moran, WY 83013, tél. 543 2861.
Situé entre les parcs de Grand Teton et Yellowstone. Cabanes, bateaux à louer, équitation, dîners en plein air.
4-Bears Outfitters
1297 Ln 10, Rt 1, Powell, WY 82435.
Randonnée, pêche, chasse, équitation, accueil spécial pour les handicapés.

Goff Creek Lodge
Box 155TC, Cody, WY 82414, tél. 587 3753.
A 16 km de l'entrée est du Yellowstone, cabanes de luxe, excursions, feux de camp.
Heart Six Guest Ranch
Moran, WY 83013, tél. 543 2477.
Au nord-est de Jackson Hole. Cabanes modernes, excursions et croisières sur la Snake River.
Jackson Hole Ski Area
P. O. Box 220, Teton Village, WY 83025,
tél. (800) 443 6931.
Très bien situé, à 19 km au nord-est de Jackson Hole.
Triangle X Ranch
Moose, WY 83012, tél. 733 5500.
A 40 km au nord-est de Jackson. Excursions, randonnées, travail au ranch.

POUR LES GOURMETS

A part quelques rares bonnes tables (souvent fort chères), les Rocheuses n'offrent guère de relais gastronomiques au sens français du terme. Néanmoins, on y mange très bien, notamment si l'on est amateur de viande, l'une des spécialités locales.

En effet, comme dans tout l'Ouest américain, la viande est reine dans les Rocheuses, et le bœuf *(prime beef)* d'une qualité exceptionnelle. On le déguste rôti *(roast beef)* ou en grillades *(grilled)*. Selon votre goût, vous deviendrez ainsi adepte du *T-bone steak* (côte de bœuf) ou de diverses spécialités : *sirloin* (faux-filet), *tenderloin* (filet) ou *rib eye* (noix d'entrecôte). Chacun de ces plats, toujours accompagné d'une pomme de terre en robe des champs et d'une salade, mérite d'être goûté. Un conseil: n'oubliez pas, en précisant le degré de cuisson désiré, que les Américains adorent le « bien cuit ». Le *rare* (saignant) correspond déjà, pour nous, à un morceau relativement cuit. Les autres appellations sont *medium* (à point) et *well done* (bien cuit).

Deux spécialités à ne pas manquer : la truite *(trout)*, et la viande de bison *(buffalo steak)* qui, au dire des connaisseurs, ressemble à du bœuf, mais en un peu plus relevé. Enfin, vu l'abondance et la variété de la faune locale, on peut également manger du gibier dans les Rocheuses.

Cependant, ne croyez pas que les Rocheuses soient un paradis réservé aux carnivores. La mode du « fitness » aidant, les Américains, de plus en plus soucieux de leur ligne, sont devenus adeptes des *salad bars*. Il s'agit de buffets de hors-d'œuvre, de salades composées et de fruits, où l'on se sert à volonté, selon la formule du *« all you can eat »* (à volonté). Ces *salads* se consomment en complément du plat principal ou en repas végétarien, économique et rapide. Notez que ces formules à volonté sont en plein développement et qu'elles s'étendent même souvent à l'ensemble du repas, pour la plus grande joie des gourmands.

Enfin, dans les villes, on trouve de nombreux restaurants mexicains, italiens, japonais, chinois et même français.

Pour vivre à l'américaine, il faut donc opter pour un déjeuner rapide dans un fast-food (**MacDonald's**, **Burger King**, **Popeye**, **Kentucky Fried Chicken**, **Taco Bell**, **Wendy's**, **Pizza Hut**, **Arby's**, etc.) et fréquenter le soir l'un de ces *family restaurants* ou *steak houses* qui proposent des repas copieux à des prix très raisonnables. Il existe de nombreuses chaînes de salad bars. Les plus répandues sont **Sizzler**, **Denny's**, **Howard Johnson's** et **Shoney's**.

Dernière spécialité américaine, le brunch se consomme le dimanche midi. Ce repas, qui est la synthèse du breakfast et du lunch, se présente sous la forme d'un buffet, généralement très copieux, à prix forfaitaire. Les meilleurs brunches s'accompagnent de champagne.

Pour achever de vous mettre l'eau à la bouche, voici enfin une liste non exhaustive des principaux restaurants des Rocheuses :

COLORADO

● Aspen et Snowmass

André's
312 S. Galena, tél. 925 6200.
Cuisine internationale.
Country Road Ltd., Bar and Restaurant
400 E. Main, tél. 925 6556.
Spécialités : fruits de mer et truite. Sur réservation.
Crystal Palace
300 E. Hyman Avenue, tél. 925 1455.
Repas gastronomique en musique. Cadre raffiné.
Eastern Winds
520 East Copper, tél. 925 5160.
Cuisine chinoise. Spécialités du Sichuan.
Guido's Swiss Inn
Hyman and Monarch, tél. 925 1455.
Auberge suisse.
Home Plate
333 E. Durant, tél. 925 1986.
Atmosphère décontractée.
Steak Pit
City Market Building, tél. 925 3459.
Steak, langouste, poisson, *salad bar*.

● Colorado Springs

Dale Street Café
115 E. Dale, tél. 578 9898.
Repas diététiques.
Edelweiss
34 E. Romona Avenue, tél. 633 2220.
Décor bavarois, cuisine allemande.
Pepe's
2427 N. Academy Boulevard, tél. 574 5801.
Spécialités mexicaines.

● Denver

Adirondacks
901 Larimer Street, tél. 573 8900.
Spécialités du Sud-Ouest américain.
Augusta
1672 Lawrence St, Westin Hotel Tabor Center, tél. 572 7222.
Dans l'un des grands hôtels de Denver.
The Bay Wolf
231 Milawakee, tél. 388 9221.
Orchestre de jazz. Spécialités de veau et de poisson.
Brinkers
7209 S. Clinton, I-25 and Arapahoe Road.
Dîner-spectacle. Viandes et fruits de mer.
Buckhorn Exchange
1000 Osage Street, tél. 534 9505.
Cadre historique. Spécialités de gibier.
Café Giovanni
1515 Market Street, tél. 825 6555.
Cuisine internationale. Décor victorien.
Café Kandahar
2709 W. Main, Littleton, tél. 798 9075.
Cuisine européenne. Petit musée du ski.
Campari's
Sheraton 4900 DTC Parkway, tél. 779 8899.
Cuisine italienne.
Casa Bonita
6715 W. Colfax Avenue, tél. 232 5115.
Cuisine mexicaine.
Le Central
112 E. 8th Avenue, tél. 863 8094.
Cuisine française.
Churchill's Restaurant
Angle 1730 S. Colorado Boulevard et I-25, tél. 756 8877.
Nouvelle cuisine. Dîner-spectacle.
Fins Oyster Bar and Restaurant
1401 Larimer Street.
En centre ville. Spécialités de poissons.
Fresh Fish Company
7600 E. Hampden Avenue.
Spécialités de poissons.
Gasho of Japan
1627 Curtis Street, tél. 892 5625.
Japonais.

The Harvest
430 S. Colorado Boulevard, Glendale,
tél. 399 6652.
Produits naturels.
Hoffbran Steaks
13th and Santa Fe.
Spécialités de viande.
Hudson's
1800 Glenarm Place.
Dîner-spectacle, veau, agneau, *prime rib*, belle carte de desserts.
Imperial Chinese
West 9th at Speer, tél. 698 2800.
Cuisine chinoise.
The Library Restaurant
800 S. Colorado Boulevard, Glendale.
Atmosphère paisible, cuisine raffinée.
Magic Pan Creperie
1465 Larimer Street.
Crêpes, soufflés, desserts.
Manhattan Café
1620 Market Street, tél. 893 0951.
Cuisine internationale. Piano-bar.
Marlowe's Downtown
511 16th Street, tél. 595 3700.
Maxwell's
435 S. Cherry Street.
Pizzas copieuses.
McCormick's Fish House and Bar
17th at Wazee Street, tél. 825 1107.
Dans l'un des plus vieux hôtels de Denver.
Ming Dynasty
4251 E. Mississippi, Glendale.
Cuisine orientale. Spécialités du Sichuan.
Normandy French
1515 Madison Street, tél. 321 3311.
Auberge française pour une cuisine de haute qualité.
North Woods Inn
6115 S. Santa Fe Drive, Littleton, tél. 794 2112.
Cuisine traditionnelle.
The Old Spaghetti Factory
1215 18th Street, tél. 295 1864.
Cuisine italienne. Décontracté et bon marché.
Paradise Bar and Grill
100 E. 9th Avenue.
Fruits de mer.
Pierres Quorum Restaurant
East Colfax at Grant.
Restaurant gastronomique.
Rattlesnake Club
901 Larimer Street, tél. 573 8900.
Cuisine californienne « branchée ».
Red Apple Restaurant and Lounge
Rodeway Inn, 4590 Quebec Street.
Steak, fruits de mer, *salad bar*.
Rich's Cafe
80 S. Madison Street.
Salades, sandwiches, spécialités mexicaines.

Soren's
315 Detroit.
Bonne cuisine. Quelques spécialités végétariennes.
Sushi Koi
1626 Market Street.
Poisson à la japonaise.
Tandoor Cuisine of India
1514 Blake Street, tél. 572 9071.
Cuisine de l'Inde. Spécialités tandoori.
Tante Louise
4900 E. Colfax Avenue, tél. 355 4488.
Cuisine française de terroir.
Wellshire Inn
3333 S. Colorado Boulevard.
Cuisine européenne. Brunch le dimanche.
Wilscam Restaurant
1735 Arapahoe Street.
Cuisine européenne. Cadre élégant.
Zaidy's Deli
323 14th Street, tél. 893 3354.
Charcuterie, sandwiches, desserts.
Zang Brewing Co.
2301 7th Street.
Le rendez-vous des sportifs de Denver.

● **Durango**

L'Entrepoint Restaurant and Bar
1769 Main Avenue, tél. 247 3751.
Gastronomie française. Quelques plats et desserts créoles. Excellente cave.
The Ore House
147 6th Street, tél. 247 5707.
Une des plus vieilles adresses de Durango. Spécialités de steaks et de fruits de mer.
Mr. Rosewater
522 Main Street, tél. 247 8788.
Soupes, pâtisseries, plats à base d'œuf.
The Strater Hotel
699 Main Avenue, tél. 247 4431.
Orchestre de jazz. Buffet à mdi. Poisson à volonté le vendredi soir.
Yesterday's
A l'Holiday Inn, 800 Camino del Rio,
tél. 247 5393.
Rôti de bœuf et truite des Rocheuses.

IDAHO

● **Boise**

Angel Bar and Grill
Capital Center, 9th and Main Street,
tél. 342 4900.
The Gamekeeper
Hotel Owyhee Plaza, 1109 Main Street,
tél. 343 4611.
Vins, steaks et fruits de mer de qualité.

Garcia's
Sur le lac de Park Center, tél. 336 3363.
Misty's
Red Lion Riverside Hotel, 29th and Chinden Boulevard, tél. 343 1871.
Belle vue sur la rivière.
Pengilly's
Déjeuners originaux dans une ambiance sympathique.
Peter Schott's
Idanha Hotel, 928 Main Street, tél. 336 9100.
The Royal
Au centre ville. Décor début du siècle.

● **Cœur d'Alene**

The Cedars
I-90 and ID 95, tél. 664 2922.
Restaurant flottant. Bonne table.
North Shore Plaza Restaurants
Au bord du lac. Terrasse.
Osprey
1000 W. Hubbard Street, tél. 664 2115.
Specialités de saumon et fruits de mer.

● **Lewiston**

Cedar III
Steaks, *salad ba*r. Prix modérés.
Helm
Prime rib, steaks. Excellente cuisine. Menus pour enfants.

● **Sandpoint**

Garden Restaurant
15 E. Lake Street, tél. 263 5187.
Prix modérés. Terrasse. Cuisine orientale. Spécialités de canard et de poissons.

● **Twin Falls**

Morgan's Rogerson Restaurant
Atmosphère détendue, bon accueil et prix modérés.

MONTANA

● **Bozeman**

New Asia Kitchen
1533 W. Babcock, tél. 586 6362.
Cuisine chinoise. Plats à emporter.
John's Pork Chop
209 E. Main, tél. 586 0029.
Sandwiches originaux.
Gene's Cartwheel Supper Club
A 11 km sur la Highway 191.
Bonne viande, fruits de mer.

Jordans Restaurant
1104 E. Main, tél. 586 9791.
Cuisine familiale.

UTAH

● **Cedar City**

Sugar Loaf Café
301 Main Street, tél. 586 6593.
Prix modérés. Ambiance musicale.

● **Logan**

Country Kitchen
Prix modérés. Cuisine familiale.

● **Ogden**

Old Country Bar
Cuisine familiale.

● **Park City**

Adolph's
Gastronomie européenne. Assez onéreux.

● **Provo**

Jedediah's Famous Dining
Rodeway Inn, 1292 University Avenue.
Prix modérés. Cuisine familiale.

● **St. George**

Atkin's Sugar Loaf Café
Prix modérés. Spécialités : viande de bœuf et poulet frit.

● **Salt Lake City**

Amber Restaurant
217 E. 3300 S.
Cuisine américaine.
Argentina Beef House
Trolley Square, 600 S. 700 E.
Bœuf d'Argentine, *prime rib*, fruits de mer.
Balkan Village
1500 N. Temple.
Cuisines grecque et américaine.
Bamboo Garden
1142 E. 3900 S.
Cuisines chinoise et américaine.
Beefeaters
2160 S. 700 E.
Steaks copieux.
Belgian Waffle & Omelette Inn
7331 S. 900 E.
Cuisine américaine.

Bratten Fruits de Mer Grotto
644 E. 400 S.
Fruits de mer et poisson.
Café Pierpont
126 W. Pierpont Avenue, tél. 364 1222.
Cedars of Lebanon
154 E 2nd S., tél. 364 4096.
Cuisine libanaise.
Chuck-A-Rama Buffet
744 E. 400 S.
Buffet suédois (smorgasbord).
Copper Rim Café
305 State Highway.
Salades, sandwiches, desserts.
Cowboy Grub Restaurant
2350 Foothill Drive, tél. 466 8334.
Cuisine cow-boy. Barbecue, *salad bar.*
Far West Café
3572 W. 3500 S.
Cuisines américaine, chinoise et vietnamienne.
Francesco Italian Restaurant
7200 So State.
Cuisine italo-américaine.
Gallo's Italian Restaurant
1447 W. 1000 N.
Cuisine italienne. Spécialités de poisson.
Golden Corral
3810 W. 5400 S.
Steaks.
Hibachi Teppan-Yaki, Suki-Yaki House
238 E. South Temple.
Cuisine japonaise.
Ho Ho Gourmet
1504 So State.
Cuisines chinoise et américaine.
La Caille at Quail Run
9565 Wasatch Boulevard, tél. 942 1751.
Gastronomie française au « château ».
Market Street Grill
48 Post Office Place, tél. 322 4668.
Restaurant de poissons.
Ming's Dynasty
9400 So 6500 E.
Cuisine chinoise.
New Orleans Café
307 W. 200 S.
Cuisine créole et cajun.
Old Spaghetti Factory
189 Trolley Square, tél. 521 0424.
Spécialités de pâtes.
Paprika Restaurant
2302 Parley's Way.
Cuisine internationale.
Pasta Mulino
859 E. 900 S.
Cuisine italienne.
Peppers
249 S. 400 E.
Cuisine mexicaine.

Prestwich Farms
1250 E. 3300 S.
Steak et *salad bar.*
Shaleemar
3298 Highland Drive.
Cuisine indienne.
Sizzler Family Steak House
371 E. 400 S., tél. 532 1339.
Steak et *salad bar.*
Temple Family Restaurant
320 N. Temple.
Cuisine américaine et orientale.
Tijuana Tilly's
6351 So State.
Spécialités américaines et mexicaines.
Union Station
Union Square, 685 E. 9450 S.
Cuisine américaine.
Western Sizzling Steak House
2222 W. 3500 S.
Steaks.
R. J. Wheatfields
Trolley Square, 500 S. 700 E.
Steak et fruits de mer. Produits naturels.
Zaccheo's Hansom House
280 E. 800 S.
Cuisine italo-américaine.

WYOMING

● **Casper**

Benham's
Steaks et déjeuners d'affaires.

● **Cheyenne**

Carriage Court
Best Western Hitching Post, 1700 W. Lincolnway, tél. 633 3301.
Ambiance musicale. Cuisine de qualité.
Owl Inn
3919 Central Avenue.
Cuisine américaine.

● **Cody**

Green Gables
937 Sheridan Avenue, tél. 587 4640.
Buffet suédois. Cuisine soignée.
Irma Grill
1192 Sheridan Avenue, tél. 587 4221.
Steaks à prix modérés.

● **Jackson**

Alpenhof Garden Room
A Teton Village, tél. 733 3462.
Cuisine raffinée. Pâtisseries maison.

Anthony's Italian Restaurant
50 S. Glenwood, Jackson.
Authentique cuisine italienne.
Lame Duck
Cuisine orientale. Prix modérés.
Soup Kitchen
Fast-food, charcuterie, sandwiches.

● **Laramie**

Diamond Horseshoe
Cuisines chinoise et américaine. Prix modérés.

● **Lander**

Miner's Delight
Atlantic Ghost Town.
Cuisine raffinée, dans une vraie ville fantôme.
Cavalryman
Prime rib de première qualité.

ADRESSES UTILES

COLORADO

● **Renseignements généraux**

Denver and Colorado Convention and Visitors Bureau
225 West Colfax Avenue, Denver, CO 80202, tél. (303) 892 1112.
Colorado Tourism Board
P.O. Box, 38700, Dept. TIA, Denver, CO 80238, tél. (800) 433 2656 ou (303) 592 5410.

● **Informations spécialisées**

U.S. Forest Service
Rocky Mountain Region Office, P.O. Box 25127, Lakewood, CO 80225, tél. (303) 236 9431.
Distribue des cartes des forêts nationales et d'excellents guides indiquant les pistes et les terrains de camping.
Colorado Campground Association
501 Pennsylvania, Boulder, CO 80303, tél. (303) 499 9343.
Distribue des cartes des terrains de camping privés et des principales attractions.
The Colorado Trail
P.O. Box 260876, Lakewood, CO 80225, tél. (303) 526 0809.
Colorado Division of Parks and Recreation
1313 Sherman Street, Suite 618, Denver, CO 80203, tél. (800) 328 6338 et (303) 866 3437.
Informations sur les parcs, les conditions pour la plaisance, le camping, les réservations.

Colorado Division of Wildlife
6060 Broadway, Denver, CO 80216, tél. (303) 297 1192.
Informations sur la chasse et la pêche.
Colorado Guides and Outfitters Association
P.O. Box 31438, Aurora, CO 80041, tél. (303) 751 9274.
Association des guides et organisateurs d'excursions.
National Park Service
P.O. Box 25287, Lakewood, CO 80225, tél. (303) 969 2000.

● **Chambres de commerce** (l'équivalent de nos syndicats d'initiative)

Aspen Chamber of Commerce
303 E. Main Street, Aspen, CO 81612, tél. (303) 925 1940.
Boulder Chamber of Commerce
2440 Pearl Street, P.O. Box 73, Boulder, CO 80302, tél. (303) 442 1044.
Breckenridge Chamber of Commerce
555 S. Columbia Road, P.O. Box 1909, Breckenridge, tél. (303) 453 6018.
Cañon City Chamber of Commerce
P.O. Box 249, Cañon City, CO 81212, tél. (303) 275 2331.
Central City Chamber of Commerce
City Hall. Central City, CO 80427, tél. (303) 573 0247.
Colorado Springs Chamber of Commerce,
P.O. Drawer B. Colorado Springs, CO 80901, tél. (303) 635 1551.
Copper Mountain Resort Association
P.O. Box 1, CO 81443, tél. (303) 668 2882.
Crested Butte Chamber of Commerce
Old Town Hall, P.O. Box 1288, Crested Butte, CO 81224, tél. (303) 349 6438.
Cripple Creek Chamber of Commerce
P.O. Box 650, Cripple Creek, CO 80813, tél. (303) 689 2169.
Denver Chamber of Commerce
1600 Sherman Street Denver, CO 80203, tél. (303) 894 8500.
Dillon Chamber of Commerce
50 Chief Colorow, Dillon, CO 80435, tél. (303) 468 6222.
Durango Chamber of Commerce
111 S. Camino del Rio, P.O. Box 2587, Durango, tél. (303) 247 0312.
Estes Park Chamber of Commerce
500 Big Thompson Hwy. Estes Park, CO 80517, tél. (800) 44 ESTES.
Georgetown Chamber of Commerce
600 Rose, Georgetown, CO 80444, tél. (303) 569 3150.
Golden Chamber of Commerce
611 14th Street, CO 80402, tél. (303) 279 3113.

Grand Junction Chamber of Commerce
*P.O. Box 1330, Grand Junction, CO 81501,
tél. (303) 242 3214.*
Grand Lake Chamber of Commerce
P.O. Box 1330, CO 81447, tél. (303) 627 3402.
Grandby Chamber of Commerce
*P.O. Box 35, Grandby, CO 80446,
tél. (303) 887 2311.*
Gunnison Chamber of Commerce
*500 East Tomichi Avenue Gunnison, CO
81230, tél. (303) 641 1501.*
Idaho Springs Chamber of Commerce
*2200 Miner Street, Idaho Springs, CO 80452,
tél. (303) 567 4844.*
Las Animas Chamber of Commerce
*511 Ambrose Thompson Boulevard, CO
81504, tél. (719) 456 0453.*
Leadville Chamber of Commerce
*809 Harrison Avenue, P.O. Box 861,
Leadville, CO 80461, tél. (719) 486 3900.*
Longmont Chamber of Commerce
528 N. Main Street, CO 80501, tél. (303) 776 5295.
Manitou Springs Chamber of Commerce
*354 Manitou Avenue Manitou Springs, CO
80829, tél. (719) 685 5089 ou (800) 642 2567.*
Monte Vista Chamber of Commerce
1125 Park Avenue Monte Vista, CO 81144.
Montrose Chamber of Commerce
*555 N. Townsend, Montrose, CO 81401,
tél. (303) 249 6360.*
Ouray Chamber of Commerce
*1222 Main, P.O. Box 145-A. Ouray, CO
81427, tél. (800) 228 1876.*
Pueblo Chamber of Commerce
*P.O. Box 697, Pueblo, CO 81002,
tél. (303) 542 1704.*
Salida Chamber of Commerce
*406 W. Rainbow Boulevard Salida, CO 81201,
tél. (719) 539 2068.*
Silverton Chamber of Commerce
*1360 Greene Street, P.O. Box 565, Silverton,
CO 81612, tél. (303) 387 5654.*
Steamboat Springs Chamber of Commerce
*1201 Lincoln Avenue, Steamboat Springs, CO
80477, tél. (303) 879 0880.*
Telluride Chamber of Commerce
*323 W. Colorado Avenue, Telluride, CO
81435, tél. (303) 728 3614.*
Vail Chamber of Commerce
*241 E. Meadow Drive, P.O. Box 308, Vail,
CO 81658, tél. (303) 476 1000.*

IDAHO

● **Renseignements généraux**

Idaho Travel Council
*700 W. State Street, Boise, ID 83720,
tél. (800) 635 7820 ou (208) 334 2470.*

● **Informations spécialisées**

Pioneer Country
*C/O Lava Hot Springs Foundation, Box 668,
Lava Hot Springs, ID 83246, tél. (209) 776 5221.*
Mountain River Country
*Box 50498, Idaho Falls, ID 83402,
tél. (209) 523 1010.*
Idaho Department of Parks and Recreation
*2177 Warm Springs Avenue, Boise, ID 83712,
tél. (209) 327 7444.*
Idaho Department of Game and Fish
*600 S. Walnut, Boise, ID 83712,
tél. (209) 334 3700.*
Informations sur la chasse et la pêche.
Idaho State Historical Society
*610 N. Julia Davis Drive, Boise, ID 83707,
tél. (209) 334 3356.*
Informations sur les musées et sites.

● **Chambres de commerce**

Boise Chamber of Commerce
P.O. Box 2368, ID 83701, tél. (208) 344 5515.
Cœur d'Alene Chamber of Commerce
*P.O. Box 850, Cœur d'Alene, ID 83814,
tél. (208) 664 3194.*
Idaho Falls Chamber of Commerce
*P.O. Box 498, Idaho Falls, ID 83402,
tél. (208) 523 1010.*
Lewiston Chamber of Commerce
*1030 F Street, Lewiston, ID 83501,
tél. (208) 743 3531.*
Pocatello Chamber of Commerce
*P.O. Box 626, Pocatello, ID 83204,
tél. (208) 233 1525.*
Twin Falls Chamber of Commerce
*323 Shoshone Street N., Twin Falls, ID 83301,
tél. (208) 733 3974.*

MONTANA

● **Renseignements généraux**

Convention and Visitors Bureau
*P.O. Box 31177, Billings, MT 59107,
tél. (406) 245 4111.*
Travel Montana
*Room 010, Deer Lodge, MT 59722,
tél. (800) 541 1447 ou (406) 444 2654.*
Montana Travel Promotion Office
1424 Ninth Avenue, Helena, MT 59620.

● **Informations spécialisées**

Visitor Services
*National Park Service, P.O. Box 168,
Yellowstone National Park, WY 82190,
tél. (307) 344 7381, ext 2283.*

Montana Department of Fish, Wildlife and Parks
1420 E. 6th Avenue, Helena, MT 59620,
tél. (406) 444 2535.
National Park Service
Grant Kohrs Ranch National Historic Site,
P.O. Box 790, Deer Lodge, MT 59722,
tél. (406) 846 2070.
United States Forest Service
Northern Region, P.O. Box 7669, Missoula,
MT 59807, tél. (406) 329 3511.

● **Chambres de commerce**

Billings Chamber of Commerce
P.O. Box 2519, Billings, MT 59103,
tél. (406) 245 4111.
Bozeman Chamber of Commerce
P.O. Box B, Bozeman, MT 59715,
tél. (406) 586 5421.
Butte Silver Bow Chamber of Commerce
2950 Harrison Avenue, Butte, MT 59701,
tél. (406) 494 5595 et 494 5188.
Culbertson Chamber of Commerce
P.O. Box 633, Culbertson, MT 59218,
tél. (406) 787 5821.
Deer Lodge Chamber of Commerce
300 Main, Deer Lodge, MT 59722,
tél. (406) 846 2094.
Dillon Chamber of Commerce
Beaverhead Chamber, P.O. Box 830, Dillon,
MT 59725, tél. (406) 683 5511.
Helena Chamber of Commerce
P.O. Box 308, Helena, MT 59601,
tél. (406) 442 4120.
Hot Springs Chamber of Commerce
P.O. Box 580, Hot Springs, MT 59845,
tél. (406) 741 2652.
Kalispell Chamber of Commerce
15 Depot Loop, Kalispell, MT 59901,
tél. (406) 755 6166 et 752 6166.
Livingston Chamber of Commerce
P.O. Box 660, Livingston, MT 59047,
tél. (406) 222 0850.
Miles City Chamber of Commerce
P.O. Box 730, Miles City, MT 59301,
tél. (406) 232 2890.
Montana Chamber of Commerce
P.O.Box 1730, Helena, MT 59624,
tél. (406) 442 2405.
Three Forks Chamber of Commerce
P.O. Box, Three Forks, MT 59752,
tél. (406) 285 3674 et 285 6857.
Virginia City Chamber of Commerce
Vigilance Club, P.O. Box 295, Virginia City,
MT 59755.
West Yellowstone Chamber of Commerce
P.O. 458, West Yellowstone, MT 59758,
tél. (406) 646 7701.

UTAH

● **Renseignements généraux**

Convention and Visitors Bureau
180 South Temple Street West, Salt Lake City,
UT 84101, tél. (801) 521 2822.
Utah Travel Council
Council Hall, Capitol, Salt Lake City, UT
84114, tél. (801) 533 5681.

● **Informations spécialisées**

National Park Service
125 South State, Salt Lake City, UT 84111,
tél. (801) 524 4165.
Utah State Division of Parks and Recreation
1636 W. North Temple, Salt Lake City, UT
84116, tél. (801) 538 7221.
Utah Division of Wildlife Resources
1596 W. North Temple, Salt Lake City, UT
84116, tél. (801) 538 4700.
Ski Utah
Dept. UTG, 307 W. 200 S., Salt Lake City, UT
84101, tél. (801) 533 9333.

● **Chambres de commerce**

Brigham City Chamber of Commerce
6 N. Main, Brigham City, UT 84302,
tél. (801) 723 3931.
Cache Chamber of Commerce
52 W. 2nd North, Logan, UT 84321,
tél. (801) 752 2161.
Cedar City Chamber of Commerce
286 N. Main, Cedar City, UT 84720,
tél. (801) 586 4484.
Green River Chamber of Commerce
165 S. K. O. A. River Boulevard, Green River,
UT 84525, tél. (801) 364 3651.
Orem City Chamber of Commerce
777 S. State, Orem, UT 84601, tél. (801) 224 3636.
Park City Chamber/Bureau
528 Main Street, Park City, UT 84060,
tél. (801) 649 6100.
Provo City Chamber of Commerce
10 E. 300 N., Provo City, UT 84601,
tél. (801) 373 6770.
Salt Lake Area Chamber of Commerce
19 E. 200 S., Salt Lake City, UT 84111,
tél. (801) 364 3631.
St. George Chamber of Commerce
97 E. St. George Boulevard, St. George, UT
84770, tél. (801) 628 1658.
Vernal Chamber of Commerce
120 E. Main, Vernal, UT 84078, tél. (801) 789 1352.
Wasatch County Chamber of Commerce
33 N. Main, Heber City, UT 84032,
tél. (801) 654 3666.

Wyoming

● **Renseignements généraux**

Wyoming Travel Commission
I-25 at College Drive, Cheyenne, WY 82202,
tél. (800) 225 5996 ou (307) 777 7777.

● **Informations spécialisées**

Wyoming Archives and Historical Department
State Office Building East, Cheyenne, WY 82002.
Informations sur les musées du Wyoming.
Wyoming Recreation Commission
Cheyenne, WY 82001.
Informations sur les State Parks et les sites historiques.
Wyoming Game and Fish Department
Information section, Cheyenne, WY 82002, tél. (307) 777 7735.
Informations sur la chasse et la pêche.

● **Chambres de commerce**

Casper Chamber of Commerce
P. O. Box 399, 500 N. Center, Casper, WY 82601, tél. (307) 234 5311.
Cheyenne Chamber of Commerce
P. O. Box 1147, 301 W. 16th Street, Cheyenne, WY 82001, tél. (307) 638 3388.
Cody Chamber of Commerce
P. O. Box 2777, 836 Sheridan, Cody, WY 82414, tél. (307) 587 2297 et 587 2298.
Jackson Hole Chamber of Commerce
P. O. Box E, 532 N. Cache, Jackson Hole, WY 83001, tél. (307) 733 3316.
Laramie Chamber of Commerce
401 Garfield, Laramie, WY 82070, tél. (307) 745 7339.
Medicine Bow Chamber of Commerce
P. O. Box 456, Medicine Bow, WY 82329, tél. (307) 379 2255 et 379 2311.
Pinedale Chamber of Commerce
P. O. Box 176, 187 W. Pine, Pinedale, WY 82941, tél. (307) 367 2242.
Rock Springs Chamber of Commerce
1897 Dewar Drive, Rock Springs, WY 82901, tél. (307) 362 3771.
Sheridan Chamber of Commerce
P. O. Box 707, 5th et I-90, Sheridan, WY 82801, tél. (307) 672 2485.
Shoshoni Chamber of Commerce
P. O. Box 324, Shoshoni, WY 82649, tél. (307) 876 2389.
Thermopolis Chamber of Commerce
220 Park Street, Thermopolis, WY 82443, tél. (307) 864 2636 et 864 3142.

Ambassades et consulats

● **France**

Ambassade de France
4101 Reservoir Road, N. W., Washington, D. C. 20007, tél. (202) 944 6000.
Consulat général
540 Bush Street, San Francisco, CA 94108, tél. (415) 397 4330.
French Consulate
University of Utah, Salt Lake City, UT, tél. (801) 581 6807.

● **Belgique**

Ambassade de Belgique
3330 Garfield Street N. W., Washington D. C. 20008.
Consulat à Los Angeles
Tél. (213) 857 1244.

● **Suisse**

Ambassade de Suisse
2900 Cathedral Avenue N. W., Washington, D. C. 2008, tél. (202) HQ2 1811.
Swiss Consulate
430 S. Newland, Denver, CO, tél. (303) 499 5641.

Librairies à Paris

● **Librairies de voyages**

Astrolabe
46, rue de Provence, 75009 Paris, tél. 42 85 42 95.
Aventure
30, avenue George-V, 75008 Paris, tél. 44 31 16 46.
Espace Évasion
77, boulevard Saint-Germain, 75006 Paris, tél. 46 34 86 34.
Gabelli
14, rue Serpente, 75006 Paris, tél. 43 26 04 52.
Itinéraires
60, rue St-Honoré, 75001 Paris, tél. 42 36 12 63.
Ulysse
26, rue Saint-Louis-en-l'Ile, 75004 Paris, tél. 43 25 17 35.

● **Librairies anglo-saxonnes**

Brentano's
37, avenue de l'Opéra, 75002 Paris, tél. 42 61 52 50.
Galignani
224, rue de Rivoli, 75001 Paris, tél. 42 60 76 07.

Smith
248, rue de Rivoli, 75001 Paris, tél. 42 60 37 97.

● **Librairie consacrée aux Indiens**

Les Indiens d'Amérique
34, rue du Bourg-Tibourg, 75004 Paris,
tél. 40 29 03 39.

BIBLIOGRAPHIE

GUIDES TOURISTIQUES

États-Unis, Centre et Ouest, Guides Bleus, Hachette.
États-Unis, l'Ouest et le Centre, Arthaud.
Les États-Unis, Guide du routard, Hachette.

GÉOGRAPHIE, NATURE

L'Amérique des Rocheuses, Larousse, 1986, coll. « Faune et flore du monde ».
Blaise (B.), Lacassin (F.), *Villes mortes et villes fantômes de l'Ouest américain*, Éditions Ouest-France-Édilarge, 1990.
George (P.), *Géographie des États-Unis*, P.U.F., 1984, coll. « Que sais-je ? ».
Muench (D.), *Natura America*, AGEP, 1989.
Walter (B. S.), *Montagnes Rocheuses*, Time Life, 1975, coll. « Les Grandes Étendues sauvages ».

HISTOIRE

Les Grandes Dates des États-Unis, Larousse, 1989, coll. « Essentiels ».
Artaud (D.), Kaspi (A.), *Histoire des États-Unis*, Armand Collin, 1980.
Boorstin (D.), *Histoire des Américains*, Laffont, 1991, coll. « Bouquins ».
Cazaux (Y.), *le Rêve américain, de Champlain à Cavelier de la Salle*, Albin Michel, 1988.
Fohlen (Cl.), *la Vie quotidienne au Far West*, Hachette, 1974.
Jacquin (Ph.), *Vers l'Ouest, un Nouveau Monde*, Gallimard, 1987, coll. « Découvertes ».
Collectif, *le Far West*, Time Life, 1979.
Kramer (J.), *les Derniers Cow-Boys*, Balland, 1982.
Oriano (M.), *les Travailleurs de la frontière, bûcherons, cow-boys et cheminots américains au XIXᵉ siècle*, Payot, 1977.
Powell (J. W.), *The Exploration of the Colorado River and its Canyons, (1895)*, New York, Dover Publications, 1961.
Turner (F. J.), *la Frontière dans l'histoire des États-Unis (1893)*, Payot, 1963.

LES INDIENS

Collectif, *Terre indienne, un peuple écrasé, une culture retrouvée*, Autrement, série « Monde », 1991.
Erdoes (R.), *Par le pouvoir du rêve*, Éditions du Mail, 1991.
Lee Walter (A.), *l'Esprit des Indiens*, Casterman, 1990.
Fohlen (Cl.), *les Indiens d'Amérique du Nord*, Paris, PUF, 1985, coll. « Que sais-je ? »
Hungry Wolf (B.), *Paroles indiennes*, Plon, 1990.
Jacquin (Ph.), *Histoire des Indiens d'Amérique du Nord*, Payot, 1976.
la Terre des Peaux-Rouges, Gallimard, 1987, coll. « Découvertes ».
Marienstras (E.), *la Résistance indienne aux États-Unis*, Gallimard, 1980.
Pac (R.), *les Guerres indiennes aujourd'hui*, Messidor, 1989.
Rostkowski (J.), *le Renouveau indien aux États-Unis*, L'Harmattan, 1986.
Turner (G.), *les Indiens d'Amérique du Nord*, Armand Collin, 1985.

LITTÉRATURE

Cabau (J.), *la Prairie perdue, le roman américain*, Le Seuil, 1981.
Calamity Jane, *Lettres à sa fille (1880)*, Le Seuil, 1975.
Cooper (F.), *la Prairie*, Bibliothèque Lattès.
Parkman (F.), *la Piste de l'Oregon (1848)*, Phébus, 1991.
Twain (M.), *Mes folles années (1872)*, Éditions EFR, 1959.
Stevenson (R.), *la Route de Silverado (1880)*, Phébus, 1987.

ARTS

Gonzalez (Ch.), *Histoire du Western*, Bordas, 1986.
Rieupeyrout (J.-L.), *la Grande Aventure du Western*, Ramsay Cinéma, 1984.
Ballinger (J.), *Frederick Remington*, New York, Abrams, 1989.

BANDES DESSINÉES

Morris & Goscinny, *Lucky Luke*, 50 volumes aux éditions Dupuis et Dargaud (1949/1991).
L'épopée humoristique et légendaire de l'Ouest. Certains titres très documentés, comme *Des rails sur la prairie* ou *la Ville fantôme*, mettent en scène l'épopée des Rocheuses.

CRÉDITS PHOTOGRAPHIQUES

Illustration de couverture — **Devil's Tower, Wyoming photographie de François Gohier, © agence Explorer**

35, 37, 40, 41, 42, 43d, 45, 51, 53, 44, 45, 76, 116, 283, 284, 285, 288, 289 — **Bruce Bernstein Collection, Bibliothèque de Princeton, NJ.**

210g — **Edgar Boyles**

192 — **Pat Canova**

38-39, 248 — **Musée C. M. Russel, Montana**

111 — **Chambre de Commerce d'Aspen**

276, 287 — **Salt Lake Valley Convention & Visitors Bureau**

92-93 — **Christine Faucher**

181, 183, 185, 200 — **Ricardo Ferro**

3, 62, 120, 149, 202, 233, 240, 243 — **Lee Foster**

264, 266 — **Michael H. Francis**

30, 142, 150 — **Hara Photographics**

163, 265 — **Dallas & John Heaton**

154 — **Rick McIntyre**

24, 31, 172, 236-237 — **Robert Michael**

108, 153, 203, 231, 234 — **Vautier-De Nanxe**

25, 28, 29, 32-33, 34, 36, 43g, 47, 50, 52, 60-61, 65, 67, 69, 71, 72-73, 77, 78, 79, 82, 84, 85, 86, 87, 94-95, 136-137, 141, 143, 146, 148, 160-161, 164, 166, 167, 230, 244-245, 249, 250, 251, 252-253, 259, 260, 261, 279, 281, 282, 286, 293, 296

9 — **Ronnie Pinsler**

61 — **Roger-Viollet**

63, 81-82 — **Tony Stone Worldwilde**

14-15, 16-17, 18-19, 20-21, 22, 27, 44, 49, 56-57, 58-59, 64, 66, 68, 70, 75, 88, 89, 100, 102, 103, 104, 107, 109, 130, 131, 132, 133, 134, 135, 144-145, 152, 155, 156, 157, 158, 168d, 169, 171, 173, 174-175, 176, 177, 179, 180, 184, 186, 187, 189, 190, 191, 193, 198, 199, 204, 212, 214-215, 216, 218, 219, 220, 221, 222-223, 224, 225, 227, 228-229, 235, 238, 241, 242, 246, 247, 254, 255, 256, 257, 258, 262-263, 268, 269, 270-271, 272, 275, 277, 280, 292, 294, 295, 297, 298 — **Tom Tidball**

26, 74, 90-91, 98-99, 105, 106, 112-113, 114, 119, 123, 124, 126, 127, 128-129, 138-139, 140, 162, 165, 168g, 188, 194-195, 197, 201, 205, 206-207, 208, 209, 210d, 213, 239, 278, 291 — **Joseph F. Viesti**

INDEX